Prefazione

Strano e affascinante destino quello della nostra lingua.

Da una parte, essa è soggetta a cicliche e nefaste premonizioni che ci ricordano come sia destinata inesorabilmente a deperire, impoverirsi, snaturarsi ed, infine, soccombere contro lo strapotere della lingua inglese. Dall'altra, invece, essa rifiorisce, risplende ed espande i proprio domini d'uso attraendo sempre nuove fasce di apprendenti.

Ad un osservatore disattento, magari influenzato dalla lettura di inchieste giornalistiche portate avanti quasi mai da esperti, il tutto potrebbe risultare incomprensibile e non saprebbe dire dove stia la verità.

In realtà la lingua italiana è, come tutte le lingue del mondo del resto, una lingua che si evolve. L'elemento, se vogliamo, peculiare rispetto alle altre grandi lingue di cultura è il ritmo di questi cambiamenti, dal momento che essa è soggetta come mai prima d'ora a forti pressioni e spinte innovative. Pressioni e spinte che derivano da quello che potremmo definire, senza peccare di enfasi, come un fenomeno di portata epocale e di rivoluzione negli usi linguistici degli italiani.

Per la prima volta dall'unità d'Italia, infatti, possiamo dire che l'italiano non è più solo la lingua dell'ufficialità e della dimensione scritta e formale, ma è una lingua usata anche con gli amici, con i propri familiari, nelle situazioni informali ed in quelle meno informali. Insomma, si può usare l'italiano per ordinare un caffè al bar o per commentare il fatto del giorno con gli amici ed essere capiti sempre, in ogni parte d'Italia e qualunque sia la provenienza regionale dei nostri interlocutori.

Al contempo, questa conquista da parte nostra di una lingua standard continua a convivere con forti spinte centrifughe per il persistere degli usi dialettali (specie in certe situazioni comunicative e con familiari e amici), nonché per la presenza sempre più visibile di lingue straniere, frutto della globalizzazione comunicativa (internet, tv satellitari in lingua straniera che ci raggiungono ovunque ecc.) e per la presenza immigrata con i suoi oltre mille idiomi che echeggiano passeggiando tra le strade e le piazze di ogni nostra città. Fenomeni questi che non minano alla base l'italiano, ma lo arricchiscono e lo rendono pronto per le sfide linguistiche che la modernità ci pone davanti.

Come si vede, siamo in presenza di un quadro molto complesso. E, forse, è proprio questa complessità che disorienta i più. Che spinge a formulare giudizi controversi sullo stato di salute dell'italiano.

Da parte nostra, crediamo che sia proprio questa complessità, questo intreccio di usi diversi, questo sorgere di nuove forme per rispondere a nuove esigenze comunicative, l'indice inequivocabile dell'ottimo stato di salute della nostra lingua. Testimoniato anche dalla forte attrazione che la nostra lingua esercita tra gli stranieri.

Ma proprio questa complessità rende arduo il compito di insegnare italiano a stranieri. Si tratta, infatti, di rendere non un quadro stabile e consolidato, ma un processo in divenire il cui approdo è in alcuni casi sconosciuto o incerto.

Queste difficoltà emergono ancor di più quando ci si accinge a produrre materiali didattici che vogliano essere in sintonia con le trasformazioni in atto. Materiali, cioè, che sappiano restituire una fotografia aggiornata e attendibile degli usi linguistici che è possibile ascoltare o leggere nelle nostre conversazioni o nei nostri scritti.

Per fare ciò, servono idee per una didattica che non abbia paura di affrontare i cambiamenti, di avventurarsi lungo quella linea di confine tra norma e uso, sempre così difficile da individuare e, soprattutto, da percorrere.

Allo stesso tempo, una didattica che tenga conto dei contributi teorici più recenti messi a disposizione dalla linguistica acquisizionale e da tutte quelle discipline che si interessano alla descrizione dei processi di apprendimento di una lingua straniera.

Infine, una didattica che sappia accogliere gli apprendenti proponendo attività coinvolgenti, stimolanti oltre che, ovviamente, pertinenti con gli obiettivi didattici prefissati.

Insomma un compito arduo.

Un compito, però, che *L'italiano all'università* ha saputo portare a termine egregiamente.

L'autore, infatti, mette in pratica al meglio questa idea di didattica dell'italiano intenta da una parte a trasmettere le forme e gli usi così come essi si sono andati definendo in questi anni, dall'altra a trovare il modo di passarli agli studenti appassionandoli e rendendogli così la strada verso la nostra lingua il più possibile spianata.

Un'idea di didattica che egli ha saputo maturare nei suoi studi e nelle sue collaborazioni presso l'Università per Stranieri di Siena e che ha già avuto modo di sperimentare in prima persona nei molteplici corsi di italiano L2 che ha curato in questi anni.

Andrea Villarini
Direttore della Scuola di Specializzazione in Didattica dell'italiano come lingua straniera
Università per Stranieri di Siena

Introduzione

La presenza crescente di studenti universitari stranieri di ogni nazionalità che studiano la lingua italiana presso i Centri Linguistici di Ateneo in Italia e all'estero, presso i numerosi programmi di studio universitari disseminati in Italia, presso le scuole private di lingua, ha reso necessaria l'elaborazione di materiali didattici specifici per questi apprendenti. *L'italiano all'università* si rivolge principalmente a questi studenti intercettando i loro bisogni formativi e linguistico-comunicativi.

Alla base dell'elaborazione del volume sta quindi, in primo luogo, l'individuazione delle motivazioni allo studio e dei contesti di comunicazione all'interno dei quali gli studenti universitari spenderanno le conoscenze acquisite in lingua italiana. Questo non implica, tuttavia, la focalizzazione esclusiva sulla comunicazione che si realizza in ambito educativo: specialmente ai primi livelli di competenza, coperti da questo volume, si sono tenuti in considerazione altri ambiti in cui l'apprendente universitario si troverà a interagire in italiano, rivolgendo comunque costante attenzione ai reali interessi degli apprendenti.

Il volume consiste in un *Libro di classe* formato da 12 unità, in un *Eserciziario* con altrettante unità corredato dalle chiavi, in 6 *test di verifica* delle competenze linguistico-comunicative e in 6 *schede di autovalutazione* delle abilità metacognitive. L'opera è completata dalla *Guida per l'insegnante* che fornisce una descrizione analitica delle varie sezioni del volume, rende espliciti gli obiettivi di ciascuna attività proposta e ne suggerisce una modalità di realizzazione. Si rimanda alla guida, dunque, per una più approfondita presentazione e per una ottimale utilizzazione di questo libro. In questa introduzione ci si limita sinteticamente a fornire poche informazioni preliminari.

Ogni unità didattica del volume è divisa in sezioni rese ben identificabili anche dal punto di vista grafico. Tale struttura consente da un lato agli studenti di avere chiaro lo scopo principale delle attività che stanno svolgendo, rispettando la nota necessità degli apprendenti adulti di conoscere gli obiettivi del loro percorso di apprendimento, dall'altro favorisce una migliore divisione del lavoro nei casi in cui il corso sia tenuto da più di un docente.

I testi utilizzati sono vari per tipologia e generi. Il testo è considerato il fulcro a partire dal quale (e attorno al quale) si sviluppano tutte le attività linguistiche e comunicative, sempre coerenti con i bisogni degli apprendenti. Particolare attenzione è stata attribuita alla varietà delle attività, con lo scopo di rispettare i possibili diversi stili di apprendimento.

Lo sviluppo della competenza è visto nelle sue dimensioni sociopragmatica e linguistica, considerate interrelate tra loro e non vicendevolmente esclusive. Nel volume dunque, si presta attenzione sia agli aspetti comunicativi della lingua che agli aspetti di riflessione metalinguistica. L'apprendente universitario, che tra l'altro non studia quasi mai l'italiano come prima lingua straniera, è sicuramente in grado di svolgere una riflessione esplicita sulla lingua e, nella maggior parte dei casi, ne fa esplicita richiesta. La scelta operata è stata quindi quella di attribuire la dovuta importanza alla riflessione sulla lingua, bilanciando adeguatamente le attività metalinguistiche con quelle più spiccatamente comunicative e adottando il metodo induttivo che porta lo studente a scoprire le regole in maniera attiva.

Il volume attribuisce molta importanza agli aspetti relativi alla cultura italiana trattati in una sezione specifica alla fine di ogni unità e all'interno dei diversi box informativi. Sebbene la promozione della competenza interculturale sia un obiettivo a lungo termine e non facile da raggiungere, si ritiene che anche l'utilizzo di un volume attento alla presentazione degli aspetti della cultura italiana possa contribuire a questo scopo.

Un'ultima breve considerazione va fatta sull'aspetto grafico del volume. *L'italiano all'università* è un libro che presenta un notevole numero di attività e propone una progressione degli argomenti sostenuta, coerentemente con il profilo sociolinguistico e culturale tipico degli apprendenti universitari. Non sono stati tralasciati, però, gli aspetti grafici che risultano accattivanti e contribuiscono senza dubbio a rendere più piacevole e motivante l'uso del volume, senza mai, tuttavia, risultare stucchevoli o didatticamente non adeguati.

Sulla multi-piattaforma **i-d-e-e** è disponibile la versione interattiva delle attività dell'*Eserciziario* più tutta una serie di risorse e strumenti per studenti e insegnanti.

Sul sito di Edilingua è possibile scaricare il Glossario interattivo in cinque lingue (inglese, francese, tedesco, spagnolo e russo), un'applicazione gratuita per smarthone e tablet.

Infine, il volume è disponibile nella versione per studenti anglofoni (*L'italiano all'università 1 for English speakers*) e nella versione per studenti germanofoni (*L'italiano all'università 1 für deutschsprachige Lerner*).

Per questi motivi che si è provato a riassumere in maniera necessariamente sintetica, mi auguro che *L'italiano all'università* possa risultare un utile strumento per quanti sceglieranno di servirsene durante il percorso di apprendimento/insegnamento della lingua italiana.

Matteo La Grassa

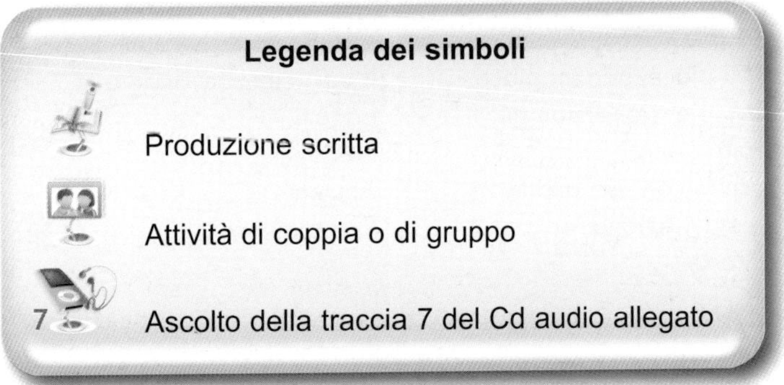

Unità 1 Ciao, io sono Anna. E tu?

Funzioni comunicative	Elementi grammaticali	Elementi lessicali	Elementi culturali
Presentarsi (nome, cognome, nazionalità, età). Salutare. Chiedere e dire il numero di telefono e l'indirizzo. Fare domande in maniera formale e informale. Chiedere di ripetere. Chiedere come si dice e come si scrive una parola.	Pronomi personali. Verbi *essere, avere.* Verbo *chiamarsi*, prime tre persone. La frase negativa. Genere e numero di sostantivi e aggettivi.	Oggetti della classe. Aggettivi di nazionalità. Numeri da zero a cento.	Studenti di italiano nel mondo. Motivazioni allo studio dell'italiano. 

Unità 2 Lavori o studi?

Funzioni comunicative	Elementi grammaticali	Elementi lessicali	Elementi culturali
Presentare qualcuno. Chiedere e dire come si sta. Chiedere e dire quale lavoro si fa. Salutare quando si va via.	Verbi regolari delle tre coniugazioni. Principali verbi irregolari. Articoli determinativi. Concordanza articolo, nome, aggettivo. Preposizioni *in, a, da, di.*	Il lavoro: professioni e luoghi. Alcuni aggettivi qualificativi.	Il lavoro in Italia. 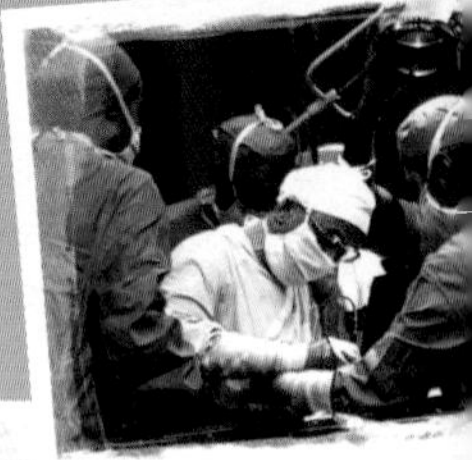

Unità 3 Una bottiglia d'acqua per favore.

Funzioni comunicative	Elementi grammaticali	Elementi lessicali	Elementi culturali
Ordinare. Chiedere e dire il prezzo. Esprimere gusti e preferenze. Chiedere il permesso. Chiedere a qualcuno di fare qualcosa.	Mi piace/non mi piace. Mi piacciono/non mi piacciono. Verbi con *-isc-* alla terza coniugazione. *Vorrei.* *Ci* locativo.	Il bar: cibi, bevande e oggetti. Negozi. Alimenti. Pesi e misure.	Gli italiani e il bar. La colazione degli italiani. 

Indice

Indice

Ciao, io sono Anna. E tu?

Entriamo in tema

Osserva questa immagine.
Dove sono le persone?
Cosa dicono?

Comunichiamo

1 **1. Ascolta il dialogo e rispondi alle domande.**

1. Quanti anni ha Alexis? Alexis ....
2. Quanti anni ha Anna? Anna ....
3. Qual è il cognome di Antonia? ....

1 **2. Ascolta di nuovo il dialogo e leggi il testo. Controlla le risposte dell'attività 1.**
Nella classe di italiano gli studenti si presentano.

Anna: Ciao. Io sono Anna. E tu?
Alexis: Piacere, Anna, io mi chiamo Alexis.
Anna: Quanti anni hai, Alexis?
Alexis: Ho venti anni. E tu, quanti anni hai?
Anna: Io ho ventidue anni.
Alexis: E Lei signora, come si chiama?
Antonia: Mi chiamo Antonia. Antonia Sanchez.
Anna: E di dov'è?
Antonia: Sono argentina, di Buenos Aires.

3. Rileggi il dialogo e trova l'espressione usata per...

salutare ....
chiedere il nome in maniera informale ....
dire il nome ....
chiedere il nome in maniera formale ....
chiedere l'età ....
dire l'età ....

4. Saluta e chiedi il nome e l'età a tre compagni.

2 **5. Ascolta il dialogo e completa la tabella. Attenzione: non tutte le informazioni sono presenti nel testo.**

	nome	età	nazionalità	città
insegnante				
studente 1				
studente 2				
studente 3				

2 **6. Ascolta di nuovo il dialogo e leggi il testo. Controlla le risposte dell'attività 5.**

insegnante: Salve ragazzi!
ragazzi: Buongiorno!
insegnante: Mi presento: mi chiamo Francesco, ho 45 anni e sono l'insegnante di questo corso. E tu?
Megan: Io sono Megan e ho 22 anni.
insegnante: Di dove sei, Megan?
Megan: Sono americana, di Portland.
John: Io mi chiamo John, sono inglese di Londra. Ho 25 anni.
insegnante: E tu come ti chiami?
Alexandra: Mi chiamo Alexandra.
insegnante: Puoi ripetere, per favore?
Alexandra: Alexandra.
insegnante: E il tuo cognome?
Alexandra: Robbins.
insegnante: Come si scrive?
Alexandra: Erre, o, bi, bi, i, enne, esse.
insegnante: Sei americana?
Alexandra: No, non sono americana. Sono canadese, di Toronto.
John: E Lei di dov'è, professore?
insegnante: Io sono italiano, di Roma. Bene... ragazzi, quanti siete in questa classe?
John: Siamo quindici.
insegnante: Avete tutti il libro?
ragazzi: Sì!

UFFICIO INFORMAZIONI

Molti studenti stranieri che studiano italiano in Italia sono giovani adulti. Più di 10.000 ragazzi americani ogni anno vengono in Italia per motivi di studio. Le città dove studiano sono principalmente Roma e Firenze.

7. Rileggi il dialogo e trova l'espressione usata per...

chiedere la nazionalità in maniera informale ....
chiedere la nazionalità in maniera formale ....
dire la nazionalità e la città ....

3 **8. Ascolta e ripeti le lettere dell'alfabeto.**

9. Chiedi a un compagno come si scrive il suo nome, come nell'esempio.

Pedro: Come ti chiami?
Alexandra: Mi chiamo Alexandra.
Pedro: Puoi ripetere, per favore?
Alexandra: Alexandra.
Pedro: Come si scrive?
Alexandra: A, elle, e, ics, a, enne, di, erre, a.

Impariamo le parole - Nazionalità

10. Abbina le nazionalità alla bandiera corrispondente.

brasiliana | irlandese | argentina | tedesca | francese | americana | italiana | inglese

1. ....
2. ....
3. ....
4. ....

5. ....
6. ....
7. ....
8. ....

Facciamo grammatica

11. Leggi di nuovo il dialogo di pagina 12 e completa.

Francesco è italian.....; John è ingles.....; Megan è american.....; Alexandra è canades.....

Quando non c'è differenza tra maschile e femminile? Quando l'aggettivo di nazionalità finisce con la lettera ......

12. *Di dov'è?* Completa come nell'esempio.

Esempi: Luigi è di Roma. Luigi è italiano. Jane è di Sidney. Jane è australiana.

1. Mark è di Berlino. Mark è ....
2. Loren è di Parigi. Loren è ....
3. Josè è di Rio. Josè è ....
4. Matthew è di Washington. Matthew è ....
5. Anne è di Buenos Aires. Anne è ....
6. Roby è di Dublino. Roby è ....

13. Forma le frasi come nell'esempio. Attenzione al maschile e al femminile!

Esempio: Luigi/Roma. Luigi è italiano, di Roma.

1. Caterina/Berlino ....
2. Pierre/Parigi ....
3. Jessica/Londra ....
4. Claudia/Rio ....
5. Virginia/Boston ....
6. Nino/Buenos Aires ....

2

14. Riascolta il dialogo di pagina 12 e completa la frase.

- Sei americana?
- .... sono americana. Sono canadese di Toronto.

Questa è una frase negativa. (Non + verbo)

15. Lavora con un compagno, a turno fai le domande e rispondi come nell'esempio.

Esempio: ● Mark è francese? (Germania)
● No, non è francese. È tedesco.

1. Caterina è tunisina? (Marocco)
2. Josè è italiano? (Spagna)
3. Claudia è americana? (Italia)
4. Nino è spagnolo? (Portogallo)
5. Pierre è inglese? (Francia)
6. Jessica è irlandese? (Australia)

16. Rileggi i dialoghi 2 e 6 e completa la tabella.

io	mi chiamo
....	ti ....
lui/..........	si ....

17. Inserisci le parole.

chiama | mi | ti | lei | si | tu

1. Ciao! Come .... chiami?
2. Signora, Lei come si ....?
3. Ciao io sono Marta. .... sei Mike?
4. Ciao a tutti, io .... chiamo Jack e .... è la mia ragazza, ... chiama Anne.

18. Rileggi il dialogo di pagina 12 e completa le tabelle.

pronomi	**essere**	**avere**
io	....	....
tu	sei	hai
lui/lei/Lei	è	ha
noi	....	abbiamo
voi	....	....
loro	sono	hanno

19. Completa le frasi con il presente di *essere* e *avere*.

1. Io e mia moglie (essere) .... italiani.
2. Mark e Lisa (avere) .... venti anni.
3. Francesco (essere) .... insegnante.
4. Ragazzi, quanti (essere) .... in classe?
5. Lisa (avere) .... un orologio costoso.
6. Io sono Matteo. Tu (essere) .... Megan?
7. Io e Mark (avere) .... fame!
8. Ragazzi, (avere) .... una penna in più per me?
9. ● Luigi, tu (essere) .... sposato? ● No, (essere) .... fidanzato.
10. ● E voi quanti anni (avere) ....? ● Noi (avere) .... venti anni.

Comunichiamo

4

20. Ascolta il dialogo e completa.

1. Pablo chiede ad Alexis una .... e una ....
2. Alexis .... la penna ma non ha la ....
3. Tamir dice che la matita è sul .... accanto al ....

4

21. Ascolta di nuovo il dialogo e leggi il testo. Controlla le risposte dell'attività 20.

Pablo: Alexis, hai una penna, per favore?
Alexis: Sì, certo.
Pablo: Grazie. Ehm... scusa, hai anche una... Come si dice "pencil" in italiano?
Alexis: Matita.
Pablo: Giusto. Hai una matita?
Alexis: No, mi dispiace. Chiedi a Tamir.
Pablo: Tamir, scusa, hai una matita?
Tamir: Sì... guarda è lì sul tavolo, accanto al libro.

Impariamo le parole - Oggetti della classe

22. Conosci i nomi di questi oggetti? Se non li sai chiedi all'insegnante.

1. .... 2. .... 3. .... 4. ....

5. .... 6. .... 7. .... 8. ....

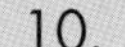

9. .... 10. .... 11. .... 12. ....

Comunichiamo

23. Guarda per 2 minuti la tabella con i nomi degli oggetti della classe. Con un compagno forma dei dialoghi, come nell'esempio, sostituendo la parola evidenziata.

- Come si dice "pencil" in italiano?
- Si dice matita.
- Giusto. E come si scrive?
- Emme, a, ti, i, ti, a.

Facciamo grammatica

24. Inserisci i nomi degli oggetti della classe e completa la tabella con il plurale come nell'esempio.

maschile singolare	maschile plurale	femminile singolare	femminile plurale
tavolo	tavoli	sedia	sedie

Comunichiamo

5 **25. Ascolta il dialogo. Vero o falso?**

	Vero	Falso
1. Pablo ha un telefono fisso a casa.		
2. Pablo abita in Via Pantaneto.		
3. Megan ha un numero di telefono italiano.		

5 **26. Ascolta di nuovo il dialogo e leggi il testo. Controlla le risposte dell'attività 25.**

Megan: Pablo qual è il tuo numero di telefono?
Pablo: 329 658907. Questo è il numero del cellulare. Non ho un telefono fisso a casa.
Megan: E qual è il tuo indirizzo a Siena?
Pablo: Via Pantaneto, 32. E il tuo indirizzo?
Megan: Il mio è Via Banchi di Sopra, 15.
Pablo: Hai un cellulare?
Megan: Sì, ma ho un numero americano. Il numero è 001 459372.

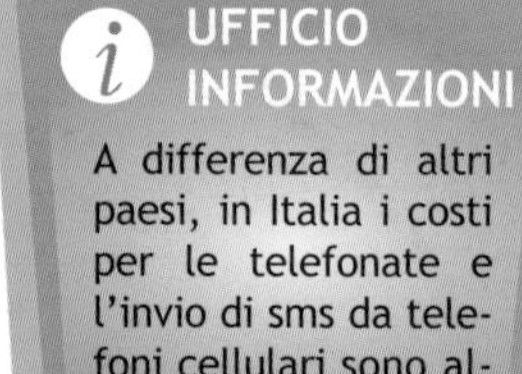

UFFICIO INFORMAZIONI

A differenza di altri paesi, in Italia i costi per le telefonate e l'invio di sms da telefoni cellulari sono alti.

6 **27. Ascolta e ripeti i numeri.**

28. Chiedi a un tuo compagno...

- Indirizzo.
- Numero di telefono.

29. Scrivi dei brevi testi con i dati di questi studenti stranieri a Siena.

1.

Nome:	Mark
Cognome:	Tafuri
Nazionalità:	Americana
Città:	Los Angeles
Età:	22
Indirizzo a Siena:	Via del Colle, 4
Numero di telefono:	055-345786

Lui si chiama ....,
il suo indirizzo è ....
.... e il suo numero
di telefono ....

2.

Nome:	Frank
Cognome:	Smith
Nazionalità:	Inglese
Città:	Cambridge
Età:	17
Indirizzo a Siena:	Via Ciacci, 15
Numero di telefono:	055-458921

Lui ....
....
....
....

3.

Nome:	Judie
Cognome:	Denueve
Nazionalità:	Francese
Città:	Parigi
Età:	20
Indirizzo a Siena:	Via Bandini, 3
Numero di telefono:	334-357893

....
....
....
....

4.

Nome:	Lauren
Cognome:	Divito
Nazionalità:	Australiana
Città:	Camberra
Età:	25
Indirizzo a Siena:	Via Enea, 23
Numero di telefono:	347-875411

....
....
....
....

30. Completa il modulo di iscrizione per un corso di lingua italiana.

Centro di Cultura per Stranieri
Via Francesco Valori, 9 - I 50132 Firenze
Tel. +39 055 5032703-01-02 - Fax +39 055 5032705
E-Mail: cecustra@unifi.it - Sito web: www.unifi.it/ccs/

CORSO DI LINGUA ITALIANA

❑ **Propedeutico** ❑ **Medio** ❑ **Medio avanzato** ❑ **Superiore**

Cognome.................................... Nome..
Nato a.................................... il (giorno/mese/anno)..
Nazionalità.................................... Professione..
Titolo di Studio.................................... Indirizzo a Firenze..
E-mail.................................... Telefono..
Lingue conosciute..

Allegare copia autentica del certificato di studio in lingua italiana, francese, inglese, spagnola o tedesca
Pagamento quota di iscrizione

Bonifico su:
c/c n. 000041126939
Unicredit Banca di Roma S.p.A., Via de' Vecchietti 11, I 50123 Firenze
cod. IBAN: IT 57 03002 02837 000041126939

Le tasse di iscrizione non possono essere rimborsate per nessun motivo

DATA.................................... FIRMA....................................

(adattato da http://www.ccs.unifi.it)

Conosciamo gli italiani

31. Secondo te, qual è la motivazione più importante per studiare l'italiano?

- Interesse per la cultura italiana classica
- Studio
- Partner italiano
- Famiglia di origine italiana
- Lingua musicale
- Interesse per la cultura italiana moderna
- Viaggio in Italia
- Lavoro

32. Adesso leggi il testo e rispondi alle domande.

Gli studenti di italiano nel mondo sono 450.000. La maggior parte studia in America Latina, ma molti studiano anche nei paesi orientali dell'Asia e in America del Nord.
La prima ragione per lo studio dell'italiano è «Tempo libero», cioè l'interesse generale per la cultura italiana classica e moderna (la storia dell'arte, la letteratura, la musica, la cucina ecc.).
La seconda ragione è «Motivi personali» (famiglia di origine italiana, partner italiano).
Un grande numero di studenti ha una motivazione di lavoro e il lavoro è attualmente la terza ragione allo studio dell'italiano.
L'ultima scelta per lo studio della lingua è lo studio. Infatti, la percentuale è abbastanza bassa: soltanto il 19%. Generalmente gli insegnanti di italiano nei paesi stranieri sono quasi tutti madrelingua e hanno una Laurea italiana in Lettere o in Lingue.

1. Quanti sono gli studenti di italiano?
2. Qual è la prima regione del mondo per lo studio dell'italiano?
3. Qual è la motivazione più importante nello studio dell'italiano?
4. Qual è la percentuale degli studenti che hanno come motivazione lo «studio»?
5. Di dove sono gli insegnanti nei paesi stranieri?

Parliamo un po'...

- Quanti sono gli studenti di italiano nella tua università?
- Qual è la tua motivazione per studiare l'italiano?
- Hai una motivazione forte o debole?
- ...

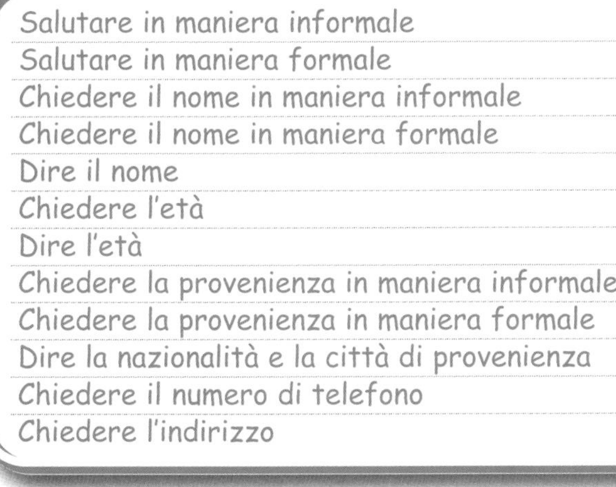

Si dice così!

Ecco alcune espressioni utili per...

Salutare in maniera informale	Ciao./Salve!
Salutare in maniera formale	Buongiorno!
Chiedere il nome in maniera informale	Come ti chiami?
Chiedere il nome in maniera formale	Come si chiama?
Dire il nome	Mi chiamo Alexia.
Chiedere l'età	Quanti anni hai?
Dire l'età	Ho 22 anni.
Chiedere la provenienza in maniera informale	Di dove sei?
Chiedere la provenienza in maniera formale	Di dov'è?
Dire la nazionalità e la città di provenienza	Sono americano, di Portland.
Chiedere il numero di telefono	Qual è il tuo numero di telefono?
Chiedere l'indirizzo	Qual è il tuo indirizzo?

E inoltre...

Non ho capito.
Puoi ripetere per favore?
Come si scrive "..."?
Che vuol dire "..."?
Come si dice "..." in italiano?

Sintesi grammaticale

- **Alfabeto**

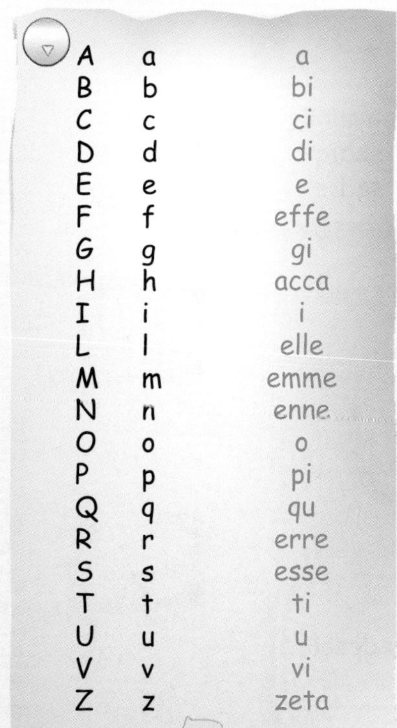

A	a	a
B	b	bi
C	c	ci
D	d	di
E	e	e
F	f	effe
G	g	gi
H	h	acca
I	i	i
L	l	elle
M	m	emme
N	n	enne
O	o	o
P	p	pi
Q	q	qu
R	r	erre
S	s	esse
T	t	ti
U	u	u
V	v	vi
Z	z	zeta

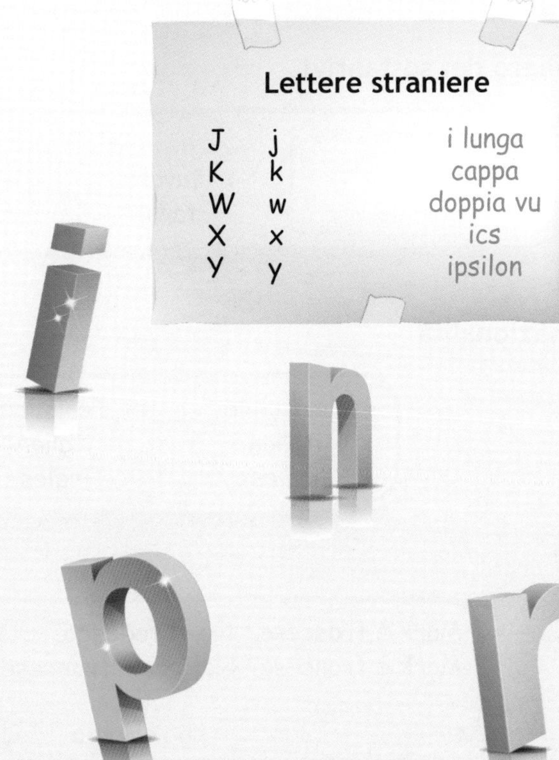

Lettere straniere

J	j	i lunga
K	k	cappa
W	w	doppia vu
X	x	ics
Y	y	ipsilon

- **Numeri da 0 (zero) a 100 (cento)**

zero	0	dodici	12	trenta	30
uno	1	tredici	13	trentadue	32
due	2	quattordici	14	trentotto	38
tre	3	quindici	15	quaranta	40
quattro	4	sedici	16	quarantuno	41
cinque	5	diciassette	17	quarantotto	48
sei	6	diciotto	18	cinquanta	50
sette	7	diciannove	19	sessanta	60
otto	8	venti	20	settanta	70
nove	9	ventuno	21	ottanta	80
dieci	10	ventidue	22	novanta	90
undici	11	ventotto	28	cento	100

- **Verbi *essere* e *avere***

	essere	avere
io	sono	ho
tu	sei	hai
lui/lei/Lei	è	ha
noi	siamo	abbiamo
voi	siete	avete
loro	sono	hanno

- **Prime tre persone del verbo *chiamarsi***

	chiamarsi
io	mi chiamo
tu	ti chiami
lui/lei/Lei	si chiama

- **Genere e numero dei sostantivi**

	maschile	femminile
singolare	tavolo	sedia
plurale	tavoli	sedie

- **Aggettivi di nazionalità**

maschile	femminile
italiano	italiana
inglese	inglese

- **La negazione**

Mark è francese? No, è tedesco.
Mark è francese? No, non è francese. È tedesco.

non + verbo

Scheda di autovalutazione 1

Unità 1

1. Scrivi almeno un'espressione per...

- Dire il tuo nome.
  ....
- Chiedere il numero di telefono.
  ....
- Salutare quando arrivi.
  ....
- Salutare quando vai via.
  ....
- Chiedere la nazionalità.
  ....
- Chiedere di ripetere.
  ....

2. Hai usato queste espressioni?

	molto ++	abbastanza +	poco –	per niente – –
dire il tuo nome e la tua età				
dire e chiedere il numero di telefono				
salutare quando arrivi				
salutare quando vai via				
chiedere la provenienza e la nazionalità				
chiedere di ripetere				

3. Dove hai usato queste espressioni?

	in classe	con altri compagni del corso	con italiani fuori dalla classe	con altri stranieri
dire il tuo nome e la tua età				
dire e chiedere il numero di telefono				
salutare quando arrivi				
salutare quando vai via				
chiedere la provenienza e la nazionalità				
chiedere di ripetere				

4. **Quali sono le parole che vuoi ricordare dell'unità 1? Prova a scrivere anche aggettivi, nomi, verbi, avverbi collegati alle parole che vuoi ricordare.**

1. ....
2. ....
3. ....
4. ....
5. ....
6. ....
7. ....
8. ....

5. **Conosci altre parole sul tema dell'unità? Se sì, quali? E dove hai sentito o hai letto queste parole?**

PAROLE NUOVE	tv	radio	internet	per strada	giornali	altri compagni	altro, specificare

Isola di Procida, Napoli

Lavori o studi?

Unità 2

Entriamo in tema

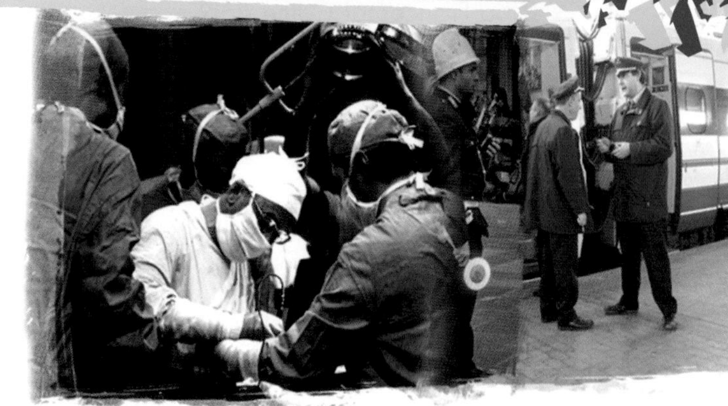

- Studi o lavori?
- Se lavori, che lavoro fai?
- Secondo te, qual è un lavoro interessante?
- Con un compagno pensa a tre lavori e prova a descriverli.

Comunichiamo

7

1. Ascolta il dialogo. Vero o falso.

	Vero	Falso
1. Kristen presenta Francesco a Marco.		
2. Kristen non parla italiano.		
3. Kristen lavora e studia.		
4. Marco lavora in un'agenzia di viaggi.		
5. Marco abita in Via San Lorenzo.		

7

2. Ascolta di nuovo il dialogo e leggi il testo. Controlla le risposte dell'attività 1.

Francesco: Ciao Marco!
Marco: Ciao Francesco! Come stai?
Francesco: Bene, grazie! E tu?
Marco: Anch'io sto bene.
Francesco: Questa è Kristen, la mia ragazza. Kristen, questo è Marco.
Marco: Piacere!
Kristen: Piacere!
Francesco: Kristen è americana, viene da Boston, e parla abbastanza bene l'italiano.
Marco: Da quanto tempo sei in Italia, Kristen?
Kristen: Da cinque mesi.
Marco: E cosa fai? Lavori?
Kristen: Sì, lavoro part time e studio italiano all'università.
Marco: Ah, bene. E che lavoro fai?
Kristen: Faccio la cassiera in un piccolo negozio. E tu?
Marco: Io lavoro in una libreria in Via Pantaneto, faccio il commesso.
Kristen: E abiti qui vicino?
Marco: Sì, abito in Via San Lorenzo, a cinque minuti da qui.
Kristen: Ah... quindi vai a lavorare a piedi, no?
Marco: Sì, vado a piedi. E voi dove andate adesso?
Francesco: Mah... un po' in giro e poi a casa. Senti, prendiamo un caffè insieme?
Marco: Mi dispiace ma tra dieci minuti apre la libreria. Facciamo un'altra volta?
Francesco: Va bene, allora a presto.
Marco: Ciao ragazzi, buona giornata!
Kristen: Ciao Marco. Buona giornata anche a te.

3. **Ripeti le battute del dialogo e cambia le persone da presentare. Aggiungi le informazioni sulla provenienza.**

- Ciao Marco!
- Ciao Francesco! Come stai?
- Bene grazie! E tu?
- Anch'io sto bene.
- Questa è Kristen, la mia ragazza. Kristen, questo è Marco.

Luigi/Francia/Nizza. Roberto/Spagna/Madrid.
Mary/Olanda/Amsterdam. Olga/Germania/Berlino.

Monastero dell'Escorial, Madrid

Impariamo le parole - Professioni

4. **Scrivi le parole della lista sotto l'immagine.**

segretaria - medico - vigile - farmacista - cameriere
insegnante - impiegato - postino - autista

1. ....

2. ....

3. ....

4. ....

5. ....

6. ....

7. ....

8. ....

9. ....

5. **Abbina la professione al luogo di lavoro.**

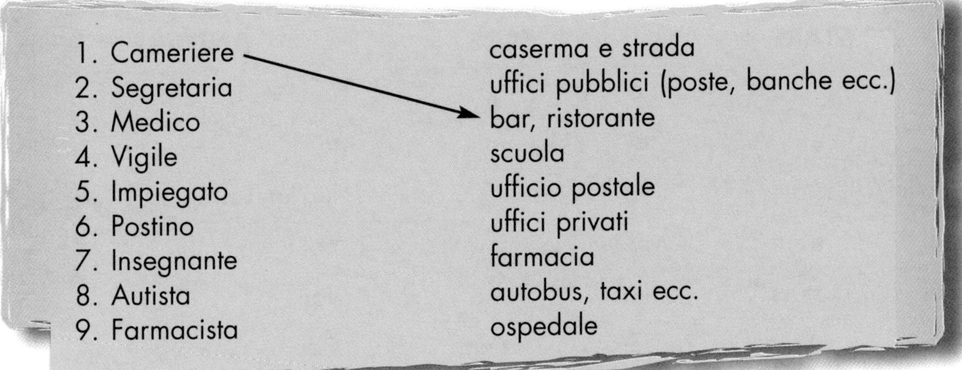

1. Cameriere	caserma e strada
2. Segretaria	uffici pubblici (poste, banche ecc.)
3. Medico	bar, ristorante
4. Vigile	scuola
5. Impiegato	ufficio postale
6. Postino	uffici privati
7. Insegnante	farmacia
8. Autista	autobus, taxi ecc.
9. Farmacista	ospedale

6. **Scegli un lavoro per ogni persona e forma le frasi come nell'esempio.**

Esempio: Marco fa il cameriere, lavora in un bar.

1. Maria ...., ...
2. Francesco ...., ...
3. Massimo ...., ...
4. Carla ...., ...
5. Alessandro ...., ...
6. Angela ...., ...
7. Alberto ...., ...
8. Giuseppe ...., ...

Conosci un altro modo per dire la professione?

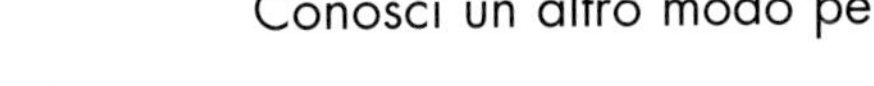

7. ***Che lavoro è?*** **Descrivi le caratteristiche di 3 professioni che il tuo compagno deve indovinare.**

Facciamo grammatica

8. **Rileggi il dialogo a pagina 23 e prova a completare la tabella dei verbi regolari in *-are*, *-ere* e *-ire*.**

lavorare		studiare		abitare	
io	....	io	....	io	....
tu	....	tu	studi	tu	....
lui/lei/Lei	lavora	lui/lei/Lei	....	lui/lei/Lei	....
noi	....	noi	....	noi	abitiamo
voi	lavorate	voi	....	voi	....
loro	....	loro	studiano	loro	....

prendere		aprire	
io	prendo	io	....
tu	prendi	tu	....
lui/lei/Lei	prende	lui/lei/Lei	....
noi	....	noi	....
voi	prendete	voi	aprite
loro	prendono	loro	aprono

9. Completa la tabella dei verbi irregolari presenti nel dialogo di pagina 23.

STARE		FARE		ANDARE	
io	....	io	....	io	....
tu	....	tu	....	tu	....
lui/lei/Lei	sta	lui/lei/Lei	....	lui/lei/Lei	va
noi	stiamo	noi	....	noi	....
voi	state	voi	fate	voi	....
loro	stanno	loro	fanno	loro	vanno

10. Completa il brano con i verbi delle tre coniugazioni.
Marco, la sua ragazza, i suoi amici.

(Io - essere) (1)......................... Marco, un ragazzo italiano di Bologna ma (vivere) (2)........................ a Siena da cinque anni. (Abitare) (3)............................. in una casa in centro insieme alla mia ragazza, Kristen. Io e Kristen (stare) (4)............................. insieme da due anni e mezzo. Io sono impiegato, (lavorare) (5)......................... in banca, alla Monte dei Paschi. Kristen invece (studiare) (6)......................... e (lavorare) (7)......................... part time in un piccolo negozio, (fare) (8)......................... la cassiera. Kristen ha una giornata intensa perché lei (aprire) (9)......................... il negozio alle 9 e (chiudere) (10)......................... alle 13.00. (Fare) (11)......................... una pausa di un'ora e poi (correre) (12)......................... all'università per le lezioni.
Nel tempo libero io e Kristen (partire) (13)......................... insieme e (passare) (14)......................... molti fine settimana fuori Siena. Francesco e Alberto (essere) (15)......................... i miei amici e colleghi di lavoro. Loro (abitare) (16)......................... un po' fuori Siena ma spesso passiamo la serata insieme: generalmente (cenare) (17)......................... fuori o (vedere) (18)......................... le partite in televisione. Loro (giocare) (19)......................... bene a calcio e (discutere) (20)......................... molto perché Francesco (tifare) (21)......................... per il Milan e Alberto (tifare) (22)......................... per la Juve.

Entriamo in tema

- Quale università frequenti?
- Che cosa studi?
- Quali esami devi fare?
- Quali sono le materie facili? E le materie difficili?

Comunichiamo

8 **11. Ascolta il dialogo. Vero o falso?**

	Vero	Falso
1. Leda è una bella ragazza.		
2. Leda ha i capelli corti.		
3. Marco è di Siena.		
4. Marco è un fotografo.		
5. Leda studia medicina all'università.		

8 **12. Ascolta di nuovo il dialogo e leggi il testo. Controlla le risposte dell'attività 11.**

Marco: Alberto, chi è la ragazza che parla con Maria?
Alberto: La ragazza alta con i capelli lunghi?
Marco: Sì.
Alberto: Si chiama Leda. È molto carina, vero?
Marco: Sì! È davvero una bella ragazza!

UFFICIO INFORMAZIONI
Se un ragazzo e una ragazza si conoscono possono salutarsi con un bacio sulla guancia. Nel Sud Italia due baci sulle guance sono normali anche nel saluto tra gli uomini. In genere gli italiani accettano una distanza fisica ristretta.

Alberto: Ciao Leda!
Leda: Oh, ciao Alberto! Come va?
Alberto: Non c'è male, grazie. Senti, ti presento Marco, un mio amico. Marco, lei è Leda.
Marco: Piacere!
Leda: Piacere! Sei di Siena, Marco?
Marco: No, sono di Palermo.
Leda: E cosa fai qui a Siena? Studi?
Marco: No, lavoro in un'agenzia pubblicitaria.
Leda: Ah, e che lavoro fai esattamente?
Marco: Sono fotografo.
Leda: Davvero? Un lavoro interessante...
Marco: Sì. Qualche volta è duro ma è interessante. E tu cosa fai?
Leda: Io vado ancora all'università, studio Economia. Ho gli ultimi esami: matematica, statistica ed economia politica.
Marco: Sono difficili?
Leda: Eh sì, abbastanza. Soprattutto l'esame di matematica.

13. Ecco uno dei programmi di studio del primo anno dell'Università per Stranieri di Siena.

I anno	**cfu***
1 lingua dell'Unione Europea a scelta fra: Lingua e traduzione - Lingua Francese Lingua e traduzione - Lingua Spagnola Lingua e traduzione - Lingua Inglese Lingua e traduzione - Lingua Tedesca	9
laboratorio della lingua dell'Unione Europea Letteratura Italiana Linguistica Generale	9
Semiotica	9
Storia della Lingua Italiana	9
Diritto dell'Unione Europea	9
1 lingua a scelta fra: Lingua e traduzione - Lingua Francese Lingua e traduzione - Lingua Spagnola Lingua e traduzione - Lingua Inglese Lingua e traduzione - Lingua Tedesca Lingua e traduzione - Lingua Russa Lingua e Letteratura del Giappone Lingua e Letteratura Araba Lingua e Letteratura della Cina	6
Laboratorio della Seconda Lingua Scelta	3
Laboratorio di Scrittura	3
Laboratorio di Informatica	3
totale cfu	**60**

*cfu
crediti formativi universitari

1. Come si chiama secondo te il corso di laurea?
   - Insegnamento della lingua e della cultura italiana a stranieri ☐
   - Traduzione in ambito turistico imprenditoriale ☐
   - Lingua e cultura italiana ☐
2. Quante lingue devi studiare? Sono esclusivamente lingue europee? Ti interesserebbe frequentare questo corso?

Impariamo le parole - Aggettivi qualificativi

Nel testo ci sono alcuni aggettivi, cioè parole che usiamo per dare una qualità a un nome.

14. Rileggi il dialogo e trova gli aggettivi.

Com'è Leda? .... e ....
Com'è il lavoro di Marco? .... e ....

15. Scrivi gli aggettivi della lista sotto l'immagine. Puoi usare il dizionario.

grande - piccolo - veloce - lento - bello - brutto
pieno - vuoto - freddo - caldo - nuovo - vecchio

1. .... 
2. .... 
3. .... 
4. ....

5. .... 
6. .... 
7. .... 
8. ....

9. ....
10. .... 
11. .... 
12. .... 

16. Copri le figure dell'esercizio 15 e scrivi il contrario degli aggettivi.

1. pieno ....
2. caldo ....
3. bello ....
4. lento ....
5. vecchio ....
6. piccolo ....

Facciamo grammatica

17. Rileggi il dialogo alle pagine 26-27 e completa le tabelle con gli aggettivi.

A.

	maschile	femminile
singolare	ragazzo bell.....	ragazza bell.....
plurale	ragazzi belli	ragazze bell.....

B.

	maschile	femminile
singolare	esame/lavoro difficile	materia difficile
plurale	esami/lavori difficil.....	materie difficil.....

Osserva!

- La ragazza alta con i capelli lunghi?
- L'esame di matematica non è difficile, ma gli esami di storia e di economia sono difficili.

Le parole evidenziate sono articoli determinativi.

18. Completa la tabella.

	maschile	femminile
singolare	l'esame .... amico lo zaino/stadio/yogurt il lavoro	la ragazza .... amica
plurale	.... esami .... amici .... zaini/stadi/yogurt .... lavori	.... ragazze .... amiche

19. Metti insieme un articolo, un nome e un aggettivo come nell'esempio.
Esempio: Il tavolo alto

20. Adesso forma il plurale.

1. ....
2. ....
3. ....
4. ....
5. ....
6. ....
7. ....
8. ....
9. ....
10. ....
11. ....
12. ....

Osserva!

- Kristen è americana, viene da Boston.
- Da quanto tempo sei in Italia, Kristen?
- Sono di Palermo.
- Cosa fai qui a Siena, Marco?
- Lavoro in un'agenzia pubblicitaria.

Le parole evidenziate sono preposizioni semplici.

21. Scrivi la regola.

1. Quale preposizione usi con il verbo *essere* per indicare la provenienza da una città? ....
2. Quale preposizione usi con il verbo *venire* per indicare la provenienza da una città? ....
3. Quale preposizione usi per indicare generalmente un luogo? ....
4. Quale preposizione usi per indicare che qualcuno sta in una città? ....
5. Quale preposizione usi per indicare che qualcuno sta in uno Stato? ....

Attenzione!

Il verbo andare vuole la preposizione a, se dopo c'è un infinito:
vado a lavorare; vado a studiare; vado a mangiare etc.

Per indicare il movimento verso un posto la preposizione cambia:
vado in palestra, in discoteca, in pizzeria, in città, in piazza ecc.

ma...
vado a casa, a scuola, a teatro.

22. Scegli l'opzione adatta.

1. Sono da/di/a/in Napoli ma abito in/a/da/di Toscana, a/di/in/da Siena da 2 anni.
2. Io lavoro in/da/di/a un ufficio di/a/da/in Via Pantaneto 20.
3. Dopo la pausa per il pranzo, torno in/da/di/a ufficio.
4. Generalmente dopo il lavoro torno subito in/da/a/di casa.
5. Qualche volta il fine settimana vado in/da/di/a teatro.
6. Vado a/di/da/in lavorare ogni mattina alle 8.
7. Lavoro a Siena ma vengo da/a/di/in Firenze ogni mattina con la macchina.

Conosciamo gli italiani

23. Leggi il testo e rispondi alle domande.

Il mondo del lavoro

La percentuale delle persone che lavorano in Italia è di circa l'80% con forti differenze tra Nord e Sud. La regione con maggiore occupazione è il Veneto, mentre in Sicilia c'è una disoccupazione superiore al 30%.
Gli italiani lavorano in media 35 ore alla settimana per 5 giorni alla settimana. La maggior parte dei lavoratori lavora nel settore terziario (uffici e servizi), mentre pochi lavorano nell'agricoltura.
Negli ultimi anni la maggior parte dei lavori sono «a tempo determinato», cioè finiscono dopo un periodo di tempo abbastanza breve (da 3 mesi a 1 anno) e molti lavori sono anche a tempo parziale.
L'età massima per finire di lavorare e andare in pensione è 61 anni per le donne e 65 per gli uomini.
In Italia esistono 3 grandi sindacati (CGIL, CISL, UIL) che difendono gli interessi dei lavoratori e, quando necessario, organizzano scioperi e proteste.

1. Qual è la regione con più occupazione? ....
2. Quali sono i lavori più comuni? ....
3. Quando è possibile andare in pensione? ....
4. Quali sono i sindacati più grandi? ....

Parliamo un po'...

- Quali sono i lavori più comuni nel tuo Paese?
- Quali sono gli stati con maggiore occupazione?
- Quali sono gli stati con maggiore disoccupazione?
- È normale cambiare lavoro frequentemente?
- Quali sono i vantaggi e gli svantaggi di un lavoro fisso?
- I sindacati hanno molta importanza?
- Ci sono scioperi frequenti come in Italia?
- ...

Si dice così!

Ecco alcune espressioni utili per...

Chiedere e dire come si sta	• Come stai? / Come va? • Bene grazie, e tu?
Presentare qualcuno e rispondere	• Questa è Kristen / Questo è Marco. • Piacere!
Chiedere e dire la professione	• Che lavoro fai? • Sono insegnante / Faccio l'insegnante.
Salutare quando si va via	• A presto! • Buona giornata!

Sintesi grammaticale

- **Verbi regolari della I, II e III coniugazione in *-are*, *-ere* e *-ire***

	LAVORARE	PRENDERE	PARTIRE
io	lavoro	prendo	parto
tu	lavori	prendi	parti
lui/lei/Lei	lavora	prende	parte
noi	lavoriamo	prendiamo	partiamo
voi	lavorate	prendete	partite
loro	lavorano	prendono	partono

- **Alcuni verbi irregolari**

	STARE	FARE	ANDARE
io	sto	faccio	vado
tu	stai	fai	vai
lui/lei/Lei	sta	fa	va
noi	stiamo	facciamo	andiamo
voi	state	fate	andate
loro	stanno	fanno	vanno

	DARE	BERE	VENIRE
io	do	bevo	vengo
tu	dai	bevi	vieni
lui/lei/Lei	dà	beve	viene
noi	diamo	beviamo	veniamo
voi	date	bevete	venite
loro	danno	bevono	vengono

- **Articoli determinativi**

	maschile (davanti a **consonante**)	**femminile** (davanti a **consonante**)
singolare	il libro	la porta
plurale	i libri	le porte

	maschile (davanti a **vocale**)	**femminile** (davanti a **vocale**)
singolare	l'albergo	l'amica
plurale	gli alberghi	le amiche

	maschile (davanti a **s+consonante, z, y, x**)
singolare	lo zaino, lo studio, lo yogurt
plurale	gli zaini

Gli articoli concordano con il nome che precedono e possono cambiare a seconda della lettera iniziale del nome.

- **Aggettivi**

	maschile	**femminile**
singolare	ragazzo bello	ragazza bella
plurale	ragazzi belli	ragazze belle

	maschile	**femminile**
singolare	esame/lavoro difficile	materia difficile
plurale	esami/lavori difficili	materie difficili

L'aggettivo concorda per genere e numero con il nome. Se il nome è maschile singolare, l'aggettivo è maschile singolare. Se il nome è femminile singolare, l'aggettivo è femminile singolare. Se il nome è maschile plurale, l'aggettivo è maschile plurale. Se il nome è femminile plurale l'aggettivo è femminile plurale.
Gli aggettivi che al singolare finiscono con la lettera -e (interessante, difficile etc.) sono uguali per il maschile e per il femminile.

- **Le preposizioni *in, a, di, da***

Esempio:
Sono di Palermo, ma vivo a Siena.
Abito in via San Lorenzo.
Vengo da Firenze.

In, a, di e da sono preposizioni che indicano luogo e si usano in maniera diversa a seconda del luogo e del verbo.

Funzioni

1. Trasforma le domande dall'informale al formale.

1. Come ti chiami? ....?
2. Quanti anni hai? ....?
3. Che lavoro fai? ....?
4. Di dove sei? ....?
5. Come stai? ....?

/5

2. Rispondi alle domande.

1. Come ti chiami? ....
2. Quanti anni hai? ....
3. Sei italiano? No, ...
4. Parli il portoghese? ....

/4

Grammatica

3. Inserisci l'articolo determinativo.

.... libro .... amica .... zaino
.... albero .... ragazza .... agenda

/6

4. Completa con il verbo *essere* e *avere*.

1. Maria (*essere*) .... una ragazza austrialiana.
2. Marco e Luigi (*avere*) .... fame.
3. Io e la mia fidanzata (*essere*) .... stanchi.
4. Io ho 20 anni, voi quanti anni (*avere*) ....?
5. Ciao ragazzi, di dove (*voi - essere*) ....?

/5

5. Completa con i verbi al presente.

1. Io (*mangiare*) .... la pasta tutti i giorni.
2. Franco (*studiare*) .... Economia all'Università di Siena.
3. Voi (*capire*) .... le lezioni in italiano?
4. Maurizio e Elena (*stare*) .... a casa la sera.
5. Io e i miei compagni (*fare*) .... un test di italiano ogni settimana.
6. Quando (*andare*) .... in centro, Marta e Maria (*prendere*) .... la macchina.

7. Io e la mia ragazza (*andare*) .... spesso al cinema.
8. Per stare in forma Marco (*fare*) .... sport e (*bere*) ....
molta acqua.

/5

6. **Completa in maniera corretta.**

1. La macchina nuov....................
2. I ragazz.................... simpatici
3. Le pizze cald....................
4. I lavori difficil....................
5. Le ragazze elegant....................

/5

7. **Completa con le preposizioni.**

1. Abito .... Firenze.
2. Vivo .... Italia.
3. In genere torno .... casa alle 17.
4. Il sabato noi andiamo .... pizzeria.
5. Domani vado .... Roma.

/5

Vocabolario

8. **Scrivi gli aggettivi di nazionalità. Attenzione al maschile e al femminile!**

Esempio: Luisa è (Italia) italiana.

1. Anna è (Francia) ....
2. John è (Inghilterra) ....
3. Roby è (Irlanda) ....
4. Eva è (Germania) ....
5. Tom è (Stati Uniti) ....

/2,5

9. **Scrivi in lettere i seguenti numeri.**

5: ....   13: ....
7: ....   19: ....
8: ....

/2,5

Punteggio Totale /40

Una bottiglia d'acqua, per favore.

Entriamo in tema

- Quanti tipi di caffè conosci?
- Quanti caffè bevi al giorno?
- Preferisci il caffè di casa o del bar?
- Come si chiama la macchinetta per fare il caffè a casa?

Comunichiamo

1. Ascolta il dialogo e completa la tabella.

	cosa prende da mangiare?	cosa prende da bere?
primo cliente		
secondo cliente		
terzo cliente		

2. Ascolta di nuovo il dialogo. Vero o falso?

	Vero	Falso
1. I ragazzi consumano al banco.		
2. Un ragazzo paga per tutti.		
3. I ragazzi spendono molto.		

3. Ascolta di nuovo il dialogo e leggi il testo. Controlla le risposte delle attività 1 e 2.

Marco: Ragazzi, sono stanco. Facciamo cinque minuti di pausa?
Anna: Va bene. Andiamo al bar?
Alberto: Buona idea, mi piace fare colazione al bar.
cameriere: Buongiorno! Prego...
Marco: Buongiorno. Allora, io prendo un caffè.
cameriere: Macchiato?
Marco: No, normale. Grazie.
Anna: Per me un cappuccino e un cornetto.
cameriere: Con la crema o con la marmellata?
Anna: Mmm... preferisco il cornetto con la marmellata, la crema non mi piace.
Alberto: Io vorrei un latte caldo e una sfoglia.
cameriere: Allora sono: un caffè, un cappuccio, un latte, una sfoglia e un cornetto, giusto?
Marco: Sì, esatto. Possiamo sederci al tavolo?
cameriere: Sì, certo.
(*Dopo cinque minuti*)
cameriere: Allora... ecco il caffè, il cornetto e il cappuccino, il latte e la sfoglia.
Marco: Perfetto. Quant'è?
cameriere: 12 euro e 50.
Marco: Ragazzi, pago io. Ecco a Lei.
cameriere: Grazie. Porto subito il resto.
Alberto: Però ragazzi... 12 euro e 50 è veramente caro!
Marco: Sì, ma considera il servizio al tavolo...
Anna: E poi... siamo a Firenze.

UFFICIO INFORMAZIONI

In Italia la consumazione al tavolo costa di più (in alcuni casi molto di più!). Generalmente gli italiani non danno la mancia al cameriere, specialmente al bar. Il cliente paga e riceve obbligatoriamente lo scontrino.

Impariamo le parole - Cibi e bevande al bar

4. Scrivi le parole della lista sotto le immagini.

succo di frutta - cappuccino - patatine - cono gelato - tramezzino - panino - cornetto
latte - birra alla spina - cannolo di sfoglia - lattina di Coca - bicchiere d'acqua

1. ....

2. ....

3. ....

4. ....

5. ....

6. ....

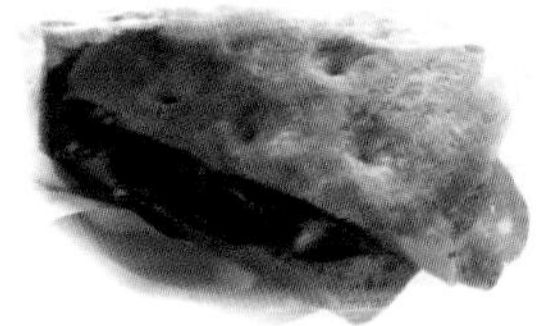
7. ....

8. ....

9. ....

10. ....

11. ....

12. ....

5. Scrivi 5 cose che ti piacciono e 5 cose che non ti piacciono che puoi trovare al bar. Lavora con un compagno e confrontate le vostre risposte.

Mi piace/Mi piacciono...	Non mi piace/Non mi piacciono...
1.	1. ....
2.	2. ....
3.	3. ....
4.	4. ....
5.	5. ....

Comunichiamo

6. Leggi di nuovo il dialogo di pagina 35 e trova le espressioni usate per...

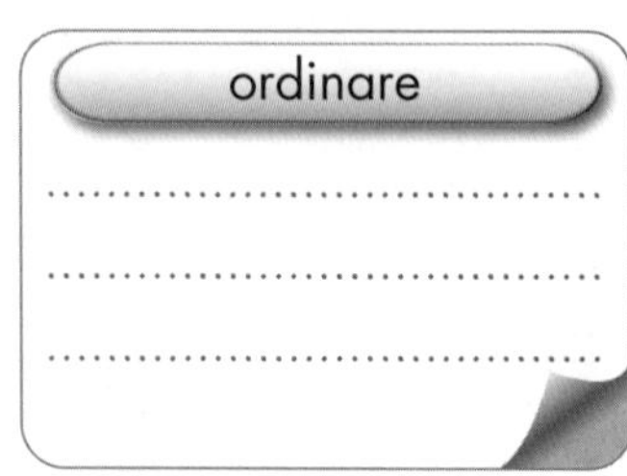

ordinare

....
....
....

chiedere il prezzo

....

dire il prezzo

....

7. **Lavora con un compagno. A è il cameriere e B è il cliente.**
Guarda il menu, fai un'ordinazione e poi paga. Poi scambiatevi i ruoli.

Bar "Le Contrade"

CAFFETTERIA

Caffè	0,80
Caffè corretto	0,95
Caffè d'orzo in tazza piccola	0,80
Caffè d'orzo in tazza grande	0,95
Cappuccino	1,20
Latte	1,00
Latte macchiato	1,20
Tè al limone/al latte	1,20

BIBITE ANALCOLICHE

Spremuta di arance	1,80
Succhi di frutta	1,50
Bibite in lattina	2,00
Acqua naturale/frizzante bicchiere	0,30
Acqua naturale/frizzante bottiglia	0,95

BIRRE

Bionda alla spina 0,20 lt.	1,80
Bionda alla spina 0,40 lt.	3,50
Birre italiane in bottiglia 0,33 lt.	2,20
Birre estere in bottiglia 0,33 lt.	2,50

VINO

Bianco/rosso della casa bicchiere	1,80
Bianco/rosso della casa 1/2 litro	3,50
Prosecco bicchiere	2,30
Lambrusco bicchiere	2,20

PANINI

Pomodoro, mozzarella, rucola	2,40
Prosciutto e mozzarella	2,70

TRAMEZZINI

Tonno e pomodoro	2,00
Tonno e maionese	2,00
Prosciutto e formaggio	2,00
Spinaci e funghi	2,00

PIZZETTE

Margherita	2,20
Con prosciutto	2,40

GELATI

Cono	2,00
Coppetta piccola	1,80
Coppetta media	2,20
Coppetta grande	2,80
Aggiunta di panna	0,50

8. **Leggi di nuovo il dialogo a pagina 35 e scrivi le espressioni che usano Alberto e Anna per dire che cosa gradiscono e che cosa non gradiscono.**

Alberto: ....

Anna: ....

9. Leggi di nuovo il dialogo e scrivi l'espressione che usa Anna per esprimere una preferenza.

Anna: ....

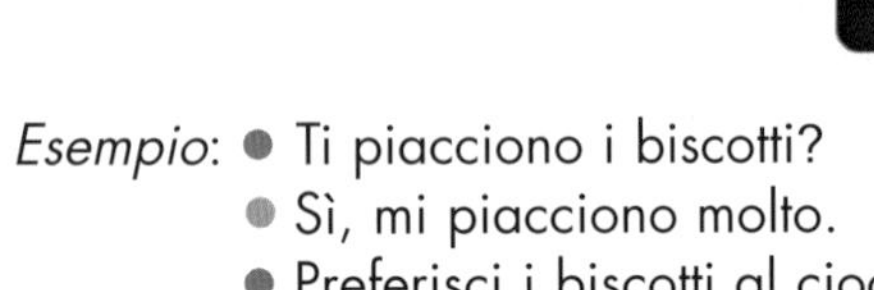

10. Cosa ti piace? Cosa preferisci? Lavora con un compagno e fate i dialoghi come nell'esempio.

biscotti al cioccolato/al burro

Esempio: ● Ti piacciono i biscotti?
● Sì, mi piacciono molto.
● Preferisci i biscotti al cioccolato o al burro?
● Preferisco i biscotti al cioccolato.

1. cornetto con la crema/con la marmellata
2. caffè con lo zucchero/senza zucchero
3. succo di frutta alla pera/all'arancia
4. Coca Cola liscia/con ghiaccio
5. tramezzino con la maionese/senza maionese
6. gelato con la panna/senza panna
7. birra alla spina/in bottiglia

Facciamo grammatica

11. Come si usa il verbo *piacere*?

a. con nomi singolari ....
b. con nomi plurali ....
c. con un verbo all'infinito ....

12. Completa con la forma corretta del verbo *piacere*.

1. Come secondo mangio il formaggio perché la carne non mi ....
2. Marco, ti .... i dolci con la crema?
3. Per me l'Italia è molto bella. Mi .... principalmente Firenze e Venezia.
4. Il sabato sera mi .... andare a mangiare al ristorante.
5. Non mi .... i cibi esotici, preferisco la cucina tradizionale.
6. ● Perché non mangi la pasta?
   ● Non mi ....

13. Segui l'esempio del verbo *finire* e completa la tabella con il verbo *preferire*.

	preferire	**finire**
io		fin-**isc**-o
tu		fin-**isc**-i
lui/lei/Lei		fin-**isc**-e
noi		fin-iamo
voi		fin-ite
loro		fin-**isc**-ono

Che cosa mettiamo fra il tema del verbo e la desinenza della 1ª, 2ª, 3ª persona singolare e della 3ª persona plurale del verbo *preferire*? ....
Anche altri verbi (*pulire, capire, spedire* etc.) si coniugano come *preferire* e *finire*.

14. Completa le frasi con le forme esatte dei verbi.

1. Non mi piace andare in montagna, (preferire) .... il mare.
2. Noi (pulire) .... la casa due volte alla settimana.
3. John non (capire) .... ancora l'italiano.
4. Tu e Maria (uscire) .... insieme stasera?
5. Quando (finire) .... le tue lezioni all'università?
6. La nostra relazione non va bene! Tu non (capire) .... mai quello che voglio.

Comunichiamo

10 **15. Ascolta il dialogo e completa con le parole date.**

posso fumare - non è possibile - può portare
può fumare - è possibile

cliente: Cameriere, scusi.
cameriere: Prego, mi dica.
cliente: .... aprire la finestra? Fa molto caldo.
cameriere: Certo, la apro subito.
cliente: Ah, senta, può portare un'altra bustina di zucchero, per favore?
cameriere: Va bene.
cliente: Scusi, ancora un'ultima cosa: .... in questa sala?
cameriere: No, in questo bar non ....
cliente: Ma non c'è nessuno qui!
cameriere: Mi dispiace, ma in Italia nei locali pubblici .... fumare.
cliente: Va bene, allora mi .... il conto?
cameriere: Sì, subito.

UFFICIO INFORMAZIONI

In Italia dal 2005 nei locali pubblici (bar, ristoranti ecc.), nei treni, nei posti di lavoro è vietato fumare. Soltanto pochi locali hanno sale e spazi riservati ai fumatori.

16. Leggi il dialogo e completa le frasi.

1. Il cliente chiede al cameriere se ....
2. Il cliente chiede se può ....
3. Il cameriere risponde che ....
4. Il cliente, deluso, chiede al cameriere se ....

17. Leggi di nuovo il dialogo e trova le espressioni che dice il cliente per...

chiedere il permesso	chiedere al cameriere di fare qualcosa
a.	c. ....
b.	

18. Sei un cliente in un bar. Con un compagno fai dei brevi dialoghi e chiedi un permesso o chiedi al cameriere di fare qualcosa.

1. fare una telefonata
2. consultare l'elenco del telefono
3. avere delle noccioline con l'aperitivo
4. accendere il condizionatore d'aria
5. portare una bottiglia d'acqua
6. abbassare il volume della musica
7. usare il bagno
8. portare un'altra birra

Entriamo in tema

19. Cosa posso comprare in questi posti? Abbina il negozio ai prodotti.

1. pescheria
2. pasticceria
3. gelateria
4. ipermercato
5. panificio
6. macelleria

a) pane, pizza, biscotti
b) alimenti, vestiti, televisori etc.
c) pesce
d) dolci e paste
e) carne
f) gelati

Comunichiamo

11 **20. Ascolta il dialogo e scegli l'opzione corretta.**

1. Per la cena i ragazzi vogliono preparare la pasta
   - ❑ a. al parmigiano ❑ b. al basilico ❑ c. al pesto
2. I ragazzi comprano
   - ❑ a. un chilo di spaghetti ❑ b. due chili di spaghetti ❑ c. due etti di spaghetti
3. Come secondo vogliono preparare
   - ❑ a. carne ❑ b. mozzarella ❑ c. stracchino
4. Giulio al supermercato compra anche
   - ❑ a. il pane ❑ b. il caffè ❑ c. la frutta

11 **21. Ascolta di nuovo il dialogo e leggi il testo. Controlla le risposte dell'attività 20.**

Mario: Giulio, facciamo la lista della spesa per la cena di domani?
Giulio: Sì, certo. Quanti siamo?
Mario: Siamo in dieci.
Giulio: Facciamo la pasta al pesto?
Mario: Va bene.
Giulio: Allora... serve il basilico, l'aglio, il parmigiano e i pinoli.
Mario: Quanto basilico prendiamo?
Giulio: Un mazzetto è sufficiente. Poi due etti di parmigiano, una testa d'aglio e una bustina di pinoli.
Mario: Aspetta che scrivo. Una bustina di pinoli, due etti di parmigiano e una testa d'aglio. Ci serve altro?
Giulio: Sì, un chilo di spaghetti. Per secondo facciamo la carne. Compriamo due chili di salsicce.
Mario: Benissimo. Prendiamo anche un po' di formaggio per antipasto?
Giulio: Sì, compriamo tre o quattro mozzarelle e un formaggio morbido... Uno stracchino.
Mario: Bene. E da bere?
Giulio: A casa abbiamo quattro bottiglie di vino... Compriamo due bottiglie di Coca e due di Fanta.
Mario: Perfetto. Vai tu al supermercato?
Giulio: Sì, ci vado io.
Mario: Bene. Prendi anche un pacco di caffè perché è finito. Io vado in macelleria e prendo la carne. Passo anche dal fruttivendolo così compro due chili di arance e due chili di mele.
Giulio: Perfetto. Un momento, chi va al panificio a comprare il pane?
Mario: Ci vai tu? È vicino al supermercato.

PESI E MISURE

un chilo (kg.) **di** mele
un etto = 100 grammi (gr.) **di** formaggio
un litro (l.) **di** olio
mezzo litro (1/2 l.) **di** latte

Impariamo le parole - Alimenti

22. Guarda per due minuti le parole della lista.

1. formaggio
2. pesce 
3. uva 
4. mele 
5. aglio 
6. arance 
7. lattuga 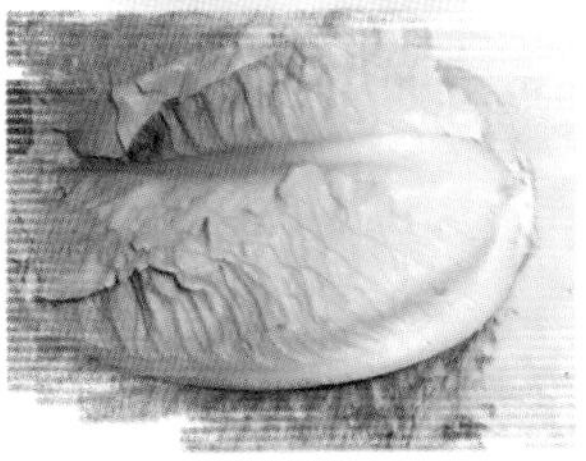
8. grissini 
9. patate 
10. pomodori 
11. pane 
12. biscotti 

23. Lavora con un compagno. Copri le figure dell'attività 22 e prova a dire i nomi degli alimenti che sono nel sacchetto e nel carrello. Chi ricorda più nomi?

Facciamo grammatica

Osserva!

A
- Vai tu al supermercato?
- Sì, ci vado io.

B
- Un momento, chi va al panificio a comprare il pane?
- Ci vai tu? È vicino al supermercato.

24. Quali parole sostituisce la particella *ci*?

A .... B ....

Usiamo la particella *ci* per non ripetere un complemento di luogo.

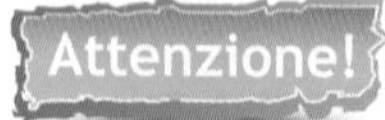

- Vai tu al supermercato?
- No, non ci vado io, ci va Marco.

Per la forma negativa si usa non + ci + verbo.

25. Lavora con un compagno e fai dei dialoghi come nell'esempio. Sostituisci i posti e i prodotti.

Esempio: (Panificio/pane)
- Chi va al *panificio* a comprare il *pane*?
- Ci vai tu?
- Va bene, ci vado io./No, ci va Marco.

1. Supermercato/biscotti	5. Fruttivendolo/arance
2. Pasticceria/dolci	6. Pescheria/pesce
3. Pizzeria/pizze	7. Gelateria/gelati
4. Macelleria/carne	

26. Rispondi alle domande con *ci*.

1. Quante volte alla settimana vai al supermercato?
....
2. Da quanto tempo abitate a Siena?
....
3. Quando tornano negli Stati Uniti Mary e Jane?
....

Conosciamo gli italiani

27. Leggi il testo e indica se le affermazioni sono vere o false.

Gli italiani e il cappuccino

È interessante una recente ricerca sulla colazione degli italiani al bar. Emerge che in media 22 milioni di persone fanno colazione fuori casa.
Ecco cosa prendono:
- l'82% un cornetto;
- il 53% un caffè;
- il 48% un cappuccino.

Cresce la percentuale degli italiani che preferisce il cappuccino per la prima colazione anche se è ancora più bassa della percentuale degli italiani che beve un caffè. Ecco gli errori più frequenti dei baristi. Il cappuccino non è di qualità se il barista

- prepara un espresso scadente come base del cappuccino (usa poca polvere, oppure la polvere è vecchia o di cattiva qualità);
- fa bollire il latte invece di scaldarlo;
- riscalda il latte già scaldato per altri cappuccini;
- mette nella tazza prima il latte montato e poi il caffè.

Insomma: se notate uno di questi errori, cambiate bar!

Una nota finale: il bel cappuccino nella foto è di Roberto Sala, esperto collaboratore dell'Istituto Nazionale Espresso Italiano. Questo istituto ha creato da poco tempo il Cappuccino Italiano Certificato.

(Testo adattato da www.assaggiatori.com)

UFFICIO INFORMAZIONI

La prima colazione italiana è dolce (caffè, cornetto, cappuccino, biscotti etc.). Gli italiani bevono il cappuccino principalmente la mattina a colazione. Nessuno beve il cappuccino dopo pranzo.

	Vero	Falso
1. Circa 22 milioni di italiani fanno colazione al bar.		
2. Gli italiani preferiscono il cappuccino al caffè.		
3. Un bravo barista fa il cappuccino con il latte ben caldo.		
4. In un buon cappuccino mettiamo prima il latte montato e dopo il caffè.		
5. In Italia esiste un cappuccino certificato.		

Parliamo un po'...

- Fai colazione la mattina?
- Che cosa prendi di solito?
- Fai colazione a casa o fuori?
- Nel tuo Paese la consumazione al tavolo costa di più?
- ....

Si dice così!

Ecco alcune espressioni utili per...

Fare un'ordinazione	Io prendo un caffè. Per me un cornetto. Vorrei un panino, per favore.
Esprimere una preferenza	Preferisco il cornetto con la marmellata.
Chiedere il permesso	Posso prendere un cucchiaino? Posso chiudere la finestra? È possibile chiudere la finestra?
Chiedere a qualcuno di fare qualcosa	Può portare una bustina di zucchero?
Dare qualcosa a qualcuno	Ecco a Lei/Ecco a te.

Sintesi grammaticale

- **Mi piace/non mi piace**

Mi piace/Non mi piace + nome singolare	Mi piace la pizza. Non mi piace il pesce.
Mi piace/Non mi piace + infinito	Mi piace andare al cinema. Non mi piace andare in discoteca.
Mi piacciono/Non mi piacciono + nome plurale	Mi piacciono gli spaghetti. Non mi piacciono i dolci.

- **Verbi della 3ª coniugazione con *-isc-***

Alcuni verbi in -ire (*preferire, capire, finire, pulire, spedire* etc.) aggiungono tra il tema e la desinenza del verbo il suffisso -isc- alla 1ª, 2 ª, 3 ª persona singolare e alla 3ª persona plurale.

	PREFERIRE	**CAPIRE**	**FINIRE**
io	preferisco	capisco	finisco
tu	preferisci	capisci	finisci
lui/lei/Lei	preferisce	capisce	finisce
noi	preferiamo	capiamo	finiamo
voi	preferite	capite	finite
loro	preferiscono	capiscono	finiscono

- **Ci + verbo**

Esempio:
- Vai tu al supermercato?
- Sì, ci vado io.

Usiamo ci per non ripetere un luogo.

• Chi va al panificio? • (Vado io al panificio)	• Vai tu al supermercato? • (No, non vado io al supermercato, va Marco al supermercato)
↓	↓
• Ci vado io.	• No, non ci vado io, ci va Marco.

Generalmente mettiamo ci prima del verbo.
Nelle frasi negative l'ordine degli elementi è non + ci + verbo

Scheda di autovalutazione 2

Unità 2-3

1. **Scrivi almeno un'espressione per...**
   - Presentare qualcuno: ....
   - Chiedere come sta una persona: ....
   - Dire come stai: ....
   - Ordinare qualcosa al bar: ....
   - Chiedere il prezzo: ....
   - Esprimere gusti e preferenze: ....

2. **Quali sono le parole che vuoi ricordare delle unità 2 e 3? Prova a scrivere anche aggettivi, nomi, verbi, avverbi collegati alle parole che vuoi ricordare.**

   1. ....
   2. ....
   3. ....
   4. ....
   5. ....
   6. ....
   7. ....
   8. ....

3. **Conosci altre parole sul tema dell'unità? Se sì, quali? E dove hai sentito o hai letto queste parole?**

PAROLE NUOVE	tv	radio	internet	per strada	giornali	altri compagni	altro, specificare

4. **Quanto ti sei impegnato in classe per migliorare la tua competenza?**

molto ▢
abbastanza ▢
poco ▢
per niente ▢

5. **Quanto ti sei impegnato fuori dalla classe per migliorare la tua competenza?**

molto ▢
abbastanza ▢
poco ▢
per niente ▢

6. **Cosa pensi di fare per migliorare i tuoi risultati?**

Fare più compiti a casa. ▢
Ripassare le lezioni. ▢
Usare più italiano in classe. ▢
Parlare italiano anche con le persone che conoscono la mia lingua. ▢
Fare scambi di conversazione con italiani. ▢
Scrivere regolarmente un diario. ▢
Visitare siti web italiani. ▢

Ferrara

Vado a piedi o prendo l'autobus?

Entriamo in tema

1. Osserva queste fotografie e scrivi nella tabella tutte le parole che ti vengono in mente.

nomi	verbi	aggettivi

Comunichiamo

12 2. Ascolta il dialogo. Vero o falso?

	Vero	Falso
1. La signora cerca una farmacia.		
2. La signora deve andare in Via Roma.		
3. L'autobus numero 7 passa fino alle 20.		
4. La signora ha il biglietto dell'autobus.		
5. L'edicola è di fronte alla fermata.		

12

3. Ascolta di nuovo il dialogo e leggi il testo. Controlla le risposte dell'attività 2.

passante: Senta, scusi!
vigile: Sì, mi dica.
passante: Mi può dire dov'è la farmacia più vicina?
vigile: C'è una farmacia in Via della Lupa.
passante: E dov'è?
vigile: Allora, prende la prima a destra e va in fondo alla strada, gira a sinistra e poi va dritto per circa 200 metri. Accanto al supermercato c'è la farmacia.
passante: Vado a piedi o prendo l'autobus?
vigile: A piedi sono 10 minuti, ma se vuole andare con l'autobus può prendere il numero 7 che passa ogni 15 minuti dalle 8 alle 20. Adesso sono le 9 e 10, quindi il prossimo autobus è alle 9 e 15. Di solito, è sempre puntuale...
passante: Bene. E dove devo scendere?
vigile: Per Via della Lupa deve scendere alla terza fermata.
passante: Perfetto. Ah... mi scusi, un'ultima informazione: dove posso comprare un biglietto?
vigile: All'edicola, proprio di fronte alla fermata dell'autobus.
passante: Grazie, arrivederci.
vigile: Prego. Arrivederci.

Impariamo le parole - Direzioni

4. Scrivi le parole della lista sotto le immagini in base alla posizione dell'automobile rossa.

davanti a/prima di - dietro a/dopo - a destra - a sinistra - dritto
di fronte - in mezzo a/tra - accanto a

1. ....

2. ....

3. ....

4. ....

5. ....

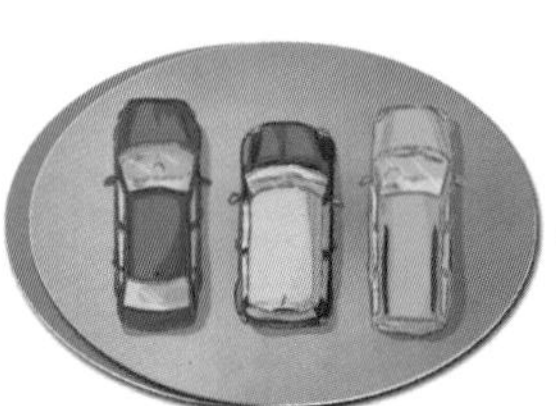
6. ....

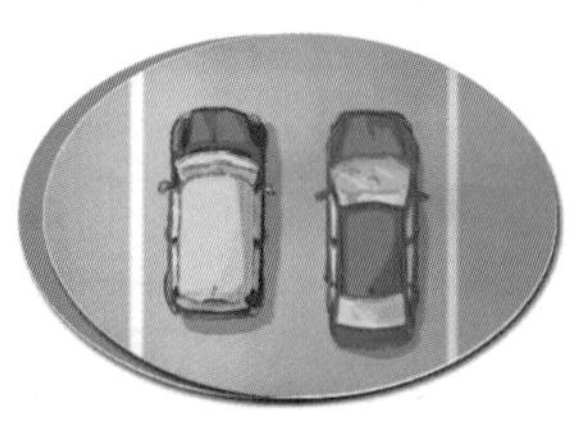
7. ....

8. ....

5. Collega i verbi della colonna a sinistra con le espressioni della colonna a destra. Alcuni verbi vanno bene con più di una espressione.

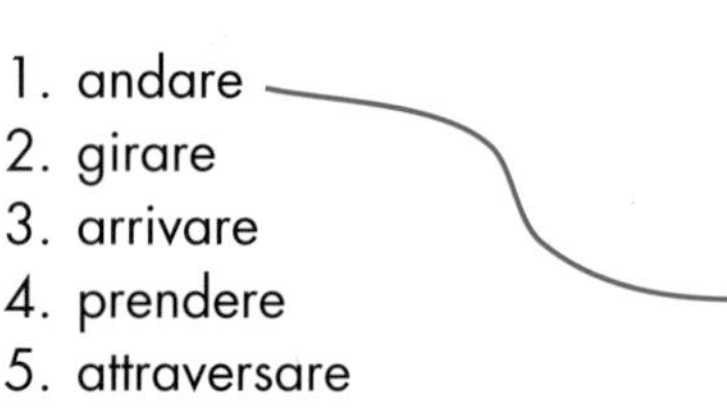

1. andare
2. girare
3. arrivare
4. prendere
5. attraversare

a. (fino) in fondo alla strada
b. la strada, la piazza
c. a destra/a sinistra
d. dritto
e. a piedi

Comunichiamo

6. Lavora con un compagno. A si trova sul punto segnato con una *X* e chiede informazioni per andare in quattro di questi posti: in macelleria, al parcheggio, al cinema, al supermercato, all'ufficio postale, alla banca, al ristorante, in pizzeria. B risponde. Poi scambiatevi i ruoli.

7. **Rileggi il dialogo di pagina 48 e metti in ordine le parole per dire l'orario.**

nove / sono / dieci / e / le

....	....	....	....	....
(verbo *essere*)	(articolo)	(ore)	(congiunzione)	(minuti)

8. **Scrivi l'orario esatto sotto gli orologi.**

1. Sono le .... e	2. Sono le .... meno	3. È	4. .... mezzo.	5. ....

Attenzione!

Si dice: "Sono le quattro"; "Sono le cinque".
Ma: "È mezzanotte"; "È mezzogiorno"; "È l'una".

9. **Chiedi a un compagno che ore sono nelle diverse città, come nell'esempio. Poi scambiatevi i ruoli e alla fine controllate le ipotesi con tutta la classe.**

Esempio: Roma (10.00)/Londra.

- Se a Roma sono le 10.00, che ore sono a Londra?
- Secondo me sono le 9.00.

Roma (12.15)/New York
Firenze (17.30)/Mosca

Milano (14.40)/Pechino
Torino (1.00)/Buenos Aires

Napoli (7.45)/Dublino
Siena (9.55)/Portland

Facciamo grammatica

10. **Inserisci nella tabella i nomi dei posti e i rispettivi articoli indeterminativi.**

ristorante - banca - farmacia - pizzeria
autofficina - ufficio postale - zoo - edicola

una - un - uno - una
un - un' - una - un'

maschile		femminile	
a. un	cinema	a.	....
b.	....	b.	....
c.	....	c.	....
d. uno	stadio	d.	....
e.	....	e.	....

11. **Scrivi la regola.**

Con quali nomi usiamo l'articolo indeterminativo uno? ....

Con quali nomi usiamo l'articolo indeterminativo un'? ....

Usiamo l'articolo indeterminativo per indicare qualcosa che conosco / non conosco

12. **Inserisci gli articoli indeterminativi o determinativi corretti. Attenzione! Ci sono tre articoli in più.**

gli - una - un - un' - il - un - la - il - il - i - il - un - un - uno - i - le - la - l'

Abito in (1)............ via del centro. Sono fortunato perché (2)............ zona dove abito è servita bene: c'è una palestra, (3)............ supermercato e (4)............ edicola. (5)............ università che frequento è un po' lontano da casa e per arrivarci lì devo prendere (6)............ mezzo di trasporto: spesso prendo un autobus, (7)............ 70 o (8)............ 101. Per fortuna (9)............ fermata è vicino a casa. (10)............ abitanti della zona sono simpatici e gentili, ma ho qualche problema con (11)............ vicini perché (12)............ mio cane Pippo qualche volta abbaia. Pippo è ancora (13)............ cucciolo e ha bisogno di uscire e giocare, ma non è facile perché nella mia zona non c'è un giardino pubblico o (14)............ spazio verde per (15)............ cani.

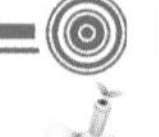

Osserva queste frasi, del dialogo di pagina 48, con i verbi *volere*, *dovere* e *potere*.

- Mi può dire dov'è la farmacia più vicina?
- Se vuole andare con l'autobus può prendere il numero 7.
- Per Via della Lupa deve scendere alla terza fermata.

13. Scrivi la regola.

Cosa si usa dopo questi verbi? ....

Quale verbo indica obbligo/necessità? ....

Quale verbo indica possibilità? ....

Quale verbo indica volontà? ....

14. Completa la tabella con i verbi della lista.

vogliono - puoi - potete - devono - vogliamo - devi - possiamo - vuoi - deve

	potere	dovere	volere
io	posso	devo	voglio
tu			
lui/lei/Lei	può		vuole
noi		dobbiamo	
voi		dovete	volete
loro	possono		

15. Scegli l'opzione più adeguata.

1. Per arrivare in tempo all'università vogliamo/dobbiamo/possiamo uscire di casa alle 8.
2. Lunedì ho un esame e quindi devo/posso/voglio studiare anche nel fine settimana.
3. Ragazzi, potete/dovete/volete prendere la vostra macchina? La mia macchina è rotta.
4. Se non perdi tempo, devi/puoi/vuoi ancora prendere l'autobus delle 22.
5. Elisa vuoi/devi/puoi venire al mare con me? È una bellissima giornata.
6. I miei genitori vogliono/possono/devono comprare un'altra casa in campagna.

Entriamo in tema

UFFICIO INFORMAZIONI

In molte città italiane il centro storico è chiuso al traffico per cercare di limitare l'inquinamento atmosferico e acustico e garantire la sicurezza dei pedoni. Le zone chiuse al traffico si chiamano ZTL (Zona a Traffico Limitato).

- Nella tua città il centro è chiuso al traffico?
- Secondo te è una buona soluzione per i problemi di inquinamento?
- Utilizzi i mezzi pubblici o prendi sempre la macchina?

Comunichiamo

13 **16. Ascolta il dialogo e rispondi alle domande.**

1. In che via vuole arrivare l'automobilista? ....
2. Perché? ....
3. Quanto tempo deve restare in centro l'automobilista? ....
4. Che cosa consiglia il vigile all'automobilista? ....
5. Dov'è l'ufficio dei vigili? ....
6. In quali giorni è aperto? ....

13 **17. Ascolta di nuovo il dialogo e leggi il testo. Controlla le risposte dell'attività 16.**

automobilista: Buongiorno, mi scusi, vorrei un'informazione.
vigile: Prego, dica.
automobilista: Posso arrivare fino al centro con la macchina?
vigile: In quale via deve andare esattamente?
automobilista: In Via Dante.
vigile: No, mi dispiace non può arrivare in Via Dante.
automobilista: Ah, capisco. Senta, io devo arrivare con la macchina nel posto più vicino a Via Dante perché devo portare alcuni pacchi pesanti in un appartamento. Come posso fare?
vigile: Guardi, non so cosa dire... in questi giorni la zona di Via Dante è chiusa al traffico.
automobilista: Non è possibile chiedere un permesso per arrivare in centro?
vigile: Quanto tempo deve restare in centro con la macchina?
automobilista: Non so esattamente... probabilmente un'ora.
vigile: Se è per un'ora può chiedere un permesso all'ufficio dei vigili in Via Tozzi. Ci sa arrivare?
automobilista: Sì, sì. E a che ora apre l'ufficio?
vigile: L'ufficio è aperto dal lunedì al venerdì la mattina dalle 8.30 alle 12.45. Il martedì e il giovedì è aperto anche il pomeriggio dalle 15.30 alle 17.00.
automobilista: Bene... Grazie!
vigile: Di niente.

i UFFICIO INFORMAZIONI

Gli orari di apertura degli uffici e dei negozi in Italia è vario: per esempio, in genere, gli uffici postali sono aperti dal lunedì al venerdì mattina e pomeriggio e il sabato mattina. Il sabato pomeriggio invece sono chiusi. I piccoli negozi, di solito, chiudono per il pranzo alle 13 e riaprono dalle 16 alle 20. I grandi negozi e i supermercati fanno spesso orario continuato dalla mattina alla sera.

Osserva!

- Non so esattamente...
- Ci sa arrivare?
- Guardi, non so cosa dire...

18. **Due espressioni nel dialogo di pagina 52 indicano indecisione e una indica capacità di fare qualcosa. Scrivile nella tabella.**

indecisione	capacità di fare qualcosa
a.	a. ....
b.	

Il verbo *sapere* ha anche altri significati. Spesso significa "avere conoscenza su qualcosa".

- So che in molte città il centro è chiuso al traffico.

19. **Hai 5 minuti di tempo, intervista i tuoi compagni e scopri chi sa...**

- parlare lo spagnolo
- cucinare bene
- in quale città è Piazza di Spagna
- suonare uno strumento musicale
- in quali mesi è il palio di Siena
- come si chiama il più famoso poeta italiano
- giocare a calcio
- ballare il tango
- quando è la festa del lavoro in Italia
- dipingere

20. **Adesso riferisci quello che hai scoperto alla classe.**

Osserva!

- A che ora apre questo ufficio?
- L'ufficio è aperto dal lunedì al venerdì dalle 8.30 alle 12.45. Il martedì e il giovedì è aperto anche dalle 15.30 alle 17.00.

21. **Lavora con un compagno. A chiede i giorni e l'orario di apertura di questi uffici o negozi e B risponde. Poi scambiatevi i ruoli.**

Impariamo le parole - Giorni della settimana

22. Metti in ordine i giorni della settimana.

Martedì - Sabato - Lunedì - Venerdì - Domenica - Giovedì - Mercoledì

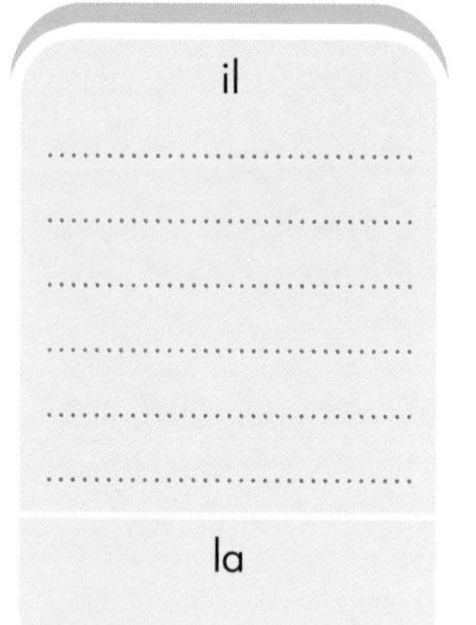

Attenzione!

Si dice: la settimana, ma il fine settimana.

23. Collega e completa le frasi.

1. Tutti gli uffici sono chiusi...
2. Una giornata dura...
3. Generalmente la settimana lavorativa va...
4. Faccio un lavoro part time e lavoro solo...
5. Generalmente la Posta è aperta anche...
6. Torno a casa ogni giorno...
7. Il fine settimana...

a. 24 ore.
b. il pomeriggio.
c. inizia venerdì sera e finisce domenica.
d. il sabato mattina.
e. la sera, verso le sette.
f. il sabato pomeriggio.
g. dal lunedì al venerdì.

Conosciamo gli italiani

24. Leggi il testo e indica se le affermazioni sono vere o false.

Autobus? No, grazie, prendo il motorino!

"Non prendere la macchina per piccoli spostamenti, soprattutto per andare al lavoro, usa i mezzi pubblici!". Quante volte sentiamo questa raccomandazione dai sindaci delle nostre città? E in effetti usare di più autobus e metropolitana è una buona soluzione per inquinare di meno e aiutare a smaltire il traffico almeno un po'.

Ma come ci comportiamo veramente? Lo rivela un sondaggio dell'Associazione Nazionale Comuni Italiani. Secondo il sondaggio, gli italiani lasciano sempre più spesso l'auto in garage, o parcheggiata per strada, anche per il continuo aumento del costo del carburante, e il motorino diventa il mezzo di trasporto più usato.

E i mezzi pubblici? Nelle 15 città più importanti d'Italia, soltanto il 30% ha dichiarato di utilizzare autobus o metropolitana. Il dato non stupisce se diamo uno sguardo alle motivazioni di questa scelta: per molti intervistati il trasporto pubblico è mediocre e i tempi di attesa alla fermata sembrano troppo lunghi. In una città come Milano o Roma un cittadino per fare un tragitto di 3 chilometri e arrivare al lavoro alle 8 deve uscire di casa almeno un'ora prima, mentre con il motorino impiega al massimo 15 minuti per fare lo stesso percorso. Tra le altre motivazioni per lo scarso uso dei mezzi pubblici le persone

sottolineano l'eccessivo affollamento durante le ore di punta e il costo del biglietto che può arrivare fino a 1 euro e 20 centesimi. Soprattutto al Sud, gli italiani indicano il comportamento poco educato dei passeggeri negli autobus: anche se la situazione è migliore rispetto al passato, non sempre si rispetta la fila per entrare, si occupano le uscite o non si cede il posto alle persone anziane.

	Vero	Falso
1. I sindaci delle città raccomandano l'uso del trasporto pubblico.		
2. I tempi di attesa alle fermate degli autobus sono minimi.		
3. La maggior parte degli italiani usa l'autobus nelle grandi città.		
4. Il costo del biglietto dell'autobus è troppo caro.		
5. Il motorino riduce i tempi per arrivare al lavoro.		
6. Le persone in autobus si comportano sempre educatamente.		

Parliamo un po'...

- Come ti sembra il trasporto urbano in Italia? Secondo te è efficiente?
- È caro o economico?
- Come si comportano gli italiani alla guida e nei mezzi pubblici?
- Sono educati o maleducati?
- Rispettano le regole?
- Rispettano i pedoni e i ciclisti?
- In generale, come si comportano gli automobilisti nel tuo Paese?

Si dice così!

Ecco alcune espressioni utili per...

Chiedere informazioni stradali	Mi può dire dov'è la fermata? Scusi, sa dov'è un ufficio postale?
Chiedere e dire l'ora	Che ore sono?/Che ora è? Sono le due/le tre ecc. È mezzanotte/È mezzogiorno/È l'una. Sono le quattro e un quarto. Sono le quattro e mezza. Sono le cinque meno venti. Sono le cinque meno un quarto.
Esprimere capacità di fare qualcosa	So parlare l'italiano.
Esprimere conoscenza	So che Via Dante è chiusa al traffico.
Esprimere incertezza	Non so se oggi c'è lo sciopero.
Indicare un periodo di tempo	L'autobus passa dalle 8 alle 20. L'ufficio è aperto dal lunedì al venerdì.
Indicare puntualità/ritardo	L'autobus è puntuale. Sono in ritardo.

Ecco alcune espressioni per indicare le direzioni e la posizione

dietro/dopo	L'edicola è dopo il semaforo. / La pizzeria è dietro la banca.
davanti a/prima di	La macchina è davanti all'autobus. / La macchina è prima dell'autobus.
a sinistra	Prendi la prima a sinistra e arrivi in via Roma.
a destra	Giro a destra e arrivo in Piazza del Campo.
dritto	Vai dritto fino al semaforo.
di fronte a	La banca è di fronte all'ufficio postale.
in mezzo a/tra	Il bar è tra la banca e la farmacia. / Il motorino è in mezzo a due macchine.
accanto a	Il cinema è accanto al ristorante.
vicino a	La fermata è vicino a casa mia.
lontano da	L'università è lontano da qui?

Sintesi grammaticale

- **I verbi modali *potere, dovere, volere***

	POTERE	DOVERE	VOLERE
io	posso	devo	voglio
tu	puoi	devi	vuoi
lui/lei/Lei	può	deve	vuole
noi	possiamo	dobbiamo	vogliamo
voi	potete	dovete	volete
loro	possono	devono	vogliono

I verbi modali si usano in genere prima di un verbo all'infinito o di un complemento oggetto.

Esempi:
- Mi può dire dov'è la stazione?
- Deve prendere la prima a destra.

Voglio andare a casa a piedi.

Voglio un biglietto per l'autobus.

- **Uso di *andare* come verbo di movimento**

Andare con l'autobus/in autobus, con la macchina/in macchina, a piedi

- **Articoli indeterminativi**

maschile	femminile
un ristorante	una banca
un ufficio postale	una farmacia
davanti a s+consonante, z	**davanti a vocale**
uno stadio, uno zoo	un'autostazione

Gli articoli indeterminativi, a differenza degli articoli determinativi, indicano qualcosa che non è conosciuta.

Esempio:
Mi può dire dov'è un *cinema*?

In questo caso chiedo informazioni su un cinema non specifico, e uso l'articolo indeterminativo.

Esempio:
Mi può dire dov'è il *cinema Ariston*?

In questo caso chiedo informazioni su un cinema specifico e uso l'articolo determinativo.

- **Il verbo *sapere***

	SAPERE
io	so
tu	sai
lui/lei/Lei	sa
noi	sappiamo
voi	sapete
loro	sanno

Il verbo *sapere* può avere diversi usi:

a) Esprimere capacità/incapacità

Esempio:
Sa arrivare in Via Verdi?

b) Esprimere indecisione

Esempio:
Non so cosa dire.

c) Esprimere conoscenza

Esempio:
So che in molte città il centro è chiuso al traffico.

Test 2 (Unità 3 - 4)

Funzioni

1. Riordina i dialoghi.

A. Prendo un bicchiere di latte.
B. Buongiorno signore. Desidera?
C. Freddo per favore.
D. Freddo o caldo?
E. No grazie, non voglio altro.
F. Vorrei un cornetto alla crema.
G. Desidera ancora qualcosa?
H. Certo. Da bere?

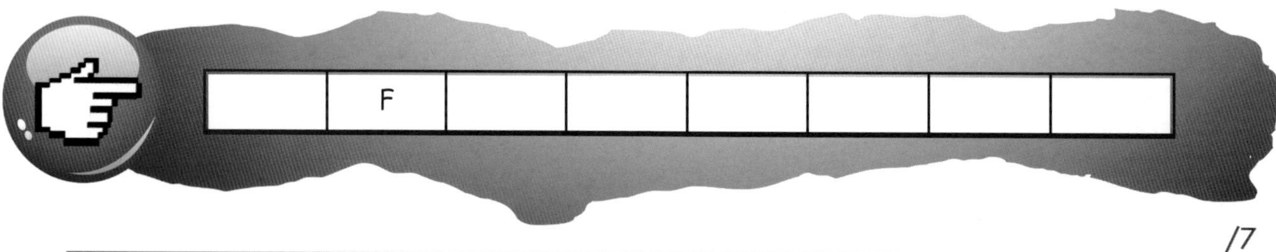

/7

A. Sì, è abbastanza lontano. Ma può prendere un autobus.
B. Grazie per le informazioni. Arrivederci.
C. Senta, scusi, sa dov'è un supermercato?
D. Arrivederci.
E. È lontano da qui?
F. Può prendere il diciassette.
G. Sì, va dritto fino all'incrocio, poi gira a sinistra e prosegue sempre dritto.
H. Che numero devo prendere?
I. Bene. Senta, sa a che ora passa?
L. Passa ogni 15 minuti.

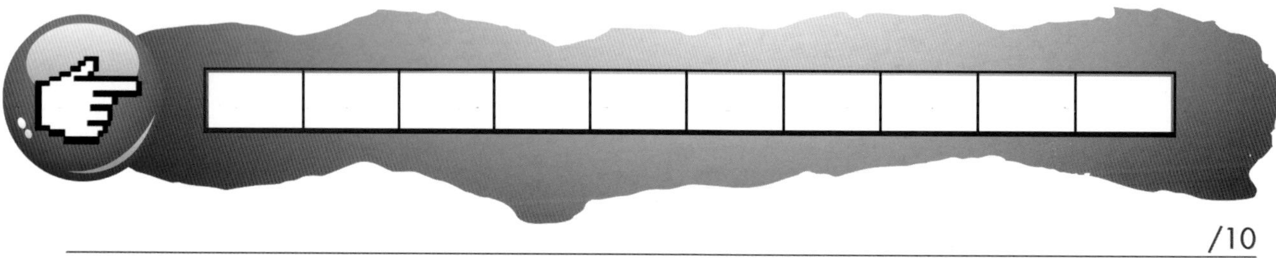

/10

Grammatica

2. Scegli l'articolo corretto.

I/Gli orari di apertura dei negozi in Italia possono sembrare strani per uno/un straniero: infatti chi è abituato a un/uno orario continuato non capisce perché molti negozi sono chiusi per più di un'/un ora tra la/il mattina e il/lo pomeriggio. Anche gli/i uffici pubblici (il/le poste, le/il banche ecc.) hanno spesso orari diversi da quelli di altri paesi. L'/La apertura e l'/la chiusura di negozi e uffici è regolata da una/un legge. Alcuni negozi devono anche avere uno/un giorno di chiusura obbligatorio oltre alla domenica: i/gli barbieri, per esempio, sono chiusi il/lo lunedì, le banche sono chiuse lo/il sabato.

/8

---

3. Completa le frasi con i verbi al presente.

1. Io (*volere*) .... mangiare una pizza, Franco (*volere*) .... mangiare la pasta.
2. Io e Marco non (*potere*) .... uscire perché (*dovere*) .... studiare.
3. Alberto e Gaia (*fare*) .... sempre colazione al bar.
4. I tuoi amici (*sapere*) .... arrivare a casa mia?
5. Io (*preferire*) .... la carne, Luisa (*preferire*) .... il pesce.
6. Gli studenti (*finire*) .... la lezione alle 18.
7. Marienne è francese, ma (*sapere*) .... parlare l'italiano.

/5

---

4. Completa con la forma esatta del verbo *piacere*.

1. ● Ti .... il gelato?
   ● Sì, mi .... molto.
2. A me .... le feste in casa.
3. A Luisa .... andare a ballare.
4. Non mi .... giocare a carte, preferisco ascoltare un po' di musica.

/5

Vocabolario

5. Abbina i termini a sinistra alle definizioni date a destra. Attenzione, c'è una parola in più!

1. Tabaccaio
2. Edicola
3. Ristorante
4. Parcheggio
5. Fermata
6. Ufficio postale

a. Posto dove è possibile inviare lettere, ricevere pacchi ecc.
b. Posto dove è possibile comprare le sigarette, i biglietti ecc.
c. Posto dove è possibile lasciare la macchina.
d. Posto dove aspetto l'autobus.
e. Posto dove è possibile comprare giornali e riviste.

/5

Punteggio Totale /40

Dove abiti?

Entriamo in tema

1. Conosci questi tipi di abitazione? Scrivi una piccola descrizione.

Villa: ....

Appartamento: ....

Monolocale: ....

Mansarda: ....

Attico: ....

Comunichiamo

2. Ascolta il dialogo. Vero o falso?

	Vero	Falso
1. Lucia abita in una villa.		
2. La cucina della casa è piccola.		
3. Nel bagno c'è la vasca da bagno.		
4. A Lucia non piace la stanza da letto.		
5. La casa è senza ascensore.		
6. L'affitto è molto caro.		

14

3. Ascolta di nuovo il dialogo e inserisci i nomi delle parti della casa nella piantina.

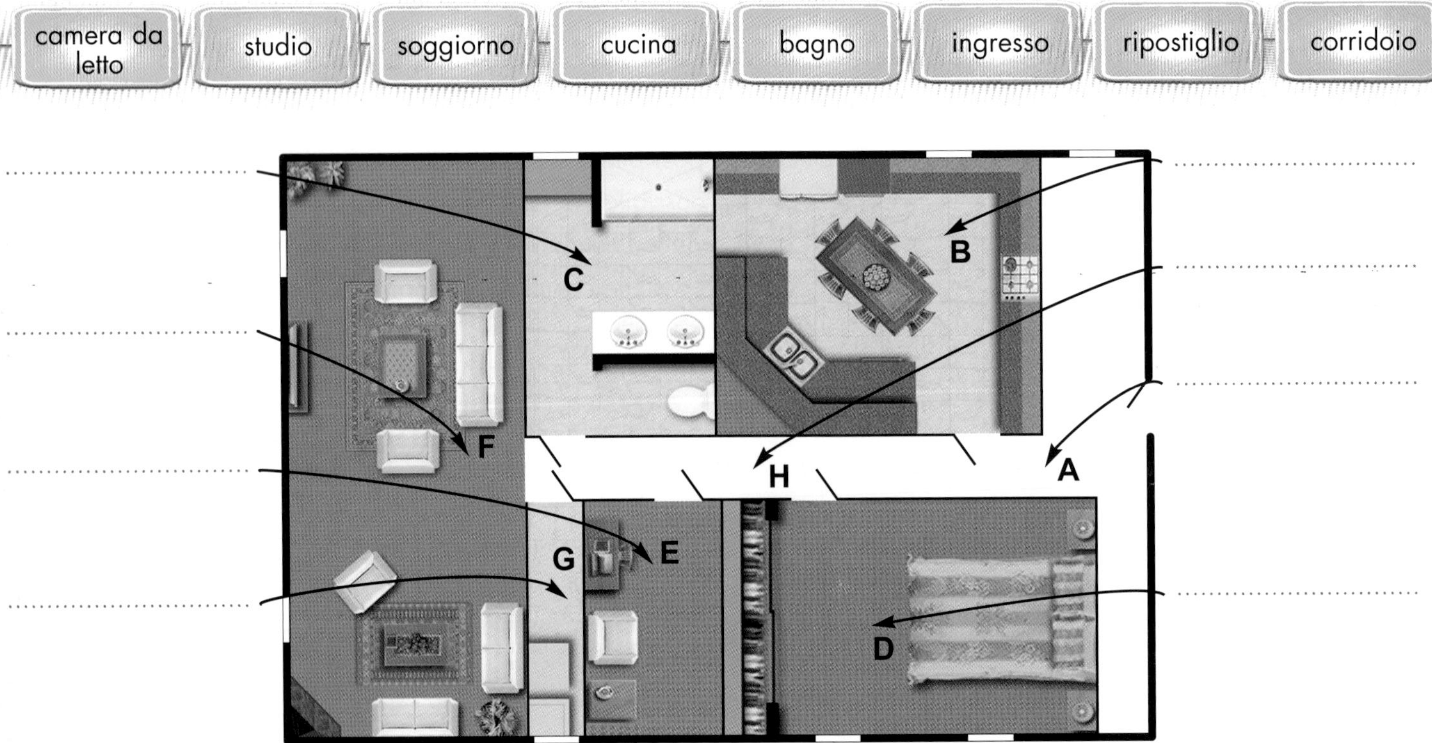

4. Adesso ascolta il dialogo e leggi il testo. Controlla le risposte delle attività 2 e 3.

Paola: Allora Lucia, com'è la tua nuova casa?
Lucia: Non è male... Sai, io e Michele abbiamo un cane. Ma è impossibile trovare una villa per due persone, ci sono solo ville molto grandi.
Paola: E quindi?
Lucia: Adesso stiamo in un appartamento in centro, vicino a un parco.
Paola: È una buona soluzione. Dai, descrivimi la casa.
Lucia: Allora, la casa non è molto grande, però è graziosa e accogliente. Ci sono quattro stanze più i servizi. Appena entri c'è un ingresso, dopo l'ingresso sulla destra c'è la cucina. È abbastanza grande e luminosa. A destra della cucina c'è il bagno.
Paola: Con la vasca?
Lucia: Sì, c'è una vasca e un box doccia separato.
Paola: E le altre stanze?
Lucia: La stanza da letto è di fronte alla cucina. È la stanza che preferisco. Dà su un cortile quindi c'è molta luce ed è silenziosa. Accanto alla stanza da letto c'è un'altra stanza che Michele usa come studio. Il soggiorno è in fondo al corridoio. Tra lo studio di Michele e il soggiorno c'è una stanza molto piccola che usiamo come ripostiglio.
Paola: Sembra una bella casa. A che piano è?
Lucia: È al terzo piano.
Paola: C'è l'ascensore?
Lucia: No, non c'è. Il palazzo è antico. Non c'è neanche il parcheggio.
Paola: E quanto paghi di affitto?
Lucia: Pago 800 euro.
Paola: Sei fortunata. Per il centro di Firenze non è caro.

UFFICIO INFORMAZIONI

In Italia il 75% delle persone ha una casa di proprietà. Gli affitti e i costi delle case variano molto nelle diverse città: a Trapani (Sicilia) una casa costa in media 600 euro al metro quadrato. A Siena il costo sale a 3500 euro.

Facciamo grammatica

Osserva!

Ci sono quattro stanze più i servizi.
Dopo l'ingresso sulla destra c'è la cucina. A destra della cucina c'è il bagno.
La stanza da letto è di fronte alla cucina.
Il soggiorno è in fondo al corridoio.

5. Uso di *c'è/è*: scrivi la regola.

Quando il verbo è prima dell'oggetto da localizzare si usa ....

Quando il verbo è dopo l'oggetto da localizzare si usa ....

C'è al plurale diventa ....

6. Scegli la forma corretta.

In casa mia (1) sono/ci sono cinque stanze oltre il bagno. La mia camera da letto è quella più grande ed (2) c'è/è vicino al salotto. Nella mia stanza (3) sono/ci sono il letto, la scrivania e il computer. Accanto alla mia stanza (4) è/c'è quella dei miei genitori dove (5) ci sono/sono due armadi per i vestiti di tutta la famiglia. Di fronte alla mia stanza (6) c'è/è lo studio di mio padre. Nello studio (7) è/c'è un grande tavolo da lavoro e dietro il tavolo (8) è/c'è una lampada che illumina tutta la stanza. I mobili più belli della casa (9) sono/ci sono nel salotto: (10) sono/ci sono due divani, due poltrone e un bel mobile. La mia casa (11) c'è/è in un palazzo di 6 piani. Io abito al quarto piano ma per fortuna (12) c'è/è l'ascensore.

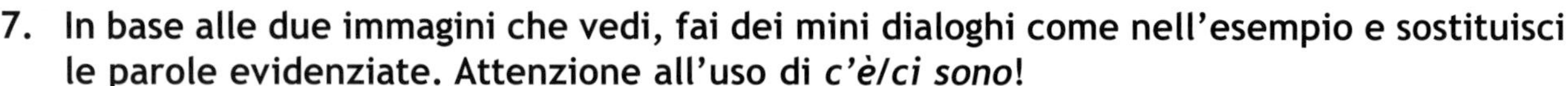

Comunichiamo

7. In base alle due immagini che vedi, fai dei mini dialoghi come nell'esempio e sostituisci le parole evidenziate. Attenzione all'uso di *c'è/ci sono*!

Esempio:
- Nella tua camera c'è un *letto matrimoniale*?
- Sì, c'è un *letto matrimoniale* con i *cuscini bianchi*. E nella tua c'è un *letto matrimoniale*?
- Sì (...)

Quadri alle pareti
L'aria condizionata
Poltrone
Il camino
Tende alle finestre

Una scrivania
Un tappeto
Una lampada
Armadi
Il telefono

Impariamo le parole - Aggettivi per descrivere una casa

8. Abbina le definizioni all'aggettivo corrispondente.

1. Una casa con molta luce è una casa...	a. scomoda
2. Una zona dove non c'è rumore è...	b. buia
3. Una casa costruita 90 anni fa è una casa...	c. accogliente
4. Una casa senza ascensore, senza parcheggio è una casa...	d. luminosa
5. Una casa comoda, con molti comfort è una casa...	e. silenziosa
6. Una stanza senza finestre e senza luce è una stanza...	f. antica

9. **Com'è la tua casa? Descrivila a un tuo compagno e chiedi informazioni sulla sua casa. Ecco alcune informazioni che puoi chiedere:**

- Indirizzo
- Piano
- Con/Senza ascensore
- Numero di stanze
- Arredamento
- Qualità (grande-piccola; luminosa-buia; nuova-vecchia; calda-fredda ecc.)

Entriamo in tema

- Abiti con la tua famiglia o con altri studenti?
- Quanti siete in casa?
- Hai una stanza singola o dividi la tua stanza con qualcuno?
- Quali sono secondo te i problemi maggiori della convivenza tra ragazzi?
- Secondo te vivono insieme più facilmente i ragazzi o le ragazze? Perché?
- Se vivi insieme a qualcuno, ricordi un episodio particolare della tua convivenza?

Comunichiamo

10. **Leggi il testo e rispondi oralmente alle domande.**

Ragazzi!!
Così non è possibile! La casa è un disastro e voi non rispettate i turni! A chi tocca pulire la casa questa settimana? A Franco! E perché non lo fai? Oggi è già sabato!!!
Alberto, tu perché non butti mai l'immondizia?
E Giuseppe, tu perché lasci sempre i piatti sporchi per ore nel lavandino?
Un'altra cosa: i divani e le poltrone sono di tutti, non potete lasciarci sopra i sacchetti della spesa.
E poi chi mangia deve sparecchiare subito la tavola, non può lasciare tutte le stoviglie in giro. Non parliamo poi del bagno! Dopo che fate la doccia c'è un mare d'acqua sul pavimento! Se c'è acqua a terra dovete passare lo straccio altrimenti sporcate tutta la casa!
E il giardino? Alberto dice sempre che deve sistemarlo, ma è ancora un disastro!
Insomma ragazzi, io non ho più tempo e voglia di discutere con voi... Lavoro tutto il giorno, sto fuori casa la maggior parte della giornata e quando torno vorrei (anzi VOGLIO) trovare la casa in ordine. Io, lo sapete bene, rispetto sempre i turni per pulire la casa, apparecchio e sparecchio la tavola, butto la spazzatura, spolvero e cucino per tutti... Adesso basta!!!
Stasera torno a casa verso le 8. Viene a cena una mia amica e voglio fare una buona impressione... Quindi quando arrivo spero davvero di trovare la casa in ordine e pulita!

Maurizio

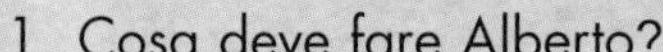

1. Cosa deve fare Alberto?
2. Cosa deve fare Giuseppe?
3. Qual è il problema nel bagno?
4. Perché Maurizio vuole trovare la casa pulita e in ordine?

Impariamo le parole - Lavori di casa

11. Scrivi le parole della lista sotto le immagini.

passare l'aspirapolvere - rifare il letto - passare lo straccio - lavare i piatti
apparecchiare la tavola - buttare la spazzatura - spolverare - stirare

1. ....

2. ....

3. ....

4. ....

5. ....

6. ....

7. ....

8. ....

12. Segna nella tabella quello che fai a casa. Poi intervista i tuoi compagni e scopri chi può essere il tuo compagno di casa ideale.

Esempio:
- Generalmente io faccio la spesa e cucino. E tu?
- Io faccio la spesa, ma non so cucinare. Però pulisco spesso la casa.
- Ah, bravo! E stiri anche?
- ....

		compagno			
	io	1	2	3	4
fare la spesa					
cucinare					
stirare					
pulire la casa					
organizzare molte feste					
stare a casa il fine settimana					
ascoltare la musica ad alto volume					
buttare la spazzatura					
lavare i piatti					

Entriamo in tema

Quale tra queste sistemazioni scegli per una vacanza? Perché?

Comunichiamo

13. Ascolta la telefonata e indica quali affermazioni sono vere o false.

	Vero	Falso
1. La cliente vuole una camera singola.	☐	☐
2. La camera è con bagno.	☐	☐
3. La colazione è inclusa nel prezzo.	☐	☐
4. La cliente può portare il gatto in albergo.	☐	☐
5. La cliente prenota la camera fino a lunedì.	☐	☐

14. Ascolta di nuovo la telefonata e leggi il testo. Controlla le risposte dell'attività 13.

receptionist: *Albergo Fontana*, buonasera.
signora: Buonasera, vorrei prenotare una camera doppia.
receptionist: Per quando?
signora: Per domenica e lunedì notte.
receptionist: Aspetti un momento, controllo se ci sono camere libere... Mi dispiace, ma per domenica è tutto pieno. Abbiamo una doppia libera da lunedì sera.
signora: Allora prenoto per lunedì e martedì. Il bagno è in camera o in comune?
receptionist: Il bagno è in camera, ovviamente. C'è anche il televisore e una splendida vista sulla campagna toscana.
signora: Bene. In camera c'è l'aria condizionata?
receptionist: No, signora, l'aria condizionata non c'è. Però possiamo mettere un ventilatore nella stanza.
signora: Va bene, meglio di niente. Senta, quanto viene la camera a notte?
receptionist: Con colazione o senza?
signora: Senza colazione.
receptionist: Allora la camera viene 75 euro a notte. Se vuole anche la colazione sono 10 euro in più.
signora: Bene, posso portare il mio gatto?
receptionist: Sì, signora. Accettiamo animali di piccola taglia.
signora: Perfetto. Allora confermo la camera per lunedì e martedì.
receptionist: Benissimo. Mi dice il Suo nome, per favore?
signora: Sono la signora Guidotti.
receptionist: Bene. A che ora arriva?
signora: Probabilmente intorno alle 18.
receptionist: Allora L'aspettiamo lunedì pomeriggio.
signora: A lunedì. ArrivederLa.

15. Rileggi il dialogo e trova le espressioni usate per...

a. Rispondere al telefono. ....

b. Prenotare una camera. ....

c. Esprimere soddisfazione parziale. ....

d. Chiedere il permesso. ....

e. Dire un orario non preciso. ....

16. Lavora con un compagno e simula una telefonata a un albergo. A è il portiere dell'albergo, B è il cliente.

A	B
A. Rispondi al telefono	B. Chiedi una camera singola
A. Chiedi per quando e per quanto tempo	B. Rispondi
A. Dici che la camera è disponibile	B. Chiedi se la camera è con il bagno
A. Rispondi	B. Chiedi se c'è il televisore
A. Rispondi	B. Chiedi se c'è l'aria condizionata
A. Rispondi	B. Chiedi il prezzo
A. Rispondi	B. Chiedi se puoi portare un animale
A. Dici di no	B. Rifiuti e non confermi la prenotazione
A. Saluti	B. Rispondi al saluto

Impariamo le parole - Servizi in albergo

17. Scrivi le parole della lista sotto le immagini.

camera singola - camera doppia - camera matrimoniale - aria condizionata - ristorante
parcheggio - telefono - televisione - frigobar - bagno/doccia in camera

1. ....

2. ....

3. ....

4. ....

5. ....

6. ....

7. ....

8. ....

9. ....

10. ....

18. Che cosa è importante per te in un albergo? Lavora con un compagno e fai i dialoghi come nell'esempio.

- Quando dormo in albergo per me è indispensabile la televisione perché...
- Per me la televisione non è importante, ma è indispensabile il bagno in camera perché...
- ...

19. Osserva la pagina successiva: quale di questi alberghi puoi consigliare a...?

a. Anna e Marco. Vanno in vacanza con 2 figli piccoli.

b. Giulia e Sergio, sposati da poco, in viaggio di nozze.

c. Francesco, 20 anni, studente. Cerca un albergo per una vacanza.

d. Gianni, 35 anni, imprenditore. 3 giorni a Bologna per partecipare alla riunione dei giovani industriali.

1 

Albergo Belvedere

Le camere sono confortevoli (TV, frigobar, bagno in camera, aria climatizzata.) e dotate di tutto quello che serve per una vacanza all'insegna dei bagni, di sole e di mare. L'albergo è situato a 800 metri dal centro di Ventotene e dalle due spiagge di cala Rossano e cala Nave, inoltre dista appena 350 metri dalla selvaggia spiaggia di Parata Grande dove è possibile apprezzare un mare stupendo e cristallino. (*www.belvedereventotene.it*)

2 

Starhotels Excelsior

Camere eleganti e spaziose dotate di un grande letto matrimoniale e di una zona soggiorno con poltrone o divano. Connessione Wireless high speed Internet, presa di corrente per personal computer e ricarica batterie, prevede un ampio assortimento di comfort per rendere il soggiorno ancora più piacevole: TV 20/25 pollici con canali esteri via satellite, Pay TV, Starbed (soffice letto di piume), impianto HI-FI con lettore CD, stirapantaloni elettrico, cassetta di sicurezza con codice personalizzato, vassoio con bollitore elettrico e assortimento di thè, tisane, caffè, cioccolato e un minibar riccamente fornito. Nel bagno: accappatoio e pantofoline. (*www.starhotels.com*)

3 

Hotel Centrale Miramare

Tutte le camere interamente rinnovate: tanto spazio, atmosfera, funzionalità e comfort, abbinati ad un'offerta differenziata e personalizzata alle vostre esigenze.
Formula 4x3: se siete 2 adulti con 2 bambini fino a 12 anni, 1 bimbo è nostro ospite gratuito.
Piccoli ospiti: dal 01.05 al 03.06 un bambino da 0 a 6 anni in camera con un adulto ha una riduzione del 50%.
Piccoli & grandi: dal 01.05 al 09.06 e dal 08.09 in poi... un bimbo da 0 a 8 anni in camera con 2 adulti è gratis, il secondo bimbo ha una riduzione del 50%. (*www.riccionefamilyhotels.it*)

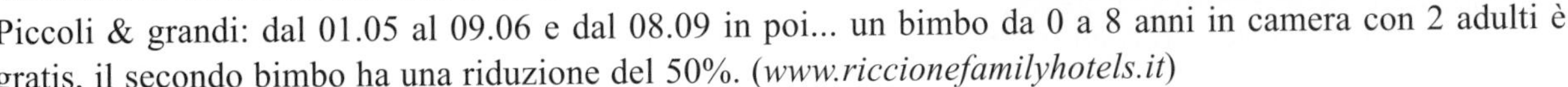

4

Ca' Arco Antico

Tipica locanda di Venezia, per una indimenticabile Luna di miele, è lieta di offrire a tutti i suoi ospiti quest'offerta speciale:
- 5% di sconto
- bottiglia di vino offerta da Ca'Arco Antico
- escursione gratuita all'isola di Murano

Alcuni esempi:
Camera Standard: a partire da 85,00 euro
Camera Superior: a partire da 95,00 euro
(prezzi di bassa stagione)
I prezzi sono da intendersi a camera a notte comprensivi di tasse, servizi e colazione. (*www.arcoanticovenice.com*)

Facciamo grammatica

Osserva!

Possiamo mettere un ventilatore nella stanza.
Probabilmente intorno alle 18.
Inoltre dalla stanza c'è una splendida vista sulla campagna toscana.

Le parole evidenziate sono preposizioni articolate.

in + la = **nella**
a + le = **alle**
da + la = **dalla**
su + la = **sulla**

Le preposizioni *di, a, da, in, su* insieme agli articoli determinativi formano una sola parola.

20. Completa la tabella.

+	IL	LO	L'	LA	I	GLI	LE
DI	del	dello			dei	degli	
A	al		all'		ai		
DA		dallo	dall'			dagli	
IN	nel			nella	nei		nelle
SU			sull'	sulla			

21. Scegli l'opzione adatta e scrivi la corretta preposizione articolata.

1. .... mia camera d'albergo c'è il bagno. In+la / Da+la / A+la
2. I camerieri lasciano ogni giorno gli asciugamani puliti .... letto. su+il / di+il / da+il
3. La colazione è pronta .... 8 in poi. in+le / da+le / a+le
4. Scusi, domani può svegliarmi .... 8 in punto? in+le / da+le / a+le
5. Prima di andare via devo ritirare il documento .... reception. di+la / in+la / a+la
6. In Italia non è frequente lasciare la mancia .... camerieri. a+i / in+i / di+i
7. L'albergo è .... inizio di Via Pantaneto. a+l' / su+l' / da+l'
8. Il presidente dorme in uno .... alberghi più eleganti della città. di+gli / da+gli / a+gli
9. Il mio appartamento è .... terzo piano di un palazzo antico. a+il / in+il / su+il
10. .... mia camera di albergo posso vedere il mare. In+la / Di+la / Da+la
11. .... case degli italiani ci possono essere un soggiorno e un salotto. In+le / A+le / Di+le
12. L'attaccapanni è generalmente .... ingresso. su+l / in+l' / di+l'

Conosciamo gli italiani

22. Leggi il testo e rispondi oralmente alle domande.

Gli italiani in albergo? Spendono poco e vogliono molto.

Ecco i risultati di una recente indagine che chiede ai proprietari di alberghi europei un'opinione sui turisti stranieri. Gli italiani sono all'ultimo posto nella classifica dei clienti. Secondo i proprietari di alberghi gli italiani «non rispettano gli orari, sono rumorosi, vogliono il servizio migliore ma non spendono molti soldi. Non danno quasi mai mance per i camerieri».

Gli italiani curano molto la casa e quando sono fuori protestano per tutto: per la pulizia e l'arredamento delle stanze, per il pranzo e la cena del ristorante dell'albergo. Un albergatore inglese dice: «La cucina italiana è una delle migliori, ma questo non può essere un motivo per pretendere lo stesso anche qui».

Un albergatore svizzero «Non capiscono che un albergo all'estero non può essere come la casa. Gli italiani non possono pretendere la massima cura per l'arredamento in un albergo a 3 stelle. Per quello ci sono alberghi a quattro e cinque stelle, ma costano molto e gli italiani non vogliono spendere soldi quando vengono qui in vacanza».

Dice il direttore dell'Hilton di Londra: «Il nostro albergo offre anche la sala conferenze e la sauna, oltre ovviamente a tutti i servizi in camera: dall'aria condizionata, al frigobar, alla vasca da bagno con idromassaggio. Diamo massima attenzione ai particolari e alla pulizia e l'arredamento è di ottima qualità.

La cucina del nostro ristorante è ottima.

Ovviamente chiediamo un prezzo maggiore rispetto alla media degli altri alberghi. E da noi i turisti italiani sono veramente pochi».

L'opinione sugli altri turisti? «Svedesi e norvegesi sono i migliori: puliti, silenziosi, educati».

E gli americani?

Dice un albergatore spagnolo: «nell'ultimo periodo gli americani sono pochi per l'euro forte. Generalmente sono cortesi.

Come gli italiani, pretendono il servizio migliore, ma pagano senza problemi e se sono soddisfatti lasciano buone mance ai camerieri».

1. Quali sono i difetti dei turisti italiani secondo i proprietari di alberghi all'estero?
2. Per quali motivi gli italiani protestano?
3. Gli italiani frequentano gli alberghi di lusso?
4. Quali sono i turisti preferiti dai proprietari di alberghi?
5. Qual è la differenza tra turisti americani e turisti italiani?

UFFICIO INFORMAZIONI

L'Italia è il primo paese in Europa per numero di clienti negli alberghi. Non ci sono solo piccoli alberghi, ovviamente. A Milano, nel centro della città, c'è il Town House Hotel, l'unico albergo in Europa a 7 stelle!

Parliamo un po'...

- Sei una persona esigente quando vai in un locale pubblico?
- Quando ricevi un cattivo servizio in albergo o al ristorante protesti o no?
- Ricordi un episodio particolare che hai avuto in albergo?
- Dai più importanza al prezzo o alla qualità dell'albergo?
- Secondo te quali sono gli atteggiamenti tipici dei turisti del tuo Paese negli alberghi?
- ...

Si dice così!

Ecco alcune espressioni utili per...

Localizzare nello spazio	La mia casa è in un palazzo di 6 piani dove ci sono venti appartamenti. Appena entri c'è un ingresso.
Chiedere informazioni sui servizi in una camera d'albergo	C'è il bagno/il televisore/l'aria condizionata in camera?
Esprimere soddisfazione parziale	Va bene. Meglio di niente.
Dire un orario non preciso	Arrivo intorno alle cinque. Arrivo più o meno alle cinque. Arrivo alle cinque circa.

Sintesi grammaticale

- **C'è/ci sono**

Quando vogliamo indicare la posizione di oggetti in un luogo usiamo c'è e ci sono.

C'è + nome al singolare	Nella stanza c'è il bagno.
Ci sono + nome al plurale	Nella stanza ci sono due finestre.

- **Preposizioni articolate**

Le preposizioni articolate si formano con le preposizioni *di, a, da, in, su* + gli articoli determinativi.

Esempi:
in + la camera d'albergo = nella camera d'albergo
in + il bagno = nel bagno

Attenzione!

Ovviamente le preposizioni articolate si usano solo quando il nome è usato con l'articolo determinativo.

Esempio:
Vado a + la festa di Maria = Vado alla festa di Maria.
Vado a Roma.

+	il	lo	l'	la	i	gli	le
di	del	dello	dell'	della	dei	degli	delle
a	al	allo	all'	alla	ai	agli	alle
da	dal	dallo	dall'	dalla	dai	dagli	dalle
in	nel	nello	nell'	nella	nei	negli	nelle
su	sul	sullo	sull'	sulla	sui	sugli	sulle

Scheda di autovalutazione 3

Unità 4-5

1. Scrivi almeno un'espressione per...

- Chiedere l'attenzione: ....
- Chiedere informazioni stradali: ....
- Chiedere l'ora: ....
- Localizzare nello spazio: ....
- Descrivere un'abitazione: ....
- Prenotare una camera d'albergo: ....

2. Quali sono le parole che vuoi ricordare delle unità 4 e 5? Prova a scrivere anche aggettivi, nomi, verbi, avverbi collegati alle parole che vuoi ricordare.

1. ....
2. ....
3. ....
4. ....
5. ....
6. ....
7. ....
8. ....

3. Conosci altre parole sul tema dell'unità? Se sì, quali? E dove hai sentito o hai letto queste parole?

PAROLE NUOVE	tv	radio	internet	per strada	giornali	altri compagni	altro, specificare

4. **Rispetto all'inizio del corso, quanto hai sviluppato queste abilità?**

	molto ++	abbastanza +	poco –	per niente – –
ascoltare				
parlare				
leggere				
scrivere				

5. **Cosa ti riesce più difficile fare?**

	molto ++	abbastanza +	poco –	per niente – –
ascoltare				
parlare				
leggere				
scrivere				
imparare le regole grammaticali				
imparare le parole				

6. **Quanto vuoi sviluppare da adesso in poi queste abilità?**

	molto ++	abbastanza +	poco –	per niente – –
ascoltare				
parlare				
leggere				
scrivere				

Quartiere Navigli, Milano

La mia giornata a Firenze

Entriamo in tema

- Hai una vita frenetica o rilassata?
- Sei una persona puntuale o ritardataria?
- Ti piace fare le cose con calma o fai le cose di fretta?
- Qual è per te il momento più rilassante della giornata?

Comunichiamo

1. Leggi l'e-mail e indica se le affermazioni che seguono sono vere o false.

File Modifica Visualizza Inserisci Formato Strumenti Messaggio ?

A... sara@libero.it

Cc...

Oggetto **notizie da Firenze**

Ciao Sara!

Scusa se ti scrivo solo adesso, ma sono sempre di corsa e non trovo mai il tempo… Come stai? Qui a Firenze tutto ok! Mi trovo bene anche se qualche volta ho nostalgia di casa e della Spagna. La mia giornata qui è frenetica. Mi sveglio sempre alle sette e mezzo, ma resto a letto mezz'ora in più. Alle otto mi alzo e mi preparo in trenta minuti esatti! Mi lavo, mi vesto in fretta e alle otto e mezzo sono fuori. Come sai divido l'appartamento con Elena, una ragazza italiana, ma fortunatamente abbiamo orari diversi: lei generalmente non si alza prima delle nove, così non abbiamo problemi per il bagno… Il mio autobus passa quasi sempre in orario, alle 8 e 35, e in genere arrivo all'università giusto in tempo per l'inizio delle lezioni che cominciano alle nove in punto. Quando c'è traffico però l'autobus passa in ritardo e io perdo la prima ora delle lezioni. Alla fine delle lezioni, all'una e mezzo, vado subito a mangiare alla mensa e poi spesso torno in biblioteca a studiare; qualche volta incontro gli altri colleghi e andiamo a prendere un caffè insieme. Per migliorare il mio italiano incontro due volte alla settimana un ragazzo italiano e facciamo uno scambio di conversazione: parliamo un'ora in italiano e un'ora in spagnolo. Due sere alla settimana vado in palestra, frequento un corso di balli latino-americani! Quando non vado in palestra spesso torno a casa alle otto, ma qualche volta resto fuori a cena con i miei amici. Dopo cena è il momento che preferisco: mi metto comoda in poltrona e guardo la televisione o parlo un po' con Elena. Vado a letto verso le undici e mezzo e mi addormento immediatamente, come un sasso.

Il sabato o la domenica invece faccio le cose con calma. Mi alzo tardi, metto in ordine la casa, pranzo senza fretta, di pomeriggio esco e sto fuori fino a tardi. Chiamo i miei amici e ci vediamo in centro. Poi andiamo insieme in qualche locale o al cinema quando c'è un film interessante, ma non andiamo mai in discoteca perché, come sai, la detesto. Elena, la mia coinquilina, non esce quasi mai: fuori non si diverte e preferisce invitare gli amici a casa.

Adesso devo andare, tra poco passa il mio autobus.

Ci sentiamo presto! Tanti baci,

Marta

	Vero	Falso
1. Marta sta bene a Firenze.		
2. Marta abita da sola.		
3. Qualche volta arriva in ritardo all'università.		
4. Spesso va a studiare in biblioteca.		
5. Cena ogni sera a casa.		
6. Di solito legge un libro prima di addormentarsi.		
7. Quando esce il fine settimana torna tardi.		
8. Il fine settimana esce con Elena.		

2. Leggi di nuovo l'e-mail e completa le frasi a sinistra con le espressioni a destra.

1. Marta a Firenze ha una vita frenetica ed è sempre → e.
2. Generalmente l'autobus di Marta passa
3. Di solito Marta arriva all'università
4. Quando c'è traffico Marta arriva all'università
5. Alla fine delle lezioni Marta va in mensa
6. La sera Marta si addormenta
7. Il fine settimana Marta fa le cose
8. Il sabato pranza a casa

a. senza fretta.
b. giusto in tempo per l'inizio delle lezioni.
c. immediatamente.
d. con calma.
e. di corsa.
f. in ritardo.
g. in orario.
h. subito.

3. Lavora con un compagno. A turno chiedetevi informazioni sulle vostre abitudini. Ecco alcuni suggerimenti.

- Abitudini della mattina (sveglia, colazione, orari di uscita da casa)
- Abitudini del pomeriggio (riposo, studio/lavoro, attività varie)
- Abitudini della sera (orari di cena, stare a casa, incontrarsi con gli amici)

Facciamo grammatica

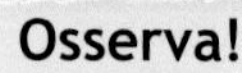

Marta scrive: «Mi trovo bene».

Mi trovo è un verbo riflessivo.

4. Trova e scrivi gli altri 12 verbi riflessivi presenti nell'e-mail di Marta!

1.	4.	7.	10. ....
2.	5.	8.	11. ....
3.	6.	9.	12. ....

5. Completa la tabella.

	alzarsi	mettersi	divertirsi
io	mi alzo	mi metto	mi diverto
tu	ti alzi	ti metti	....
lui/lei/Lei	....	....	....
noi	....	....	....
voi	vi alzate	....	....
loro	si alzano	....	....

Tra i verbi riflessivi nel testo c'è la forma negativa «non si alza».
La negazione *non* si mette sempre prima del pronome riflessivo.

Non	si	alza
Negazione	pronome riflessivo	verbo

6. **Completa le frasi con le forme corrette dei verbi.**

1. Francesco (trovarsi) .... bene a Firenze.
2. Elisa è una ragazza sportiva e (mettersi) .... sempre i jeans.
3. Ti vedo in forma, Luisa! Quante volte (allenarsi) .... alla settimana?
4. Marco e Giulia (non - divertirsi) .... quando escono con noi.
5. Non so ballare quindi in discoteca di solito (annoiarsi) ....
6. Io e la mia ragazza (vedersi) .... ogni giorno.

Impariamo le parole - Azioni quotidiane

7. **Scrivi le parole della lista sotto le immagini.**

lavarsi - pettinarsi - svegliarsi - radersi - truccarsi - rilassarsi - divertirsi - vestirsi

1. .... 2. .... 3. .... 4. ....

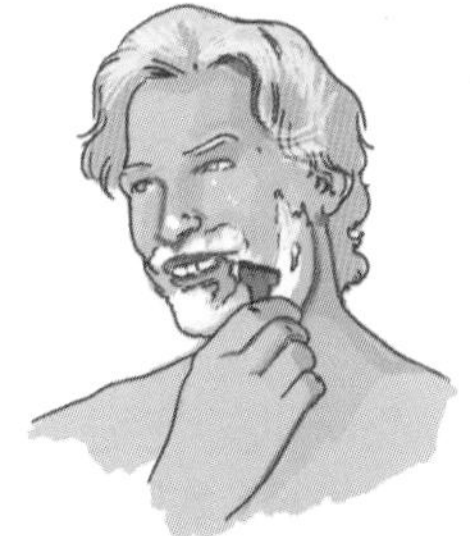

5. .... 6. .... 7. .... 8. ....

8. **Inserisci i verbi nel testo.**

mi alzo - mi faccio - mi vesto - mi sveglio - mi faccio
mi tolgo - mi addormento - mi incontro - mi tolgo

Ogni mattina (1)............................. alle 7, ma resto a letto fino alle 7.15 circa. Poi (2)............................., vado in bagno e (3)............................. la barba. Dopo (4)............................. il pigiama e (5)............................. la doccia. (6)............................. e verso le 8.15 sono pronto per uscire. Alle 8.30 vado al bar vicino casa mia e faccio colazione: di solito prendo soltanto un caffè e un cornetto.

Vado in ufficio alle 9 e lavoro fino alle 13; pranzo velocemente e torno al lavoro fino alle 17. Appena torno a casa (7)............................. subito le scarpe e mi distendo sul divano davanti alla televisione e spesso (8)............................. Qualche volta (9)............................. con i miei amici per una birra o vengono loro a casa mia e guardiamo un film.

Entriamo in tema

- Studi o lavori? Che lavoro fai? È un lavoro part time?
- Quanto impegno ti richiede?
- Secondo te per gli studenti universitari è meglio dedicarsi totalmente allo studio o è utile anche trovare un piccolo lavoro?
- Conosci ragazzi italiani che studiano e lavorano allo stesso tempo?
- Nel tuo Paese ci sono molti studenti che non finiscono l'università nei tempi stabiliti?

Comunichiamo

16

9. Ascolta il dialogo e indica se le affermazioni sono vere o false.

	Vero	Falso
1. Lindsay si trova bene a Firenze.		
2. Lindsay lavora a tempo pieno.		
3. Le lezioni di Lindsay sono tutte di mattina.		
4. Marcello lavora.		
5. Marcello esce poco.		
6. Lindsay invita Marcello per una birra.		

UFFICIO INFORMAZIONI

Gli studenti-lavoratori hanno diritto ai permessi per dare gli esami all'università e devono ricevere lo stipendio anche per i giorni di permesso. Inoltre, lo studente-lavoratore ha diritto a 150 ore di permessi straordinari in 3 anni (50 ore all'anno).

16

10. Ascolta il dialogo e leggi il testo. Controlla le risposte dell'attività 9.

Marcello: Allora Lindsay, come ti trovi qui a Firenze?
Lindsay: Adesso bene. Mi sono abituata allo stile di vita italiano e mi piace.
Marcello: E cosa fai di bello?
Lindsay: Da circa un mese lavoro part time in un pub in centro, faccio la cameriera.
Marcello: E quanti giorni lavori alla settimana?
Lindsay: Lavoro mezza giornata, tre sere alla settimana e qualche volta anche il pomeriggio. È un po' duro, ma così posso pagare l'affitto e continuare a studiare.
Marcello: E come fai a seguire le lezioni all'università?
Lindsay: Guarda, le lezioni sono quasi sempre la mattina e generalmente non ho problemi a frequentare. Quando ho lezione il pomeriggio, prima vado all'università e poi scappo al lavoro. Per fortuna la facoltà di Ingegneria è qui vicino. Tu invece cosa fai?

Palazzo dell'Università di Firenze

Marcello: Adesso devo dare gli ultimi due esami e cominciare a scrivere la tesi. Spero di laurearmi al prossimo appello. Sai... sono già al secondo anno fuori corso! Quindi in questo periodo sono abbastanza impegnato ed esco raramente: seguo le lezioni, mangio in mensa, studio in biblioteca... La giornata passa in questo modo... Durante la settimana non esco quasi mai, esco qualche volta il sabato o la domenica.
Lindsay: Comunque se hai tempo perché non mi vieni a trovare al lavoro una di queste sere? Ti offro una birra.
Marcello: D'accordo, molto volentieri.

11. Riascolta più volte una parte del dialogo e completa le frasi.

Lindsay: Lavoro mezza giornata, ... il pomeriggio. È un po' duro, ma così posso pagare l'affitto e continuare a studiare. Tu invece cosa fai?

Marcello: In questo periodo sono abbastanza .... ed esco ....: seguo le lezioni, mangio in mensa, studio in biblioteca... La giornata passa in questo modo... Durante la settimana ...., ... il sabato o la domenica.

Per chiedere la frequenza con cui si fa qualcosa puoi usare queste espressioni:
Quante volte... al giorno/al mese/all'anno/alla settimana...

Per indicare la frequenza in un periodo di tempo puoi usare queste espressioni:
una volta/due volte... al giorno/al mese/all'anno/alla settimana...

12. Lavora con un compagno. A turno chiedetevi con quale frequenza fate queste cose come nell'esempio.

Esempio: ● Quante volte alla settimana ti alzi tardi?
● Una volta alla settimana, la domenica, mi alzo tardi.

- Alzarsi tardi
- Visitare una mostra d'arte
- Ascoltare musica classica
- Tornare tardi la sera
- Tagliarsi i capelli
- Vestirsi in maniera elegante
- Fare la spesa
- Preparare la cena
- Pulire la casa
- Andare in palestra o allenarsi

Impariamo le parole - L'università

13. Rileggi il dialogo di pagina 76: trova e scrivi i giusti termini accanto alle definizioni date.

1. Il posto dove gli studenti frequentano le lezioni. .... (di lettere, di medicina ecc.)
2. Le prove che fanno gli studenti all'università. ....
3. Il lavoro finale che gli studenti preparano per laurearsi. ....
4. Il posto dove gli studenti mangiano. ....
5. Il posto dove gli studenti studiano o consultano libri. ....
6. Convocazione per un esame. ....
7. Finire gli studi dopo i tempi normali. (essere) ....

14. Osserva questa pagina web dell'Università degli Studi di Firenze e completa con le parole della lista.

segreteria studenti - sostenere - discipline - facoltà - data dell'esame
sessione d'esame - appello - iscriversi

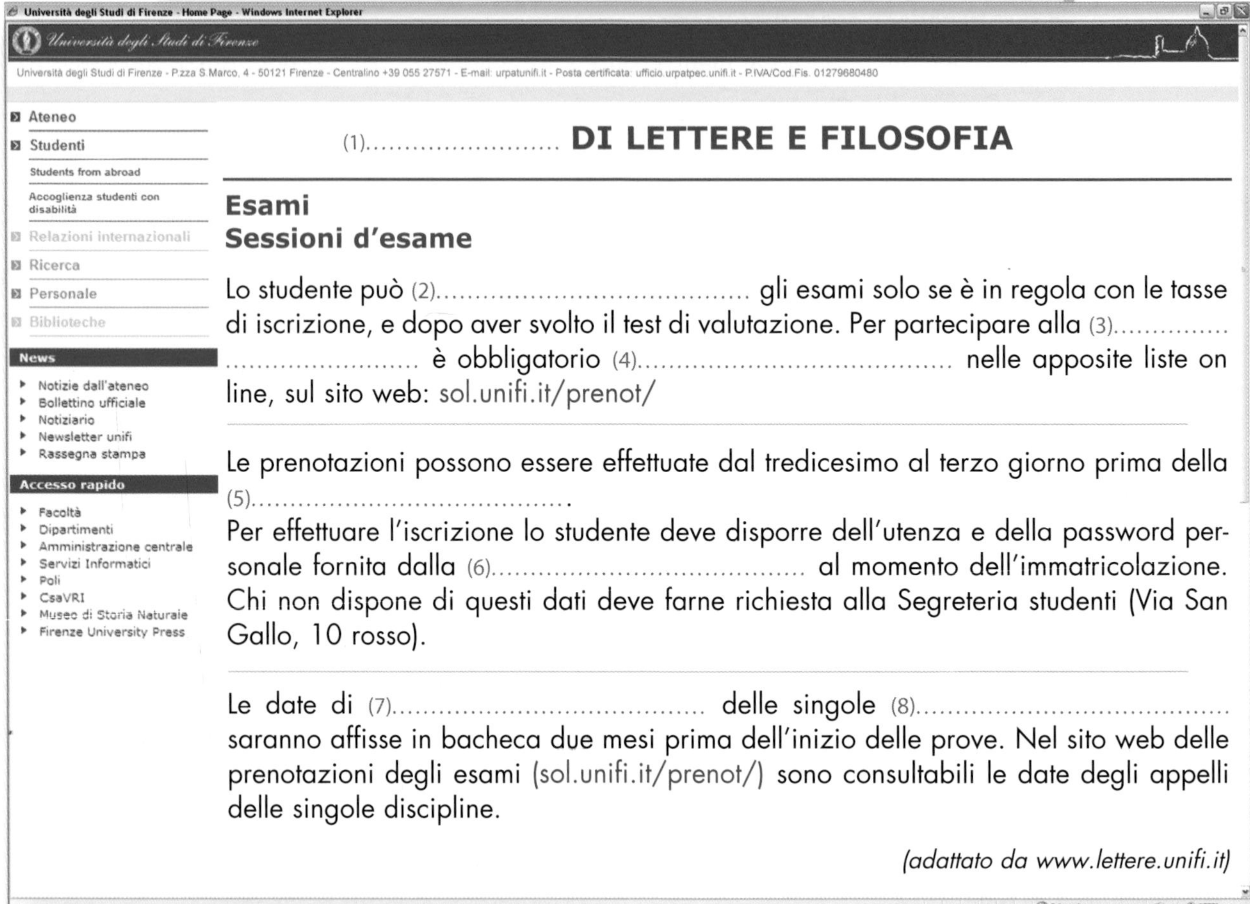

Università degli Studi di Firenze - Home Page - Windows Internet Explorer

Università degli Studi di Firenze

Università degli Studi di Firenze - P.zza S.Marco, 4 - 50121 Firenze - Centralino +39 055 27571 - E-mail: urpatunifi.it - Posta certificata: ufficio.urpatpec.unifi.it - P.IVA/Cod.Fis. 01279680480

- Ateneo
- Studenti
  - Students from abroad
  - Accoglienza studenti con disabilità
- Relazioni internazionali
- Ricerca
- Personale
- Biblioteche

News

- Notizie dall'ateneo
- Bollettino ufficiale
- Notiziario
- Newsletter unifi
- Rassegna stampa

Accesso rapido

- Facoltà
- Dipartimenti
- Amministrazione centrale
- Servizi Informatici
- Poli
- CsaVRI
- Museo di Storia Naturale
- Firenze University Press

(1)......................... **DI LETTERE E FILOSOFIA**

Esami
Sessioni d'esame

Lo studente può (2)...................................... gli esami solo se è in regola con le tasse di iscrizione, e dopo aver svolto il test di valutazione. Per partecipare alla (3).. è obbligatorio (4)...................................... nelle apposite liste on line, sul sito web: sol.unifi.it/prenot/

Le prenotazioni possono essere effettuate dal tredicesimo al terzo giorno prima della (5)...................................... .
Per effettuare l'iscrizione lo studente deve disporre dell'utenza e della password personale fornita dalla (6)...................................... al momento dell'immatricolazione. Chi non dispone di questi dati deve farne richiesta alla Segreteria studenti (Via San Gallo, 10 rosso).

Le date di (7)...................................... delle singole (8)...................................... saranno affisse in bacheca due mesi prima dell'inizio delle prove. Nel sito web delle prenotazioni degli esami (sol.unifi.it/prenot/) sono consultabili le date degli appelli delle singole discipline.

(adattato da www.lettere.unifi.it)

Facciamo grammatica

15. Trova nel dialogo di pagina 76 gli avverbi che indicano frequenza e completa la scala data in basso.

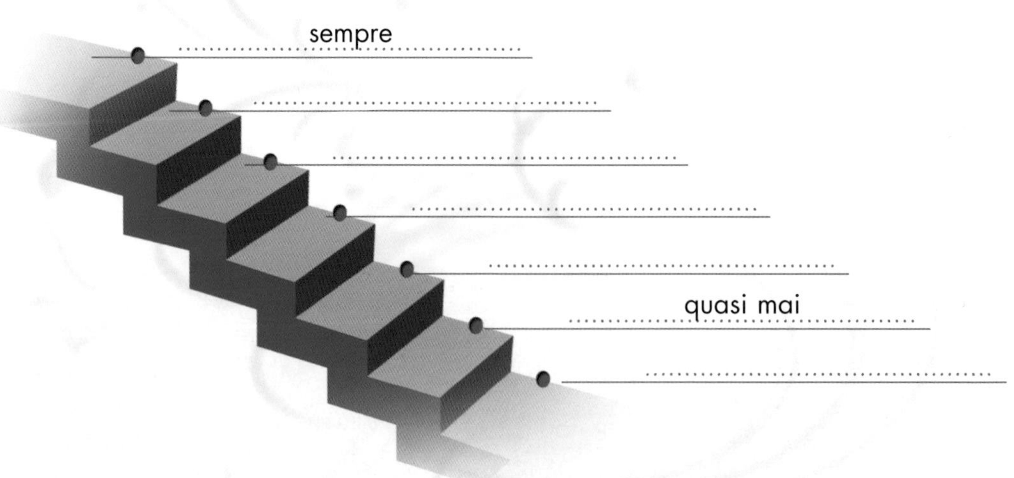

Osserva!

- Le lezioni sono quasi sempre la mattina.
- In questo periodo esco raramente.
- Non vado mai a letto prima dell'una.
- Non esco quasi mai durante la settimana.

16. Qual è la differenza nell'uso di *mai* e *quasi mai* rispetto agli altri avverbi di frequenza? Parlane con un compagno e scrivi la regola.

Mai e quasi mai si usano quando la frase è ....

17. Rispondi alle domande con *mai* o *quasi mai*.

1. Lavori anche il sabato pomeriggio? ....
2. Esci spesso la sera anche durante la settimana? ....
3. Ti alzi tardi la mattina? ....
4. Mangi spesso alla mensa universitaria? ....
5. Arrivi in ritardo a lezione? ....
6. Vai in vacanza all'estero? ....
7. Passi la domenica con la tua famiglia? ....
8. Vai a teatro? ....

Comunichiamo

18. Segna nella tabella la frequenza delle tue attività e poi racconta alla classe quello che fai.

	- - - -	- - -	- -	- +	+ +	+ + +	+ + + +
alzarsi presto							
andare all'università							
pranzare fuori							
studiare fino a tardi							
studiare con altre persone							
andare in palestra							
incontrarsi con amici							
prendere una birra fuori							
stare a casa il fine settimana							
organizzare una festa							

Conosciamo gli italiani

19. Leggi il testo e rispondi alle domande.

La giornata degli italiani: tra lavoro e tempo libero

Com'è la giornata degli italiani? Vi presentiamo i dati principali di una recente indagine che fotografa l'attuale condizione degli italiani: è un'immagine di un popolo con una forte divisione dei ruoli tra uomini e donne, soprattutto nel lavoro, certamente non iperattivo, e ancora attento al piacere di stare bene a tavola.

Il lavoro occupa la maggior parte del tempo degli italiani, ma ci sono forti differenze tra uomini e donne: gli uomini spendono la maggior parte del tempo in lavoro pagato, mentre le donne passano una parte più consistente della loro giornata in attività non pagate di lavoro domestico: pulizia della casa, spesa, cura di bambini e parenti.

Immagine dal film 13dici a tavola

Gli italiani sono un popolo di dormiglioni: se consideriamo anche il riposo dopo pranzo, dormono in media più di otto ore (8 ore e 19 minuti, per la precisione), più di tutti gli altri europei.

Resiste la tradizione di mangiare a tavola, sia a pranzo che a cena, il fast food non è ancora uno stile alimentare per gli italiani. Stare a tavola è anche un modo per socializzare in famiglia o con gli amici e gli italiani dedicano al pranzo e alla cena quasi 3 ore.

Per il tempo libero rimangono circa 4/5 ore. Non sorprende che moltissimi italiani passano la quasi totalità del tempo libero davanti alla TV (più di 4 ore). Tra le altre attività del tempo libero ci sono quelle di socializzazione, di relax, di sport. Infine, si conferma un altro dato negativo: gli italiani che passano il loro tempo libero in attività culturali (teatro, lettura di libri) sono meno del 10%.

1. Quanto tempo dedicano al riposo gli italiani?

   ....

2. Perché gli italiani passano tanto tempo a tavola?

   ....

3. Quali sono le principali differenze nel lavoro tra uomini e donne?

   ....

4. Qual è l'attività più comune svolta nel tempo libero?

   ....

5. Qual è l'attività meno comune?

   ....

Parliamo un po'...

- Quanto tempo dedichi allo studio o al lavoro?
- Quanto tempo alla cultura?
- Quanto al divertimento?
- Sei un tipo pigro o attivo?
- Cosa pensi dello stile di vita degli italiani?
- ...

Si dice così!

Ecco alcune espressioni utili per...

Descrivere azioni abituali	Mi alzo sempre presto. Di solito prendo l'autobus. Generalmente non esco la sera.
Indicare la frequenza in un periodo di tempo	Una volta alla settimana. Due volte al mese. Tre volte all'anno.
Chiedere la frequenza	Quante volte alla settimana fai la spesa?
Salutare in maniera informale in una e-mail	Ci sentiamo presto. Tanti baci.

Ecco alcune espressioni riferite al tempo

in orario - in ritardo	Sono in orario. / L'autobus passa in ritardo.
di corsa	Sono di corsa. / Faccio le cose di corsa.
con calma	Mi preparo con calma.
senza fretta	Faccio le cose senza fretta.
subito/immediatamente	Esco subito. / Mi addormento immediatamente.

Sintesi grammaticale

- **Verbi riflessivi**

	LAVARSI	METTERSI	VESTIRSI
io	mi lavo	mi metto	mi vesto
tu	ti lavi	ti metti	ti vesti
lui/lei/Lei	si lava	si mette	si veste
noi	ci laviamo	ci mettiamo	ci vestiamo
voi	vi lavate	vi mettete	vi vestite
loro	si lavano	si mettono	si vestono

I verbi riflessivi hanno le stesse desinenze dei verbi in *-are, -ere, -ire*.
Prima del verbo si aggiungono i pronomi riflessivi (*mi, ti, si, ci, vi, si*).
La negazione va sempre prima dei pronomi.

Mi vesto *Non mi vesto*

- **Alcuni avverbi di frequenza**

Sempre, quasi sempre, generalmente, spesso, qualche volta, quasi mai, mai
La posizione all'interno della frase non è rigida, ma in genere sono dopo il verbo.

Mai e quasi mai si usano in frasi negative.

Esempio:
Non vado mai a ballare. Non fumo quasi mai.

Test 3 (Unità 5-6)

Funzioni

1. Completa il dialogo.

- Albergo *Panorama*, buonasera.
- .... (*Saluti e prenoti una camera*)
- Certo signora. Per quante notti?
- .... (*Rispondi*)
- Perfetto.
- .... (*Chiedi il prezzo della camera*)
- Allora, la camera viene 90 euro a notte.
- .... (*Chiedi il permesso di portare il gatto*)
- Va bene, signora, non ci sono problemi. Accettiamo animali di piccola taglia.
- .... (*Dici il tuo orario di arrivo in albergo e saluti*)
- Perfetto, signora. Arrivederci.

/5

2. Collega le domande con le risposte.

1. Prendi l'autobus quando devi uscire?
2. Arrivi in orario o in ritardo al lavoro?
3. A che ora ti alzi la mattina?
4. In quanto tempo ti prepari la mattina?
5. Cosa fai il fine settimana?

a. Di solito alle sette, quando non lavoro un po' più tardi.
b. In orario, sono una persona puntuale.
c. In cinque minuti. Ho poco tempo e sono sempre di corsa.
d. Mi alzo con calma, pulisco, metto in ordine la casa e spesso la sera vado a cena fuori.
e. Generalmente sì, anche se quando c'è traffico passa in ritardo.

/5

Grammatica

3. Scegli la forma corretta.

1. In primavera in Toscana c'è/è/ci sono/sono giornate splendide.
2. Dove c'è/è/ci sono/sono la tua fidanzata?
3. Gli studenti c'è/è/ci sono/sono nella classe.
4. In città c'è/è/ci sono/sono negozi eleganti.
5. Gli amici di Marco c'è/è/ci sono/sono simpatici.

/5

4. Completa con *c'è/ci sono*.

1. Nella mia stanza .... un letto matrimoniale.
2. Nel mio palazzo non .... l'ascensore.

3. Abito in una zona dove non .... molti giardini.
4. Scusi, nella camera .... il televisore?
5. A Roma .... molte piazze famose.

/5

5. Scrivi la corretta preposizione articolata e completa le frasi.

1. L'edicola è vicino (*a*) .... fermata (*di*) .... autobus.
2. Molti turisti americani lasciano la mancia (*a*) .... camerieri.
3. (*In*) .... chiese di Firenze è possibile vedere molte opere d'arte.
4. Per andare (*da*) .... stazione a casa mia devo prendere l'autobus.

/5

6. Completa con i verbi riflessivi.

1. La mattina io (*alzarsi*) .... sempre presto, invece la mia ragazza (*alzarsi*) .... tardi.
2. Gli italiani (*vestirsi*) .... in maniera elegante.
3. Io e Maria il fine settimana usciamo con gli amici e (*rilassarsi*) ....
4. Voi (*divertirsi*) .... quando andate in discoteca?
5. Dopo pranzo io generalmente (*riposarsi*) .... un po'.
6. Marco, a che ora (*svegliarsi*) .... la mattina?
7. Di solito io (*mettersi*) .... le scarpe da ginnastica, Maria (*mettersi*) .... gli stivali.
8. Gli studenti (*annoiarsi*) .... durante la lezione.

/10

Vocabolario

7. Scrivi in corrispondenza delle immagini le stanze della casa.

1. .... 2. .... 3. .... 4. .... 5. ....

/2,5

8. Da ogni gruppo, cancella la parola estranea.

1. laurea - facoltà - ufficio - università
2. spolverare - lavare - stirare - alzarsi
3. ingresso - studio - coinquilino - cucina
4. qualche volta - puntuale - di corsa - in orario
5. singola - piccola - doppia - matrimoniale

/2,5

Punteggio Totale /40

Unità 7

Che tempo fa?

Entriamo in tema

1. Un po' di geografia dell'Italia. Sai in quale regione sono queste città?

Venezia	....	Milano	....
Perugia	....	Torino	....
Bologna	....	Catania	....
Genova	....	Napoli	....
Rimini	....		

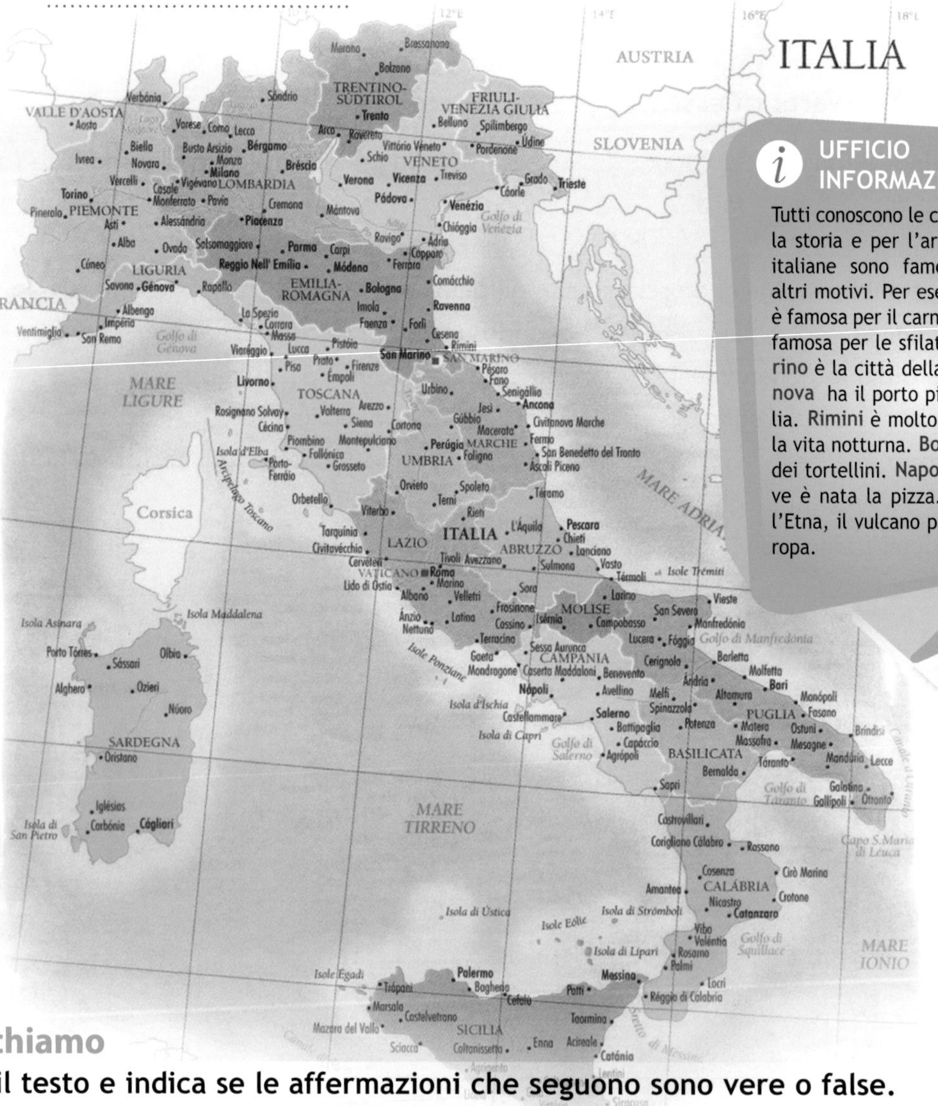

UFFICIO INFORMAZIONI

Tutti conoscono le città italiane per la storia e per l'arte, ma le città italiane sono famose anche per altri motivi. Per esempio: Venezia è famosa per il carnevale. Milano è famosa per le sfilate di moda. Torino è la città della Juventus. Genova ha il porto più grande d'Italia. Rimini è molto conosciuta per la vita notturna. Bologna è la città dei tortellini. Napoli è la città dove è nata la pizza. A Catania c'è l'Etna, il vulcano più grande d'Europa.

Comunichiamo

2. Leggi il testo e indica se le affermazioni che seguono sono vere o false.

Geografia del *Belpaese*

L'Italia è lunga e stretta, il mare **la** circonda da tre parti (Sud, Est, Ovest) e le montagne la chiudono a Nord. Ha la forma simile a uno stivale, più largo a Nord e più stretto a Sud. È un paese con molte montagne che la attraversano da Ovest a Est (Alpi) e da Nord a Sud (Appennini). In Italia c'è il monte più alto d'Europa: il monte Bianco. Gli sciatori lo amano particolarmente per le piste di sci veloci, piene di neve da novembre a marzo. Nelle zone vicino alle Alpi ci sono i laghi principali (il Lago di Como, il Lago Maggiore, il Lago di Garda): ogni anno migliaia di turisti italiani e stranieri li scelgono come meta per le loro vacanze. Le principali isole italiane sono due: la Sicilia e la Sardegna, ma sono tante le isole minori (Elba, Capri, Lipari ecc.). Gli italiani le considerano splendidi posti soprattutto per le vacanze estive. In Italia ci sono venti regioni e molte città d'arte come Venezia, Firenze e Roma. Tutti le conoscono per le bellezze artistiche: rinascimentali per Firenze, dell'antica Roma per la capitale. Molti chiamano l'Italia il "Belpaese" per le bellezze naturali e artistiche e per il clima mite anche in inverno. In realtà le condizioni del tempo sono molto diverse da Nord a Sud nelle diverse stagioni. In inverno, se in Sicilia abbiamo intorno ai 10-15 gradi, a Milano o a Torino la temperatura scende spesso sotto lo zero. In queste città sono frequenti le nevicate, ma da Roma in giù non nevica quasi mai. Nelle regioni del Centro e del Nord il tempo è abbastanza piovoso in autunno, ma negli ultimi anni purtroppo non piove quasi mai. Questo è un grosso problema perché la disponibilità d'acqua diminuisce in città e in campagna. Anche i fiumi più importanti (il Po in Piemonte, l'Arno in Toscana, il Tevere nel Lazio) hanno sempre meno acqua. In estate il clima di solito è molto bello in tutta Italia, dalla Lombardia alla Sicilia. In questa isola, per i venti che soffiano dal Nord Africa, ci può essere una temperatura superiore ai 40 gradi nelle giornate più calde di agosto.

	Vero	Falso
1. Le montagne italiane sono le Alpi e gli Appennini.		
2. La Sicilia e la Sardegna sono piccole isole.		
3. Molti chiamano l'Italia "Belpaese" per le sue ricchezze.		
4. Il clima è diverso nelle varie zone d'Italia.		
5. In inverno fa caldo in tutte le città italiane.		
6. Le piogge sono frequenti principalmente al Sud.		
7. In Italia ci sono problemi per l'acqua.		
8. In estate il clima è bello in tutta Italia.		
9. In Sicilia la temperatura massima è di 40 gradi.		

Impariamo le parole - I mesi dell'anno

3. Scrivi correttamente i mesi dell'anno dati in ordine.

nagenio - brafebio - zorma - prilea - magigo - nogugi - gullio - stogao
stembrete - tobreto - venombre - cedimbre.

1 .... 5 .... 9 ....

2 .... 6 .... 10 ....

3 .... 7 .... 11 ....

4 .... 8 .... 12 ....

4. Completa e collega le frasi alle fotografie corrispondenti.

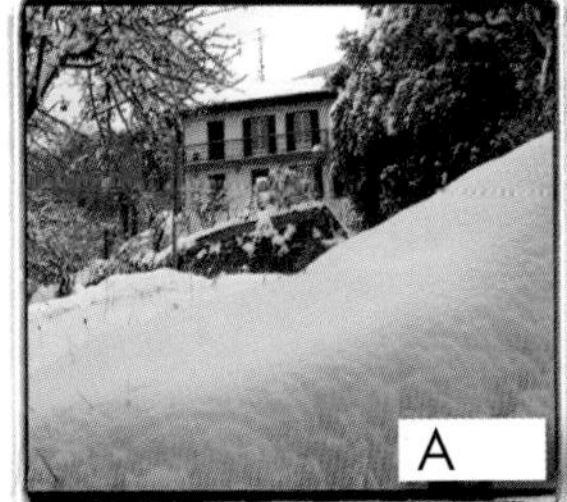
A

B

C

D

1. L'autunno inizia il 21 settembre e finisce il 20 dicembre.
2. L'inverno inizia il 21 .... e finisce il 20 ....
3. La primavera inizia il 21 .... e finisce il 20 ....
4. L'estate inizia il 21 .... e finisce il 20 ....

Espressioni per descrivere il tempo

5. Scrivi le espressioni della lista sotto le immagini.

fa bel tempo - nevica - fa brutto tempo - piove - fa caldo - tira vento
fa freddo - c'è la nebbia - è nuvoloso

1. .... 2. .... 3. ....

4. .... 5. .... 6. ....

7. .... 8. .... 9. ....

Comunichiamo

6. Che tempo fa nella tua città nelle diverse stagioni? Indica con ✔ nella seguente tabella le condizioni del tempo e poi confrontati con un compagno. Alla fine riferisci alla classe.

Nella mia città...

	inverno	primavera	autunno	estate
fa bel tempo				
fa brutto tempo				
fa caldo				
fa freddo				
piove				
nevica				
c'è la nebbia				
tira vento				
è nuvoloso				

Nella città del mio compagno...

	inverno	primavera	autunno	estate
fa bel tempo				
fa brutto tempo				
fa caldo				
fa freddo				
piove				
nevica				
c'è la nebbia				
tira vento				
è nuvoloso				

Facciamo grammatica

Osserva!

L'Italia è lunga e stretta, il mare la circonda da tre parti (Sud, Est, Ovest).

La parola evidenziata la è un pronome diretto e sostituisce «l'Italia».

L'Italia è lunga e stretta, il mare circonda l'Italia da tre parti (Sud, Est, Ovest).

... , il mare la circonda da tre parti (Sud, Est, Ovest).

7. Cerca nel testo gli altri pronomi diretti e indica quello a cui si riferiscono.

pronome diretto	si riferisce a...
la	l'Italia
....	....
....	....
....	....

Attenzione!

Il pronome lo, può sostituire anche una frase intera.

- Sai qual è la capitale d'Italia?
- Sì, lo so (= so qual è la capitale d'Italia). È Roma.

Porta del Popolo, Roma

8. Completa le frasi con i pronomi diretti.

1. L'estate è la mia stagione preferita e .... passo sempre al mare.
2. La temperatura in Sicilia è in media di 25 gradi, ma i venti africani .... possono fare alzare molto.
3. Le isole minori sono numerose e molti .... considerano i posti più belli per le vacanze.
4. I monti più alti sono al Nord e in inverno la neve .... copre quasi interamente.
5. La Toscana è forse la regione più turistica, ... dicono tutti.
6. Mi piace moltissimo il paesaggio della campagna di Siena. .... ammiro soprattutto in primavera.

Entriamo in tema

- Cosa fai di solito in inverno?
- E in estate?
- Quale stagione preferisci?
- Perché?
- Quali cibi mangi nelle varie stagioni?

Comunichiamo

18

9. Ascolta la telefonata e indica se le affermazioni sono vere o false.

	Vero	Falso
1. A Torino ci sono 15 gradi.		
2. In Sicilia fa caldo.		
3. A Torino sta piovendo.		
4. Massimo torna a Torino a settembre.		
5. A Massimo piacciono i dolci siciliani.		

UFFICIO INFORMAZIONI

I dolci siciliani sono principalmente a base di ricotta. I dolci più conosciuti sono i cannoli e la cassata. Questa, come altri piatti siciliani, è di origine araba ed è arrivata in Sicilia dai paesi del Nord Africa. Tipicamente siciliana è anche la granita, un dessert semplicissimo (ma ottimo!), fatto con acqua, zucchero e succo di limone.

18

10. Ascolta di nuovo la telefonata e leggi il testo. Controlla le risposte dell'attività 9.

mamma: Pronto?
Massimo: Ciao mamma, sono Massimo.
mamma: Tesoro, come stai?
Massimo: Benissimo, la Sicilia è meravigliosa.
mamma: Lucia sta bene?
Massimo: Sì, sta benissimo. Anche lei è contenta. Poi le persone sono gentili e ci trattano benissimo.
mamma: Cosa fate di bello?
Massimo: Mah... di solito andiamo al mare e ci restiamo fino al pomeriggio.
mamma: Davvero? Qui a Torino fa già freddo! Ci sono 15 gradi.
Massimo: No, qui si muore di caldo.
mamma: Che fortuna! Qui invece il tempo è nuvoloso e tira vento. Senti Massimo, quando torni?
Massimo: Mamma non lo so... adesso mi sto divertendo un sacco... Settembre è il mese più bello per stare in Sicilia perché non ci sono troppi turisti e la temperatura è ancora alta.
mamma: Allora torni a ottobre?
Massimo: Penso di sì, mi fermo qui altri 10 giorni e poi torno. Anche perché il 4 ottobre devo ricominciare a lavorare...
mamma: D'accordo. Senti, per il resto mangi bene?
Massimo: Sì, mamma. Qui fanno dei dolci buonissimi!

Ragusa, Sicilia

mamma: Sono contenta di sapere che stai bene.
Massimo: Senti mamma, adesso ti saluto, sto telefonando da un phone center e adesso stanno chiudendo.
mamma: Va bene... allora a presto. Saluta Lucia. Vi posso chiamare domani o dopodomani?
Massimo: Certo mamma, puoi chiamarci quando vuoi.

11. ***Una vacanza a...*** **Dividetevi in tre gruppi. Dovete organizzare una vacanza in Italia per queste persone. Decidete il posto, il periodo e motivate la vostra scelta. Cercate informazioni su internet.**

Elisa: è una ragazza giovane e sportiva, ama la montagna e le scalate. O in alternativa fare lunghe camminate. Non le interessa la vita notturna.

Lara: insieme ad un gruppo di amici vuole fare una vacanza al mare. Cerca una città turistica, frequentata soprattutto da giovani. Ama andare in discoteca.

Mike: non ama andare in vacanza quando ci vanno tutti gli altri. Gli piace la campagna e vuole conoscere i vini italiani.

Facciamo grammatica

Osserva!

Le persone sono gentili e mi trattano bene. (trattano bene me)

La parola evidenziata è un pronome personale diretto. I pronomi personali diretti sostituiscono nomi propri o sostantivi relativi a persone.

9

12. Riascolta queste frasi del dialogo e completa con i pronomi diretti.

1. Anche lei è contenta. Poi le persone sono gentili e .... trattano benissimo.
2. Senti mamma, adesso .... saluto.
3. .... posso chiamare domani o dopodomani?
4. Certo mamma, puoi chiamar.............. quando vuoi.

13. Completa la tabella.

pronomi diretti atoni
mi = me
.... = te
.... = noi
.... = voi

14. Scrivi la regola.

Generalmente i pronomi vanno... ☐ prima del verbo ☐ dopo il verbo

Con il verbo *potere* seguito da un infinito il pronome va...

☐ prima dell'infinito ☐ dopo l'infinito ☐ prima del verbo *potere*

Attenzione!

La stessa regola vale anche con i verbi *volere, dovere, sapere* + infinito e con gli altri pronomi.

15. Inserisci nelle frasi i pronomi diretti *mi, ti, ci, vi.*

1. Mio zio è molto affettuoso con noi. Ogni volta che viene a trovar............... porta dei regali.
2. Marco è ancora arrabbiato con me, infatti quando .... vede non .... saluta.
3. Ragazzi, se non avete la macchina, ... accompagno io a casa.
4. Franco non dire bugie! .... conosco bene e so quando non dici la verità!
5. ● Marta, posso chiamar............... più tardi o .... disturbo?
   ● .... puoi chiamare quando vuoi, non .... disturbi per niente.

16. Con un compagno a turno fai le domande e rispondi come nell'esempio. Usa i pronomi nelle due posizioni che hai visto.

Esempio: Posso usare il tuo telefono? Sì, puoi usarlo/Sì, lo puoi usare.

1. Posso prendere questo ombrello?
2. Vuoi vedere le previsioni del tempo?
3. Vuoi visitare Firenze?
4. Sai leggere la cartina stradale?
5. Possiamo invitare Anna e Marta?
6. Volete ordinare i dolci siciliani?
7. Dobbiamo chiamare Elisa?
8. Sapete dove si trova Bologna?

Osserva!

- Sto finendo i soldi.
- Sto telefonando da un phone center e adesso stanno chiudendo.

17. Scrivi la regola.

In queste frasi c'è la costruzione stare + gerundio. Osserva il primo esempio. Qual è la differenza tra il presente e la costruzione *stare + gerundio*? Fai le tue ipotesi con un compagno. Poi verifica con la classe e con l'insegnante.

Per i verbi della I coniugazione (ingrassare, telefonare) il gerundio finisce in ....
Per i verbi della II (chiudere) e III coniugazione (finire) il gerundio finisce in ....

Se cambia il soggetto della frase il gerundio ☐ cambia ☐ non cambia
Se cambia il soggetto della frase il verbo stare ☐ cambia ☐ non cambia

18. Completa le frasi con il *presente* o con *stare + gerundio.*

1
- Cosa studi all'università?
- (Studiare) .... Economia, adesso (preparare) .... l'esame di matematica.

2
- Ragazzi, che (fare) .... stasera?
- Non lo (sapere) ...., forse restiamo a casa.

3
- (Noi - potere) .... venire da voi o state lavorando?
- Venite pure, non (fare) .... niente di particolare.

4
- Cosa (volere) .... fare adesso?
- Voglio fare un giro in centro.

5
- Che tempo fa in estate nella tua città?
- (Fare) .... sempre caldo.

19. Chiedi a un compagno cosa stanno facendo queste persone.

1. .... 2. .... 3. .... 4. ....

5. .... 6. .... 7. .... 8. ....

9. .... 10. .... 11. .... 12. ....

Impariamo le parole - Avverbi di quantità

Osserva!

Le condizioni del tempo sono molto diverse da Nord a Sud.
Il tempo è abbastanza piovoso in autunno.

Molto e abbastanza sono parole che indicano una quantità.

20. Conosci altre parole che indicano quantità? Se sì, inseriscile sotto e poi controlla con i compagni e con l'insegnante.

....	....	....	Abbastanza	Molto

Facciamo grammatica

Osserva!

- D'estate, molti stranieri vengono in Italia per il clima.
- L'Italia è un paese con molte montagne.
- Le condizioni del tempo sono molto diverse.
- Le città d'arte italiane sono molto famose, ma purtroppo gli alberghi costano molto.

21. Scrivi la regola. Come si usa *molto*?

Quando molto modifica un verbo	☐ cambia	☐ non cambia
Quando molto modifica un aggettivo	☐ cambia	☐ non cambia
Quando molto modifica un nome	☐ cambia	☐ non cambia

Poco si usa nello stesso modo.

22. Completa le frasi con *molto*.

1. L'Italia è un paese con .... fiumi.
2. In autunno i turisti diminuiscono ....
3. Siamo sempre .... stanchi perché lavoriamo ....
4. In autunno generalmente cade .... pioggia nel Nord d'Italia.
5. .... persone vengono in Italia in estate.
6. In primavera la campagna toscana è davvero .... bella.

23. Completa le frasi con *poco*.

1. Da qualche anno in Italia cade .... pioggia.
2. Lo scorso inverno sulle Alpi ha nevicato ....
3. In alcune piccole isole italiane ci vanno .... turisti.
4. Nell'Italia del Sud l'inverno dura ....
5. Mi piace viaggiare con .... amiche, due al massimo.
6. Siena è bella ma c'è .... da fare la sera.

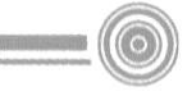

Conosciamo gli italiani

24. Leggi il testo.

Espressioni metaforiche e luoghi comuni sul tempo

Parlare del tempo è uno degli argomenti più comuni e in italiano esistono diverse espressioni metaforiche sul tempo. Per esempio: «piove come Dio la manda» significa che piove in grande quantità. Per dire che fa molto freddo si dice che «fa un freddo cane» mentre per dire che c'è un sole caldo si dice che «c'è un sole che spacca le pietre». Se la nebbia è fitta allora la nebbia «si taglia col coltello» Un cielo con le nuvole che portano pioggia è un «cielo a pecorelle».

Tra i luoghi comuni ricordiamo l'espressione «non ci sono più le mezze stagioni» quando vogliamo dire che il clima cambia improvvisamente dal caldo al freddo e viceversa.

Stereotipi in un certo senso rassicuranti, quando le anomalie del clima sono all'ordine del giorno. Ma a questi stereotipi ha dichiarato guerra Luca Mercalli, presidente della Società meteorologica italiana e noto climatologo che abbiamo intervistato.

«Smontare le false credenze sul clima è uno degli obiettivi che mi propongo come comunicatore scientifico» dichiara.

Possiamo considerare tra i falsi miti anche il fatto che nel Sud Italia in fondo non fa mai freddo? «In un certo senso sì. Non farei una netta distinzione fra Nord e Sud, direi però che le zone più fredde durante l'inverno sono quelle che si affacciano sull'Adriatico. Gli Appennini riparano le altre zone che così a volte sono protette dalle correnti fredde che vengono da Est.» E se le dico "rosso di sera, bel tempo si spera"? Guardi, alcuni proverbi hanno un fondo di verità. Quando il sole tramonta a Ovest e nel cielo da quella parte non ci sono nuvole, vuol dire che le perturbazioni che in Italia sono più frequenti, cioè quelle che vengono dalla Francia, sono già passate.

Ma anche «Cielo a pecorelle acqua a catinelle»... Certo! Le pecorelle sono altocumuli, nubi che in genere arrivano prima delle perturbazioni.

25. Collega le frasi.

1. Oggi il tempo è splendido! Fa caldo e
2. Non ho l'ombrello e non posso uscire perché
3. Stai attento in autostrada,
4. Oggi in Sicilia ci sono 20 gradi ma a Milano
5. È marzo ma fa davvero caldo!

a. È vero! Non ci sono più le mezze stagioni!
b. fa un freddo cane.
c. c'è un sole che spacca le pietre.
d. c'è una nebbia che si taglia col coltello.
e. piove come Dio la manda.

Parliamo un po'...

- Quali sono le espressioni metaforiche sul tempo che si usano nel tuo Paese?
- Cosa significano? Possono avere un fondo di verità?
- Sei preoccupato per i cambiamenti climatici?
- Secondo te sono normali o la colpa è soprattutto dell'uomo?

Si dice così!

Ecco alcune espressioni utili per...

Chiedere e dare informazioni sulle condizioni del tempo atmosferico	Che tempo fa?/Com'è il tempo? Fa caldo/Fa freddo. Fa bel tempo/Fa brutto tempo. C'è un clima mite. Piove/Nevica/È nuvoloso/Tira vento. È piovoso/È ventoso. In estate la temperatura aumenta. In inverno la temperatura diminuisce. Si muore di caldo!/Si muore di freddo! Che caldo!/Che freddo! Che bella giornata!/Che brutta giornata. Piove come Dio la manda. C'è un sole che spacca le pietre. Fa un freddo cane. C'è una nebbia che si taglia col coltello.

Sintesi grammaticale

- **I pronomi personali diretti *lo, la, li, le***

I pronomi personali diretti lo, la, li, le sostituiscono persone o cose.

maschile singolare	femminile singolare	maschile plurale	femminile plurale
lo	la	li	le

Esempio:
L'Italia è una penisola lunga e stretta, il mare la circonda da tre parti.

I pronomi personali diretti si usano quando il verbo risponde alla domanda chi? o che cosa?

Esempio:
Visiti le chiese di Firenze? Sì, le visito. (Che cosa visiti? Le chiese - Visitare qualcosa).

Generalmente i pronomi sono prima del verbo.
Quando c'è un infinito invece vanno dopo e formano una sola parola. L'infinito perde la *-e* finale.

Visitare + la = visitarla

Esempio:
Ho visitato di nuovo la Toscana. È bello visitarla soprattutto in primavera.

- **I pronomi personali diretti *mi, ti, ci, vi***

	pronomi personali diretti
prima singolare	mi/me
seconda singolare	ti/te
prima plurale	ci/noi
seconda plurale	vi/voi

I pronomi personali diretti sostituiscono nomi propri o sostantivi relativi a persone. Si usano quando il verbo risponde alla domanda chi?

Esempio:
Adesso ti saluto. (Chi saluto? Saluto te = Ti saluto).

- **L'uso dei pronomi con i verbi modali + infinito**

Quando i verbi *volere, dovere, potere, sapere* si usano con un infinito i pronomi possono essere in due posizioni:

1. Prima del verbo	2. Dopo l'infinto
Vi posso chiamare domani o dopodomani?	Posso chiamarvi domani o dopodomani?

Tra la frase 1 e la frase 2 non c'è nessuna differenza di significato.

La stessa regola vale per i pronomi *lo, la, li, le* e per i pronomi riflessivi.

- **Stare + gerundio**

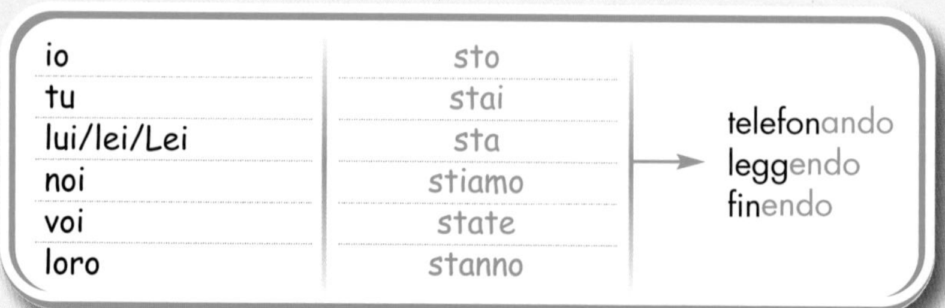

io	sto	
tu	stai	
lui/lei/Lei	sta	→ telefonando leggendo finendo
noi	stiamo	
voi	state	
loro	stanno	

L'uso di *stare + gerundio* indica un'azione nel suo svolgimento, non indica un'azione abituale.

- **Avverbi di quantità *molto, abbastanza, poco, per niente***

Sono parole che indicano una quantità. La posizione all'interno della frase non è troppo rigida, ma in genere sono dopo il verbo.

Esempi:
In estate viaggio molto.
In autunno piove abbastanza.

Per niente si usa in frasi negative.

Esempio:
In primavera non fa freddo per niente.

- ***Molto* e *poco* aggettivi e avverbi**

Molto e poco quando si riferiscono a un verbo o a un aggettivo sono avverbi e non cambiano.

Marco viaggia poco.
Marco e Maria viaggiano poco.
Oggi la temperatura è molto alta.
Le temperature in estate sono molto alte.

Molto e poco quando sono prima di un nome sono aggettivi e concordano con il nome.

L'Italia ha molte montagne.
In Sicilia ci sono pochi boschi.
Oggi c'è molto vento.
Nelle montagne c'è poca neve in primavera.

Scheda di autovalutazione 4

Unità 6-7

1. **Scrivi almeno un'espressione per...**

- Descrivere azioni abituali: ....
- Indicare la frequenza in un periodo di tempo: ....
- Cominciare e chiudere una e-mail di registro informale: ....
- Chiedere informazioni sul tempo atmosferico: ....
- Descrivere le condizioni del tempo: ....
- Esprimere un'azione che avviene nel momento in cui si parla: ....

  ....

2. **Quali sono le parole che vuoi ricordare delle unità 6 e 7? Prova a scrivere anche aggettivi, nomi, verbi, avverbi collegati alle parole che vuoi ricordare.**

1. ....
2. ....
3. ....
4. ....
5. ....
6. ....
7. ....
8. ....

3. **Conosci altre parole sul tema dell'unità? Se sì, quali? E dove hai sentito o hai letto queste parole?**

PAROLE NUOVE	tv	radio	internet	per strada	giornali	altri compagni	altro, specificare

4. Quali sono le attività che preferisci fare quando studi l'italiano?

	molto ++	abbastanza +	poco -	per niente - -
scoprire le regole grammaticali				
parlare con i compagni seguendo le istruzioni dell'esercizio				
fare gli esercizi di grammatica				
fare le attività di comprensione dei testi scritti				
fare le attività di comprensione dei testi orali				
parlare liberamente con i compagni				
scrivere un testo				

5. Come preferisci lavorare in classe?

Da solo. ☐
Con un compagno che parla la mia stessa lingua madre. ☐
Con un compagno che parla una lingua madre diversa dalla mia. ☐
In piccoli gruppi. ☐
Con tutta la classe. ☐

6. Che tipo di valutazione preferisci avere quando parli italiano in classe?

Vorrei essere corretto sempre, per ogni errore che faccio. ☐
Vorrei essere corretto solo per gli errori che impediscono la comunicazione. ☐
Vorrei essere corretto in maniera anonima, alla fine della conversazione in classe. ☐

Massa Marittima, Grosseto

Che cosa hai fatto nel fine settimana?

Entriamo in tema

1. Scrivi una lista di attività che fai e di posti che frequenti nel fine settimana.

attività	posti
ascoltare musica	casa

Comunichiamo

2. Leggi l'e-mail e indica se le affermazioni che seguono sono vere o false.

UFFICIO INFORMAZIONI
Molti ragazzi per concludere la loro serata, specialmente il sabato, vanno a prendere un cornetto appena fatto in uno dei bar che nelle città sono aperti fino alla mattina.

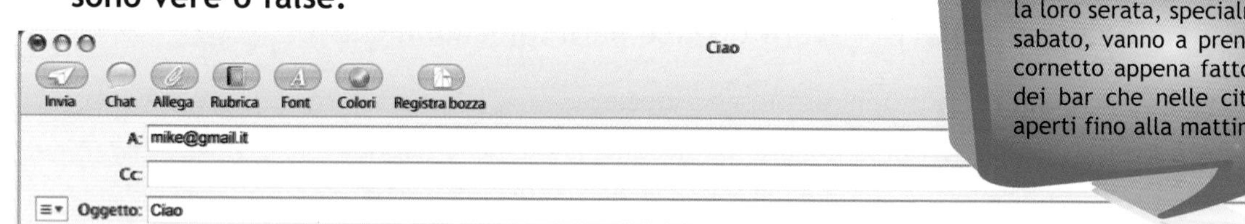

Ciao Mike,
come stai? Qui a Siena tutto bene. La settimana scorsa finalmente ho trovato casa e non devo più stare al pensionato universitario. Divido la casa con altri due ragazzi però ho una camera singola, finalmente un po' di privacy! I ragazzi che abitano con me sono simpatici e siamo diventati subito amici.
Per il resto qui tutto va bene: studio molto per gli esami ed esco il fine settimana. Siena è una città molto vivace e di solito vado al cinema o a teatro o visito una mostra. Ieri ho avuto una festa Erasmus.
Sai chi sono gli "erasmus"? Sono gli studenti europei che studiano per un periodo in un altro paese europeo. A Siena il gruppo di ragazzi Erasmus è numeroso e si è organizzato bene.
Quindi ieri sera io e i miei compagni di casa siamo stati a questa festa.
Ci siamo divertiti un sacco! Siamo arrivati alle dieci e mezzo a casa di Josè, il ragazzo spagnolo che ha organizzato la festa, e abbiamo ascoltato musica, abbiamo ballato e abbiamo bevuto un po', ma senza esagerare. Ho conosciuto tanti ragazzi di diverse nazioni e ho parlato anche con molti italiani, così ho praticato un po' di italiano. Non ho capito tutto, ma sono riuscito a fare una buona conversazione. La festa è stata divertente e siamo rimasti a casa di Josè fino alle 3 di notte.
Poi siamo tornati a casa, ma prima ci siamo fermati al bar di Piazza del Campo e abbiamo fatto colazione con un cappuccino e un cornetto. Insomma, davvero una serata piacevole.
Tu che mi racconti? Non mi hai detto ancora come va la tua esperienza a Bologna! Hai già conosciuto qualcuno? Hai già dato qualche esame? Fammi sapere quando puoi.
Adesso ti saluto, vorrei studiare un po' stamattina...

Ci sentiamo presto!
Dylan

	Vero	Falso
1. Dylan abita in casa da solo.		
2. A Siena ci sono molti studenti Erasmus.		
3. Dylan e i suoi amici si sono divertiti alla festa.		
4. Dylan ha parlato italiano alla festa.		
5. Hanno bevuto molto.		
6. Dopo la festa sono tornati subito a casa.		

Impariamo le parole - Attività del tempo libero

3. Scrivi le parole della lista sotto le immagini.

andare al cinema - fare sport - fare spese - leggere un libro - andare a teatro
fare una passeggiata in campagna - guardare la tv - visitare una mostra
cucinare - dormire - navigare su internet - andare a una festa

1. ....

2. ....

3. ....

4. ....

5. ....

6. ....

7. ....

8. ....

9. ....

10. ....

11. ....

12. ....

4. **Leggi le descrizioni di queste persone e immagina quali attività possono fare nel fine settimana.**

A.

Sono Caterina, ho 22 anni e sono una studentessa universitaria. Durante la settimana, di mattina frequento i corsi e il pomeriggio studio. Il fine settimana non sto ferma un attimo, non mi piace riposare. Sono una persona attiva e mi piace passare il tempo libero con gli amici, vedere persone, però senza stare a casa o chiudermi in un locale.

UFFICIO INFORMAZIONI

In Italia ci sono oltre 3000 musei dove si trovano i più importanti capolavori della storia dell'arte. Tra i musei italiani conosciuti in tutto il mondo ci sono gli Uffizi a Firenze, la Galleria dell'Accademia a Venezia e la Pinacoteca di Brera a Milano, Villa Borghese a Roma.

B.

Sono Marcello e sono ingegnere elettronico. Per il mio lavoro uso molto il computer e devo dire che per me è una vera passione. Infatti anche il fine settimana lo uso molto, ma per piacere. Non sono però interessato solo alla tecnologia: mi piace stare a contatto con la natura quando posso.

C.

Sono Martina e faccio l'infermiera all'ospedale di Siena. Mi alzo ogni mattina alle sei e quindi il fine settimana cerco di riposarmi il più possibile. Il sabato non mi piace andare in discoteca o nei locali perché sono troppo affollati. Quindi, generalmente, organizzo una cena e invito gli amici a casa.

D.

Sono Alessandro e insegno storia in un liceo. Vivo a Bologna che, fortunatamente, è una città con iniziative culturali interessanti. Nelle gallerie di Bologna ci sono sempre esposizioni di artisti famosi o emergenti che vado a vedere sempre con piacere. La domenica invece generalmente sto a casa e non faccio niente di particolare: pulisco e sistemo un po' la casa e mi rilasso.

Facciamo grammatica

5. **Nella e-mail di pagina 98 ci sono alcuni verbi al passato prossimo. Inseriscili nella tabella.**

passato prossimo	soggetto	infinito
1. ho trovato	io	trovare
2. siamo diventati		
3.		
4. si è organizzato		organizzarsi
5.		
6.		
7.		
8.		
9.		
10.		
11.		
12.		
13.		
14.		
15. ho capito		
16. sono riuscito		
17. è stata		
18.		

passato prossimo	soggetto	infinito
19.		
20.		
21.		
22.		
23. Hai conosciuto	tu (Mike)	conoscere
24.		

6. Scrivi la regola.

Il passato prossimo si forma con i verbi *essere* e .... al presente.

La seconda parola del passato prossimo (participio passato) cambia nelle diverse coniugazioni.

Il participio passato, nei verbi regolari:

Trovare — Trov.............
Avere — Av.............
Capire — Cap.............

Quando il passato prossimo prende *essere*, il participio passato: ☐ cambia ☐ non cambia

Quando il passato prossimo prende *avere*, il participio passato: ☐ cambia ☐ non cambia

7. Con un compagno forma le domande e rispondi come nell'esempio. I verbi in rosso formano il passato prossimo con *avere*, i verbi in blu con *essere*.

(Tu - fare ieri sera) (Vedere un film in tv).

Esempio:
- Che cosa hai fatto ieri sera?
- Ho visto un film in tv.

1. (Maria e Luisa - ritornare a casa) (Ritornare verso le 10)
2. (Voi - studiare la nuova lezione) (Ripassare le lezioni precedenti)
3. (Tu - ballare molto) (Ballare poco)
4. (Loro - riuscire a preparare l'esame) (Studiare troppo poco)
5. (Giovanna - rimanere a casa) (Andare all'università)
6. (Marco - fare alla festa) (Conoscere molti ragazzi italiani)

Osserva!

- Ieri sera sono stato a una festa.
- Il gruppo Erasmus si è organizzato molto bene.
- Ci siamo fermati in Piazza del Campo.
- Siamo ritornati a casa.
- È stata una serata piacevole.

- Ho trovato casa.
- Abbiamo ascoltato musica.
- Ho conosciuto tanti ragazzi.
- Ho praticato un po' di italiano.
- Abbiamo fatto colazione.

8. **Scrivi la regola.**

Tutti i verbi riflessivi formano il passato prossimo con ....

Tutti i verbi seguiti da un complemento oggetto formano il passato prossimo con ....

Alcuni verbi di stato e di movimento formano il passato prossimo con ....

Comunichiamo

20

9. **Ascolta il dialogo e scegli l'opzione adatta.**

1. Di mattina Francesco
   - a. ha lavato le camicie
   - b. si è alzato tardi
   - c. ha spostato i mobili
2. Di pomeriggio Francesco è uscito
   - a. con gli amici
   - b. con la fidanzata
   - c. da solo
3. Di sera Francesco è andato
   - a. a una mostra di pittura
   - b. a un concerto
   - c. al *Barone Rosso*

20

10. **Ascolta di nuovo il dialogo e leggi il testo. Controlla le risposte dell'attività 9.**

Carla: Allora Francesco, cosa hai fatto questo sabato?

Francesco: Mah, niente di particolare... Sabato mattina mi sono alzato tardi e ho sistemato un po' la casa. Ho spolverato i mobili e ho stirato delle camicie. Di pomeriggio ho incontrato degli amici e siamo andati a fare un giro.

Carla: E dove siete stati?

Francesco: Prima siamo stati in centro e abbiamo visto la mostra di pittura contemporanea a Palazzo pubblico. Tu l'hai vista?

Carla: No, non l'ho ancora vista.

Francesco: È molto bella. Di sera poi sono uscito con la mia ragazza. Abbiamo cercato i biglietti per lo spettacolo di Paolo Rossi al Teatro dei Rozzi, ma non li abbiamo trovati.

Carla: Peccato! Io quello spettacolo l'ho già visto la settimana scorsa a Firenze. Veramente divertente.

Francesco: Sì, lo immagino. Comunque, abbiamo deciso di andare al *Barone Rosso*. Abbiamo bevuto qualcosa e abbiamo ascoltato della buona musica dal vivo.

Carla: Vi siete divertiti?

Francesco: Sì. Niente di eccezionale, ma abbiamo passato una serata piacevole.

11. **Indica nella tabella della pagina accanto le attività che hai fatto, nel tempo libero, il fine settimana scorso e poi chiedi a un tuo compagno come nell'esempio.**

Esempio:
- Il fine settimana scorso hai dormito?
- Sì ho dormito molto, e tu?
- Anch'io ho dormito/Io non ho dormito.

	io	il mio compagno
dormire		
leggere un libro		
rilassarsi		
ascoltare musica		
andare al cinema		
fare sport		
cucinare		
uscire con gli amici		
guardare la televisione		
fare una passeggiata		
navigare su internet		

12. Racconta cosa hanno fatto queste persone il fine settimana scorso.

Marta e Mariella

alzarsi tardi - fare colazione - pulire casa - andare a fare spese - tornare a casa
guardare un film - cenare fuori

Giovanni e Alberto

alzarsi tardi - fare un giro con la moto - andare allo stadio - visitare una mostra
di fotografie - prendere una birra con gli amici

Luisa

passare il fine settimana in campagna - fare una passeggiata - giocare con il cane
cucinare una torta di mele - riposarsi - fare giardinaggio

13. Dividetevi in gruppi di 3. Leggete il programma delle attività alla pagina seguente, considerate le esigenze di ognuno di voi (studente 1, studente 2, studente 3) e decidete insieme che cosa fare.

Studente 1
Hai 20 euro per la serata. Ti piace andare a teatro e al cinema ma non sopporti le commedie.

Studente 2
Non vuoi fare tardi questa sera. Vuoi fare un giro in città in un posto dove non c'è molta gente.

Studente 3
Hai un po' di soldi a disposizione e vuoi sentire un po' di buona musica.

Programma Culturale: Sabato 7 Ottobre

CINEMA

Cinema Odeon
Mio fratello è figlio unico
Drammatico
Spettacoli: 16.00 - 18.30 - 21,30
Euro 8

Cinema Fiamma
Baciami ancora
Commedia
Spettacoli: 18.30 - 22.30
Euro 8

TEATRO

Teatro Politeama
Uno, nessuno, centomila di Luigi Pirandello
Unico spettacolo
ore 16.00
Poltrone 25 euro
Galleria 18 euro

Teatro Massimo
La locandiera
di Carlo Goldoni
Unico spettacolo
ore 20.00
Poltrone 35 euro
Galleria 22 euro

Teatro La Pergola
Tosca
di Puccini
Unico spettacolo
ore 21.30
Poltrone 45 euro
Galleria 30 euro

ARTE

Galleria Niscemi
L'occhio e la memoria, mostra fotografica di Luigi Ghirri
Ingresso 5 euro
Apertura
ore 14.00 - 22.00

Palazzo Mirto
De Chirico e il metafisico, mostra dei più famosi quadri di Giorgio De Chirico dal 1909 al 1919
Ingresso 12 euro
Apertura ore 17.00 - 20.00

MUSICA

Stadio comunale
Vasco Rossi Tour
ore 21.30
Ingresso:
35 euro
+ 3 euro prevendita

Irish pub
Clan Zero live, I più grandi successi rock degli anni '80 e '90 dai Queen agli U2.
Ingresso:
5 euro + consumazione

Impariamo le parole - Espressioni di tempo

14. Metti in ordine le seguenti espressioni di tempo, dalla più lontana alla più recente.

L'altro ieri - Stamattina - Ieri - La settimana scorsa - Due anni fa
Poco fa - Tre giorni fa - Quattro mesi fa - L'anno scorso

Due anni fa

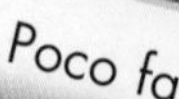

Poco fa

15. Forma delle frasi.

1. Poco fa ti ho	visto	di partire?
2. Il mese scorso Marco ha	bevuto	a casa?
3. Ieri abbiamo	rimasti	una bella passeggiata.
4. L'altro ieri avete	fatto	del vino?
5. La settimana scorsa hai	detto	quello che penso.
6. Il fine settimana scorso siete	deciso	una mostra di pittura.

Facciamo grammatica

Osserva!

- Ho stirato delle camicie.
- Ieri pomeriggio ho incontrato degli amici.
- Abbiamo ascoltato della buona musica.

Le parole evidenziate indicano una quantità non precisa.

16. Completa la tabella.

	maschile	**femminile**
singolare	del vino .... zucchero	della musica
plurale	.... concerti degli amici	delle camicie

17. Con un compagno fai dei mini-dialoghi come nell'esempio.

(bere vino) (bere birra)

Esempio: ● Hai bevuto del vino?
● No, ho bevuto della birra.

1. (ascoltare musica) (leggere poesie)
2. (vedere film) (vedere fotografie)
3. (comprare pane) (comprare frutta)
4. (raccogliere funghi) (fare passeggiate)
5. (cucinare pasta) (cucinare pesce)
6. (incontrare amici) (visitare parenti)
7. (fare ginnastica) (fare massaggi)
8. (stirare camicie) (stirare pantaloni)

18. Rileggi l'e-mail a pagina 98 e il dialogo a pagina 102 e inserisci nella tabella i participi passati irregolari.

participio passato	infinito
1.	fare
2.	bere
3.	rimanere
4.	dire
5.	vedere
6.	decidere

Osserva!

- Abbiamo visto la mostra di pittura contemporanea a Palazzo pubblico. Tu l'hai vista?
- Abbiamo cercato i biglietti per il concerto al Teatro dei Rozzi ma non li abbiamo trovati.

19. Scrivi la regola.

Quando prima di un passato prossimo che si forma con *avere* c'è un pronome diretto (lo, la, li, le), il participio passato ....

Osserva!

- Abbiamo visto la mostra di pittura contemporanea a Palazzo pubblico. Tu l'hai vista?
- No, non l'ho ancora vista.
- Abbiamo cercato i biglietti per lo spettacolo di Paolo Rossi al Teatro dei Rozzi ma non li abbiamo trovati.
- Eh, peccato! Io quello spettacolo l'ho già visto la settimana scorsa a Firenze.

20. Scrivi la regola.

Con il passato prossimo...
uso ancora quando l'azione ☐ è avvenuta ☐ non è avvenuta
uso già quando l'azione ☐ è avvenuta ☐ non è avvenuta

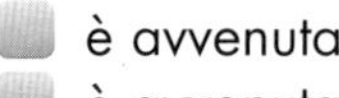

21. Forma i dialoghi come nell'esempio.

- Abbiamo visto la mostra di pittura, tu l'hai vista?
- No, non l'ho ancora vista./Sì, l'ho già vista.

1. Vedere l'ultimo film di Muccino. (Sì)
2. Visitare le piccole chiese della città. (No)
3. Leggere i giornali del giorno. (Sì)
4. Ascoltare l'ultimo CD di Vasco Rossi. (No)
5. Sentire le ultime notizie. (No)
6. Vedere l'*Aida* all'Arena. (Sì)

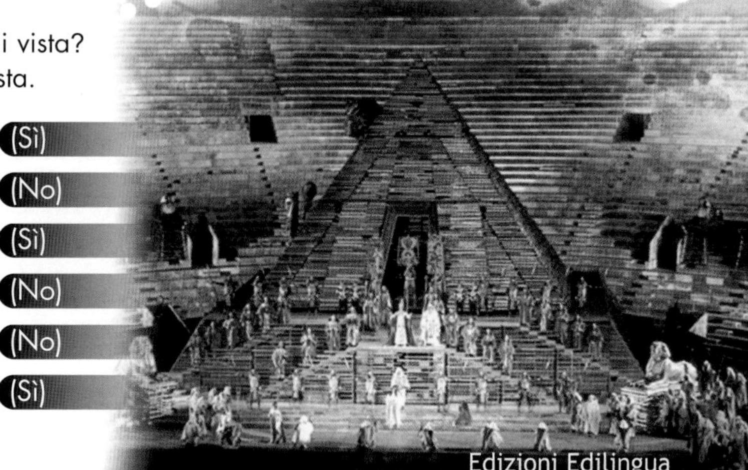

Conosciamo gli italiani

22. Leggi il testo e scegli l'opzione adatta.

Il sabato sera dei ragazzi italiani

Quali sono i posti che i giovani italiani frequentano il sabato sera? Lo abbiamo chiesto ad alcuni ragazzi e ragazze tra i 18 e i 30 anni. Le risposte sono state diverse in base al sesso e all'età. Silvia, 19 anni di Rimini, ci ha detto: «Nella mia città andare in discoteca è un must del sabato sera. Io amo ballare e dopo una settimana di studio, per me è fondamentale il sabato in discoteca. Ci vado quasi sempre con i miei amici e quando loro non vengono vado anche da sola. Per me la cosa più importante è ballare e poi non ho problemi a conoscere nuove persone». Marcello, 26 anni di Roma, ha un'opinione diversa: «La discoteca? Ci sono andato qualche volta a 18 o 20 anni. Adesso preferisco molto di più andare con i miei amici in locali più tranquilli. Sì, ballare mi piace ma nei locali dove c'è musica dal vivo. Io vado spesso al *Birimbao* qui a Roma dove suonano i gruppi musicali emergenti della città».

Ci sono poi i giovani un po' più grandi che preferiscono luoghi di aggregazione diversi. Vito, 30 anni di Palermo, ci ha detto: «Il sabato non sopporto chiudermi in un pub o in una discoteca. In questi posti la musica è altissima e ci sono sempre troppe persone. Non è possibile scambiare una parola con nessuno! A me invece piace stare in compagnia e parlare un po'. Per questo spesso ceno a casa con i miei amici e quando usciamo scegliamo i locali all'aperto. A Palermo non fa quasi mai freddo, neanche di inverno, ed è possibile stare fuori in una piazza, bere qualcosa e parlare un po'».

E per il consumo di alcol? Anche qui ci sono differenze soprattutto in base all'età. Marco, 18 anni, ha detto: «Sì, se devo dire la verità il sabato sera bevo un po', qualche volta un po' troppo. Ma se non bevo, in discoteca non mi diverto». Invece Lucia, 26 anni: «Chi ha detto che il sabato sera dobbiamo bere molto per divertirci? Io bevo soltanto un bicchiere di vino a cena. Bere un bicchiere di vino qualche volta mi piace: fa parte della cultura italiana e non è pericoloso, l'importante è non esagerare. E poi per ballare serve energia ed entusiasmo, non alcol!».

> **UFFICIO INFORMAZIONI**
>
> In Italia è possibile bere legalmente alcolici dall'età di 16 anni. Anche se il consumo di alcol è tradizionalmente moderato, e inferiore rispetto agli altri paesi europei, in Italia negli ultimi anni molti ragazzi di età tra i 12 e i 14 anni cominciano a consumare bevande alcoliche.

1. Silvia va in discoteca principalmente
   a. per conoscere altre persone
   b. per ballare
   c. per rilassarsi
2. Marcello
   a. non è mai andato in discoteca
   b. detesta ballare
   c. preferisce i locali con musica dal vivo
3. Vito
   a. ama i locali all'aperto
   b. non esce mai il sabato sera
   c. di solito mangia fuori casa
4. Lucia
   a. beve per divertirsi in discoteca
   b. non beve mai
   c. beve qualche volta un po' di vino

Parliamo un po'...

- Quali locali ti piace frequentare il sabato sera?
- Preferisci i posti dove c'è molta gente o posti più tranquilli?
- Ti piace ballare?
- Perché secondo te molti ragazzi bevono in discoteca?
- Secondo te il consumo di alcol dei giovani il fine settimana è un problema?
- Qual è il rapporto con l'alcol tra i ragazzi del tuo Paese?

Si dice così!

Ecco alcune espressioni utili per...

Parlare al passato	● Che cosa hai fatto questo fine settimana? ● Sono stato a una festa. ● Ho visto una mostra d'arte.
Esprimere una quantità indefinita	Ho bevuto della birra.
Esprimere che qualcosa non è avvenuta prima del momento in cui si parla, ma è prevista	Non ho ancora visto la mostra (ma voglio vederla).
Enfatizzare che un'azione è avvenuta prima del momento in cui si parla	Ho già visto lo spettacolo, quindi stasera non voglio rivederlo.

Sintesi grammaticale

Il passato prossimo

Il passato prossimo si usa per indicare azioni passate. Si forma con il presente dei verbi *essere* e *avere* e il participio passato dei verbi.
Per i verbi regolari il participio passato si forma dalla radice dell'infinito + le desinenze -ato per i verbi della I coniugazione, -uto per i verbi della II coniugazione, -ito per i verbi della III coniugazione.

infinito	TROVARE	AVERE	CAPIRE
participio passato	trovato	avuto	capito

passato prossimo

	TROVARE	AVERE	CAPIRE
io	ho trovato	ho avuto	ho capito
tu	hai trovato	hai avuto	hai capito
lui/lei/Lei	ha trovato	ha avuto	ha capito
noi	abbiamo trovato	abbiamo avuto	abbiamo capito
voi	avete trovato	avete avuto	avete capito
loro	hanno trovato	hanno avuto	hanno capito

Molti verbi formano il passato prossimo con l'ausiliare *essere*. Tra questi tutti i verbi riflessivi. Quando il passato prossimo si forma con *essere*, il participio concorda con il soggetto della frase, quindi cambia se il soggetto è maschile o femminile, singolare o plurale.

passato prossimo

	RILASSARSI	SEDERSI	VESTIRSI
io	mi sono rilassato/a	mi sono seduto/a	mi sono vestito/a
tu	ti sei rilassato/a	ti sei seduto/a	ti sei vestito/a
lui/lei/Lei	si è rilassato/a	si è seduto/a	si è vestito/a
noi	ci siamo rilassati/e	ci siamo seduti/e	ci siamo vestiti/e
voi	vi siete rilassati/e	vi siete seduti/e	vi siete vestiti/e
loro	si sono rilassati/e	si sono seduti/e	si sono vestiti/e

- ***Ancora* e *già* con il passato prossimo**

Ancora si usa quando l'azione non è avvenuta, ma è prevista.

Esempio:
La mostra non l'ho vista (e forse non la vedo in futuro).
La mostra non l'ho ancora vista (ma voglio vederla in futuro).

Già rafforza il concetto espresso.

Esempio:
Io quello spettacolo l'ho già visto la settimana scorsa a Firenze.

- **Pronomi diretti con il passato prossimo**

Quando il passato prossimo è preceduto da un pronome diretto (lo, la, li, le), il participio passato concorda con il pronome.
I pronomi diretti singolari lo e la si scrivono spesso con l'apostrofo.

Esempio:
- La mostra, l'hai vista? — Sì, l'ho vista.
- Il concerto, l'hai visto? — No, non l'ho visto.

I pronomi diretti plurali li e le **non** si scrivono con l'apostrofo.

Esempio:
- I biglietti li hai comprati? — Sì, li ho comprati.
- Le scarpe, le hai comprate? — Sì, le ho comprate.

- ***Del, dello, della, dei, degli, delle***

La preposizione *di* + l'articolo determinativo si può utilizzare per esprimere una quantità indefinita. Si potrebbe sostituire con *un po' di* o *qualche*.

Esempio:
Ho bevuto del vino. — Ho bevuto un po' di vino.
Ho incontrato degli amici. — Ho incontrato qualche amico.

Funzioni

1. Quali tra queste espressioni...

1. Serve a chiedere informazioni sul tempo atmosferico.
2. Esprime una quantità indefinita.
3. Esprime che qualcosa non è avvenuta prima del momento in cui si parla, ma è prevista.
4. Enfatizza che un'azione è avvenuta prima del momento in cui si parla.
5. Esprime un'azione in svolgimento nel momento in cui si parla.

a. Ho già preparato la cena.
b. Non ho ancora finito di lavorare.
c. Ho conosciuto delle persone simpatiche.
d. Prendo l'ombrello, sta piovendo.
e. Che tempo fa?

/5

Grammatica

2. Completa con i pronomi adatti.

A

- Allora ragazzi, bevete qualcosa?
- Sì, io prendo un caffè. .... voglio senza zucchero e con un po' di latte.
- E tu, Antonio?
- Per me niente caffè. Non .... bevo mai. Preferisco una Coca Cola.
- Tu, Stefania?
- Io prendo un tramezzino. .... voglio al prosciutto e formaggio.

B

- Chi accompagna i bambini a scuola domani mattina?
- .... accompagno io, ma ho bisogno della macchina. .... posso prendere?
- Sì, domani non .... uso.

C

- Ho incontrato Angela per strada, ma non .... ha salutato. Forse è ancora arrabbiata con me...
- Ma no! Probabilmente non .... ha visto.

D

- Buongiorno, avete due camere per questa notte?
- Sì, certo. .... vuole singole o matrimoniali?
- Una matrimoniale per me e mia moglie e una singola per mio figlio.
- Va bene. .... vuole vedere?
- No, grazie. Sono un vecchio cliente.

/10

3. Completa con la forma *stare* + *gerundio* quando è possibile.

1. ● Leggi il giornale?
   ● Sì, lo (*leggere*) .... ogni giorno.

2. ● Cosa fai ancora in ufficio?
   ● (*Lavorare*) ...., devo finire una relazione.
3. Ogni domenica io e Elisa (*andare*) .... a fare un giro in centro.
4. ● Perché Marco non viene con noi?
   ● (*Studiare*) ...., domani ha un esame.
5. Quali locali (voi - *frequentare*) .... il sabato sera?

/5

4. Completa con i verbi al passato prossimo.

Domenica scorsa io e miei amici (*andare*) (1)... allo stadio a vedere la partita di calcio del Siena. La partita (*essere*) (2)... emozionante e noi (*divertirsi*) (3)... molto. Mi (*piacere*) (4)... soprattutto vedere i tifosi delle squadre. Dopo la partita (*mangiare*) (5)... una pizza insieme e poi (*andare*) (6)... in un pub. Io (*bere*) (7).. una birra, i miei amici (*bere*) (8)... un bicchere di vino rosso. La serata (*essere*) (9)... piacevole. Noi (*tornare*) (10)... a casa verso mezzanotte.

/10

5. Inserisci la forma corretta di *molto*.

1. Lucy è americana ma parla .... bene l'italiano.
2. Mark è traduttore e parla .... lingue correttamente.
3. Nella zona dove abito passano .... macchine.
4. I miei amici sono .... simpatici.
5. A Siena conosco .... studenti stranieri.

/5

Vocabolario

6. Inserisci le parole nel testo. Attenzione! Ci sono due parole in più.

fa caldo - nuvola - piogge - vento - soleggiata - piove - nuvoloso

Al Nord oggi il cielo è molto (1).................................. con possibilità di (2)..................................
Al Centro il cielo è generalmente sereno con qualche (3).................................. sparsa. Al Sud la giornata è (4).................................. e (5)..................................: le temperature massime sono superiori ai 23 gradi.

/5

Punteggio Totale ___ /40

La nuova famiglia italiana

Entriamo in tema

1. Con quali affermazioni sulla famiglia sei d'accordo? Discutine con un compagno.

1. È un rifugio, un luogo sicuro.
2. È un posto dove stare il meno possibile.
3. Due persone che vivono insieme sono una famiglia.
4. Non c'è famiglia se non ci sono figli.
5. La famiglia deve dare regole da seguire.
6. È un posto dove è bello discutere anche dei piccoli problemi personali.
7. In famiglie con tanti parenti si litiga inevitabilmente.
8. I genitori devono essere i migliori amici dei figli.

Comunichiamo

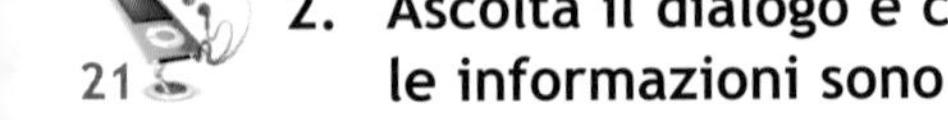

21

2. **Ascolta il dialogo e completa la tabella sulla famiglia di Antonio. Attenzione! Non tutte le informazioni sono presenti nel dialogo.**

parentela	nome	età	professione	città
Nipote	Alessandro			

3. **Ascolta di nuovo il dialogo e leggi il testo. Controlla le risposte dell'attività 2.**

Antonio: Marcello!
Marcello: Oh, ciao Antonio! Da quanto tempo! Come va? Tutto bene?
Antonio: Tutto bene, grazie.
Marcello: E Gina, sta bene?
Antonio: Sì, la mamma sta benissimo. Ha 67 anni, ma è ancora molto attiva!
Marcello: E Franco? E i tuoi fratelli?
Antonio: Mio padre è in pensione, ma non sta fermo un minuto, ha sempre qualcosa da fare. I miei fratelli stanno bene... abitano tutti lontano: Marco lavora sempre alla FIAT di Torino.
Marcello: E Luigi?
Antonio: Luigi è chirurgo all'Ospedale di Milano. Mia sorella Luisa insegna in una scuola a Bologna. Ah, adesso Luigi ha un figlio di due mesi, Alessandro, quindi sono zio!
Marcello: Che bello! Congratulazioni! Immagino la felicità dei tuoi genitori...
Antonio: Eh sì... sono molto contenti di essere nonni.
Marcello: E tua moglie come sta?
Antonio: Gaia sta bene. Cerca ancora lavoro ma sai... a Napoli è molto difficile. Comunque per ora il mio stipendio è sufficiente.
Marcello: Sono contento di sapere che state bene. Allora salutami tutti.
Antonio: Certo. A presto.

4. **Completa la tabella con i dati dei tuoi familiari.**

parentela	nome	età	professione	tempo libero

5. **Lavora con un compagno e completa la tabella con i dati della sua famiglia.**

parentela	nome	età	professione	tempo libero

6. **Presenta oralmente alla classe la famiglia di un tuo compagno.**

Osserva!

- Adesso Luigi ha un figlio di due mesi, Alessandro, quindi sono zio!
- Che bello! Congratulazioni!

7. **Con un compagno prova a dividere le espressioni in due gruppi.**

Congratulazioni! - Che bello! - Accidenti! - Che rabbia! - Che fortuna!
Che peccato! - Mannaggia! - Favoloso!

Esprimere gioia/meraviglia	Esprimere disappunto
1.	1. ....
2.	2. ....
3.	3. ....
4.	4. ....

8. **Insieme a un compagno completa i seguenti dialoghi con alcune espressioni dell'attività 7. Poi controlla con l'insegnante.**

- Guarda, Lucia, questa è la nuova macchina di mio padre.
- ....! È bellissima!

- Ragazzi, fra tre mesi mi sposo!
- ....!

- Oddio! Sono già le 21! ...., siamo in ritardo!

- Professore, mi dispiace ma non posso venire a Firenze sabato.
- ....! Perdi una buona occasione per visitare gli Uffizi.

- Dove sono le mie chiavi? ....! Non le trovo mai.

Impariamo le parole - La famiglia

9. **Collega le parole della colonna a sinistra con le definizioni della colonna di destra.**

1. Cugino/a
2. Suocero/a
3. Nonno/a
4. Cognato/a
5. Marito
6. Figlio unico
7. Genitori
8. Nipote

- il padre e la madre
- il padre/la madre della madre (o del padre)
- un figlio senza fratelli o sorelle
- il figlio/la figlia degli zii
- il padre/la madre della moglie (o del marito)
- il marito/la moglie del fratello (o della sorella)
- il figlio/la figlia del fratello (o della sorella)
- uomo con cui una donna è sposata

10. Rileggi il dialogo di pagina 113 e forma le frasi come nell'esempio.

Esempio: Franco/Antonio - Franco è il padre di Antonio.

1. Gina/Alessandro
2. Antonio/Gina
3. Franco e Gina/Antonio
4. Luigi/Alessandro
5. Luisa/Antonio
6. Antonio/Gaia
7. Luigi e Marco/Antonio
8. Luigi, Antonio, Marco e Luisa/Franco e Gina
9. Antonio/Alessandro
10. Luisa/Alessandro

Facciamo grammatica

Osserva!

- Mio padre è in pensione.
- Anche i miei fratelli stanno bene.
- E tua moglie come sta?

Le parole evidenziate sono aggettivi possessivi. Sono parole che indicano il possesso.

11. Scrivi la regola.

I possessivi concordano per genere e numero con ☐ il nome a cui si riferiscono ☐ il possessore

Quando usiamo i possessivi senza articolo? ....

12. Completa il testo con i possessivi dati.

suo - il loro - il suo - sua - i suoi - suo - i suoi - sua - suo - i loro - i suoi - sua

La famiglia di Antonio è unita e felice. (1)...................... moglie si chiama Gaia, è una giovane donna di 32 anni e cerca lavoro; (2)...................... interessi principali sono la pittura e il restauro. (3)...................... genitori sono anziani ma ancora molto attivi. (4)...................... madre è casalinga e (5)...................... padre è in pensione. La madre lavora in casa e legge molti libri; il padre è spesso fuori: va in campagna con (6)...................... cane o incontra (7)...................... amici al bar. I fratelli di Antonio lavorano e vivono fuori Napoli: suo fratello Marco, vive a Milano; (8)...................... fratello Luigi vive a Torino. Da poco tempo Luigi e (9)...................... moglie hanno un bambino che si chiama Alessandro come (10)...................... nonno. Anche se abitano lontani tutti stanno insieme per le feste. Di solito Luigi e Marco tornano a Napoli per Natale e si fermano per due o tre giorni. Rivedono sempre con piacere (11)...................... fratello e (12)...................... genitori.

13. Rileggi il dialogo di pagina 113 e il testo dell'attività 12 e completa la tabella.

persona	maschile singolare	femminile singolare	maschile plurale	femminile plurale
io				mie
tu		tua	tuoi	
lui/lei				sue
noi	nostro		nostri	nostre
voi	vostro			
loro	loro	loro	loro	loro

Entriamo in tema...

- Cosa pensi della vita matrimoniale?
- Quali sono i vantaggi e gli svantaggi?
- Sei d'accordo con la convivenza prima del matrimonio?
- Secondo te, quali sono le condizioni per andare d'accordo con una persona per tutta la vita?
- Secondo te, la festa di matrimonio è una spesa inutile?
- Sei favorevole o contrario al matrimonio tra persone dello stesso sesso?

Comunichiamo

14. Matrimonio, convivenza o single? Leggi le interviste e scegli l'opzione giusta.

Elena: Il giorno più bello della mia vita? Quello del mio matrimonio! Un giorno perfetto: perfetto il tempo, perfetta la chiesa, perfetti i fiori, perfetta la cena con gli invitati. Sono sposata da 4 anni, ho due figli e un marito meraviglioso. Chi dice che il matrimonio è la tomba dell'amore, sbaglia! Io e Maurizio ci amiamo come il primo giorno e non litighiamo quasi mai e sono sicura che staremo insieme per sempre. E poi sapete la sicurezza che dà una famiglia? E la gioia che danno i figli? Io non lavoro, sto a casa a badare ai miei bambini e sono contenta così.

Maria: Sono fidanzata con Fausto da 8 anni. Gli amici ci chiamano «gli eterni fidanzati» perché non ci siamo sposati. Sinceramente adesso non ho voglia di sposarmi, non capisco cosa può cambiare con il matrimonio. Mi sembra solo un'occasione per spendere un sacco di soldi: il vestito, le partecipazioni, le fedi, i fiori, le fotografie... E poi la cena, gli invitati... Insomma uno stress, altro che giorno più bello della vita! Io e Fausto adesso stiamo bene così. Abbiamo deciso che l'anno prossimo, se tutto andrà bene, prenderemo casa insieme anche per dividere le spese ma penso che non ci sposeremo mai. La casa però dovrà essere abbastanza grande così potremo avere la nostra privacy e il nostro spazio personale.

UFFICIO INFORMAZIONI

Anche se gli italiani continuano a sposarsi, il numero dei matrimoni diminuisce ogni anno. Aumenta la percentuale dei matrimoni civili e sta crescendo anche il numero di coppie che decide di vivere insieme senza sposarsi. Attualmente in Italia non esiste nessuna legge per stabilire i diritti e i doveri delle "coppie di fatto", cioè le persone che da anni vivono insieme senza essere sposate. In costante aumento sono anche le separazioni e i divorzi.

Caterina: Matrimonio? Convivenza? No grazie. Ho 27 anni e molte mie amiche della mia età hanno come primo obiettivo il matrimonio e i figli. Io invece voglio l'indipendenza, lavorare, guadagnare e spendere i soldi come voglio io! Non ho nessuna voglia di cucinare o stirare, o di lavare mentre il mio ipotetico marito arriva a casa e non muove un dito. E poi lo sanno tutti: due persone insieme nella stessa casa cominciano subito a litigare e la vita di coppia (matrimonio o convivenza) diventa un inferno dopo pochi anni. Rifiuto l'idea di vivere con la stessa persona per tutta la vita. La giovinezza non è fatta per vivere insieme! Forse in futuro cambierò idea e penserò anch'io alla famiglia e ai figli...

A. Per Elena il giorno del suo matrimonio è stato...

a. una spesa inutile
b. un giorno stressante
c. un giorno meraviglioso

B. Elena...

a. è felice della sua vita matrimoniale
b. qualche volta è nervosa con i figli e il marito
c. vuole lavorare anche fuori casa

C. Maria non si sposa perché...

a. non ama il suo fidanzato
b. il matrimonio è una spesa inutile
c. non vuole vivere con la stessa persona per tutta la vita

D. Caterina è contraria al matrimonio perché...

a. non trova l'uomo giusto
b. sono necessari troppi soldi per sposarsi
c. vuole essere indipendente e libera

15. Crisi di coppia...

Marco e Megan sono sposati da 6 anni. Adesso però sono in crisi e stanno divorziando. Quali sono i motivi, secondo te? Inventa la storia di Marco e Megan e metti in evidenza le loro principali differenze.

	Marco	Megan
provenienza	italiano, di Catania	americana, di Los Angeles
carattere	tradizionale, molto legato alla famiglia, riservato	spirito libero, indipendente socievole
professione	avvocato	pittrice
luogo preferito	campagna	città
posti frequentati il fine settimana	palestra, teatro	discoteca, pub

Attenzione!

Per introdurre una differenza, un'opposizione posso usare invece.

- Lui ha un carattere riservato, lei invece è socievole.

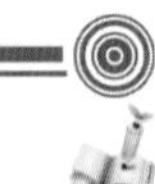

Impariamo le parole - Relazione di coppia e stato civile

16. Scrivi le parole della lista sotto le immagini.

sposarsi - separarsi - innamorarsi - divorziare - litigare - fidanzarsi

1. ....

2. ....

3. ....

4. ....

5. ....

6. ....

Attenzione!

- L'anno scorso mi sono sposato. (passato prossimo del verbo *sposarsi*)
- Sono sposato con Maria. (verbo *essere* + aggettivo)

17. Completa la storia di Elisa e Giuseppe. Puoi usare anche i verbi dell'attività 16.

Due ragazzi, Elisa e Giuseppe si conoscono a una festa e .... a prima vista. Dopo due settimane .... All'inizio stanno bene insieme, ..., ma poi .... perché .... Alla fine, dopo soltanto 3 anni di matrimonio ....

Facciamo grammatica

Osserva!

Caterina dice:
- Forse in futuro cambierò idea e penserò anch'io alla famiglia e ai figli...

cambierò e penserò sono forme del futuro semplice (da *cambiare* e *pensare*).

18. Nel testo che hai letto a pagina 116 ci sono alcuni verbi al futuro. Scrivi le forme accanto all'infinito.

1. stare ....
2. prendere ....
3. dovere ....
4. cambiare ....cambierò..........
5. andare ....
6. sposarsi ....
7. potere ....
8. pensare ....penserò..........

19. Inserisci nella tabella le forme del futuro.

partiranno - leggeremo - parlerà - partirà - leggerai - parlerete - leggeranno
partirò - parleremo - parlerò - partirai - leggerete - partirete

	parlare	leggere	partire
io		leggerò	
tu	parlerai		
lui/lei/Lei		leggerà	
noi			partiremo
voi			
loro	parleranno		

Attenzione!

andare	essere	dovere	stare	potere	fare	avere
andrò	sarò	dovrò	starò	potrò	farò	avrò

20. Quali sono i tuoi progetti per il futuro? Discuti con un compagno e poi riferisci alla classe. Ecco alcuni argomenti di cui parlare.

La prossima estate...
Quando avrò 50 anni...
Quando finirò il corso di italiano...
Quando finirò gli studi...
Questo fine settimana...
Il mese prossimo...

Osserva!

- Gli amici ci chiamano «gli eterni fidanzati» perché non ci siamo sposati.
- Da un po' di tempo viviamo insieme, anche per dividere le spese ma non parliamo mai di matrimonio.
- Non ho nessuna voglia di cucinare o di stirare, o di lavare mentre il mio ipotetico marito arriva a casa e non muove un dito.

21. Rileggi le tre frasi e scrivi la parola che...

1. indica un'alternativa. ....
2. indica una contrapposizione. ....
3. indica una causa, una spiegazione. ....

22. Completa con *ma, o, perché*.

1. Convivere con qualcuno è conveniente .... è possibile dividere le spese.
2. Io e Marco non sappiamo ancora se sposarci .... no.
3. Voglio bene alla mia fidanzata .... litighiamo spesso.
4. Allora, hai deciso? Vai a casa .... ti fermi qui a cena?
5. Vivi ancora con i tuoi genitori .... è più comodo .... perché non hai abbastanza soldi?

23. Rileggi l'attività 17 e trova le espressioni che indicano relazioni di tempo.

1. .... 3. ....
2. .... 4. ....

24. Completa il testo con le espressioni della lista.

da quella volta - poi - dopo un po' - alla fine - all'inizio - dopo cinque anni - all'inizio

Anna racconta...

Ho conosciuto mio marito Giulio 15 anni fa a una festa. (1)...................................... siamo usciti qualche volta insieme con altri amici comuni. (2)...................................... di tempo Giulio mi ha invitato al cinema e (3)...................................... abbiamo cominciato a uscire insieme da soli. Devo dire che non è stato proprio amore a prima vista: (4)...................................... infatti Giulio mi sembrava un po' troppo chiuso, ma (5)...................................... ho capito che era soltanto timido. Insomma, quando l'ho conosciuto meglio, mi sono innamorata di lui e ci siamo fidanzati.
Abbiamo fatto le cose con calma, infatti siamo stati insieme tre anni e poi abbiamo deciso di andare a vivere insieme. (6)...................................... di convivenza, (7)...................................... abbiamo deciso di sposarci. Adesso siamo sposati da 7 anni e stiamo benissimo insieme.

Conosciamo gli italiani

25. Leggi il testo e completa la tabella con le informazioni esatte.

L'evoluzione della famiglia italiana

La famiglia italiana è in una fase di trasformazione. Il numero di figli diminuisce e l'Italia è oggi il paese d'Europa con il numero minore di figli per famiglia (soltanto 1,2). Molti fattori sociali ed economici determinano questo cambiamento, tra cui il fatto che ormai anche la donna lavora fuori casa.
Complessivamente diminuisce anche il numero dei matrimoni mentre aumenta il numero dei divorzi. La struttura della famiglia cambia, ma alcune abitudini restano uguali: genitori e figli mangiano insieme e il pranzo e la cena restano i momenti in cui è più facile il dialogo. Le famiglie italiane si riuniscono per le più importanti feste religiose (Natale, Pasqua) e familiari (matrimoni, battesimi, comunioni). Non soltanto il nucleo principale (genitori e figli), ma tutti i parenti (nonni, nipoti, cugini, zii ecc.) stanno insieme in queste occasioni, specialmente al Sud dove resiste maggiormente il modello di famiglia tradizionale.
A differenza degli altri paesi d'Europa i figli restano in casa fino ad adulti, spesso oltre i 30 anni. Molti affermano di non potere uscire di casa perché economicamente è difficile essere indipendenti, ma anche molte persone che trovano un lavoro preferiscono restare in casa fino al matrimonio. Insomma, restare a casa è sia una necessità economica, sia una scelta che ha motivi culturali. L'attaccamento alla famiglia resta per tutta la vita: la maggior parte dei figli sceglie di vivere nello stesso edificio dei genitori anche dopo il matrimonio e i figli che abitano distanti dalla casa dei genitori telefonano alla mamma una o più volte al giorno.

numero di figli per famiglia	età media in cui i figli si separano dai genitori	motivazioni per cui i figli restano a casa dei genitori	abitudini invariate della famiglia italiana	rapporto tra figli e genitori dopo il matrimonio

UFFICIO INFORMAZIONI

L'eccessivo attaccamento degli adulti alla mamma si definisce "mammismo". Per questo attaccamento si dice spesso (a torto o a ragione) che gli italiani sono dei "mammoni".

Parliamo un po'...

- La tua idea sulla famiglia italiana è la stessa rispetto a quella dell'articolo?
- Secondo te il rapporto tra i genitori e i figli è troppo stretto?
- Quali sono le principali differenze tra la famiglia italiana e quella del tuo Paese?
- ...

Si dice così!

Ecco alcune espressioni utili per...

Indicare i rapporti familiari	Franco è il padre di Antonio. Gina e Franco sono i nonni di Alessandro.
Indicare lo stato civile	Io sono sposato. Mi sono sposato due anni fa. Lucia è divorziata. Marco e Alessia sono separati.
Esprimere gioia	● Mia moglie aspetta un figlio! ● Congratulazioni! ● Mio padre mi presta la macchina questa sera. ● Favoloso! ● Fra tre mesi mi sposo! ● Che bello!
Esprimere dispiacere	● Io e mio fratello non possiamo venire alla festa. ● Che peccato! ● Mi dispiace ma i biglietti del concerto sono esauriti. ● Mannaggia!
Fare progetti per il futuro	Forse in futuro cambierò idea e penserò anch'io alla famiglia e ai figli...

Sintesi grammaticale

Aggettivi possessivi

maschile		femminile	
singolare	plurale	singolare	plurale
mio	miei	mia	mie
tuo	tuoi	tua	tue
suo	suoi	sua	sue
nostro	nostri	nostra	nostre
vostro	vostri	vostra	vostre
loro	loro	loro	loro

Gli aggettivi possessivi concordano con il nome a cui si riferiscono e sono quasi sempre preceduti dall'articolo determinativo.

Esempio:
Il suo orologio; Le nostre amiche; I miei libri; La tua borsa.

Con i nomi di parentela al singolare **non** si usa l'articolo: mio fratello, mia sorella, nostro padre.

Fa eccezione l'aggettivo loro che vuole l'articolo: il loro padre, la loro madre.

Congiunzioni *ma, o, perché*

La congiunzione ma indica una contrapposizione tra due termini o due frasi.

Esempio:
Da un po' di tempo viviamo insieme, anche per dividere le spese ma non parliamo mai di matrimonio.

La congiunzione o indica un'alternativa, un'esclusione, o un'esclusione tra due termini o due frasi.

Esempio:
Non ho nessuna voglia di cucinare o di stirare, o di lavare mentre il mio ipotetico marito arriva a casa e non muove un dito.

La congiunzione perché esprime la causa dell'azione espressa nella frase principale.

Esempio:
Gli amici ci chiamano «gli eterni fidanzati» perché non ci siamo sposati.

Futuro semplice

Il futuro semplice si usa principalmente per indicare un'azione che avviene in un tempo successivo rispetto a quello in cui parliamo. Si usa spesso per parlare di progetti futuri.

Esempi:
Forse in futuro cambierò idea e penserò anch'io alla famiglia e ai figli...
L'estate prossima farò un viaggio in Europa.

Verbi regolari

	AMARE	PRENDERE	APRIRE
io	amerò	prenderò	aprirò
tu	amerai	prenderai	aprirai
lui/lei/Lei	amerà	prenderà	aprirà
noi	ameremo	prenderemo	apriremo
voi	amerete	prenderete	aprirete
loro	ameranno	prenderanno	apriranno

Alcuni verbi irregolari

	io	tu	lui/lei/Lei	noi	voi	loro
essere	sarò	sarai	sarà	saremo	sarete	saranno
andare	andrò	andrai	andrà	andremo	andrete	andranno
dire	dirò	dirai	dirà	diremo	direte	diranno
dovere	dovrò	dovrai	dovrà	dovremo	dovrete	dovranno
fare	farò	farai	farà	faremo	farete	faranno
potere	potrò	potrai	potrà	potremo	potrete	potranno
sapere	saprò	saprai	saprà	sapremo	saprete	sapranno
stare	starò	starai	starà	staremo	starete	staranno
vedere	vedrò	vedrai	vedrà	vedremo	vedrete	vedranno

Attenzione!

Nota che, specialmente nella lingua parlata, il presente indicativo si usa spesso al posto del futuro.

- **Connettivi temporali *all'inizio, dopo, poi, alla fine***

I connettivi temporali servono a dare una scansione temporale a un testo.

Esempi:
All'inizio siamo usciti qualche volta insieme con altri amici comuni.

Siamo stati insieme tre anni e poi abbiamo deciso di andare a vivere insieme. Dopo tre anni di convivenza, alla fine abbiamo deciso di sposarci.

Scheda di autovalutazione 5

Unità 8-9

1. **Scrivi almeno un'espressione per...**

- Parlare al passato: ....
- Esprimere una quantità indefinita: ....
- Enfatizzare che qualcosa è avvenuta prima del momento in cui si parla: ....
....
- Indicare lo stato civile: ....
- Esprimere gioia: ....
- Esprimere disappunto: ....

2. **Quali sono le parole che vuoi ricordare delle unità 8 e 9? Prova a scrivere anche aggettivi, nomi, verbi, avverbi collegati alle parole che vuoi ricordare.**

1. ....
2. ....
3. ....
4. ....
5. ....
6. ....
7. ....
8. ....

3. **Conosci altre parole sul tema dell'unità? Se sì, quali? E dove hai sentito o hai letto queste parole?**

PAROLE NUOVE	tv	radio	internet	per strada	giornali	altri compagni	altro, specificare

4. **Come ti comporti quando non conosci alcune parole dei testi che leggi o ascolti?**

Non ti importa, l'importante è capire il senso generale.
Cerchi di capire il significato dalle parole vicine.
Cerchi il significato nel vocabolario.
Chiedi una spiegazione in italiano all'insegnante.
Chiedi una spiegazione a un compagno.
Altro...

5. **Cosa è più utile fare quando non sai dire in italiano alcune parole?**

Utilizzare la tua lingua madre.
Cercare di spiegare con altre parole in italiano.
Utilizzare i gesti.
Chiedere aiuto all'insegnante o ai compagni.
Altro...

6. **Cosa pensi se un test di italiano non va bene?**

Non ho studiato abbastanza.
Il test era difficile.
Con più attenzione e più tempo il test sarebbe andato bene.
Non ho predisposizione per le lingue.
Altro...

Piazza San Marco, Venezia

Mi sembra...

Entriamo in tema

- Di solito parli in qualche chat?
- Cosa pensi dei social network?
- Secondo te è un buon modo per conoscere persone interessanti?
- Quali possono essere gli aspetti positivi e negativi della chat?

Comunichiamo

22 **1. Ascolta il dialogo e indica se le affermazioni sono vere o false.**

	Vero	Falso
1. *Max 79* è un bel ragazzo.		
2. Alessia è contenta del suo incontro.		
3. Per Alessia le persone in chat sono più interessanti che nella realtà.		
4. Valerio preferisce conoscere le persone dal vivo.		
5. A Valerio piace Samanta.		

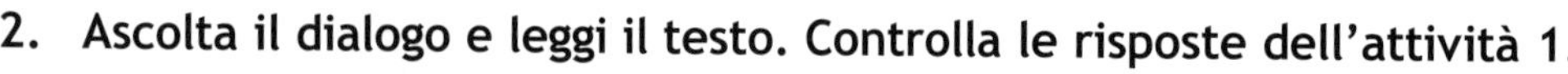

22 **2. Ascolta il dialogo e leggi il testo. Controlla le risposte dell'attività 1.**

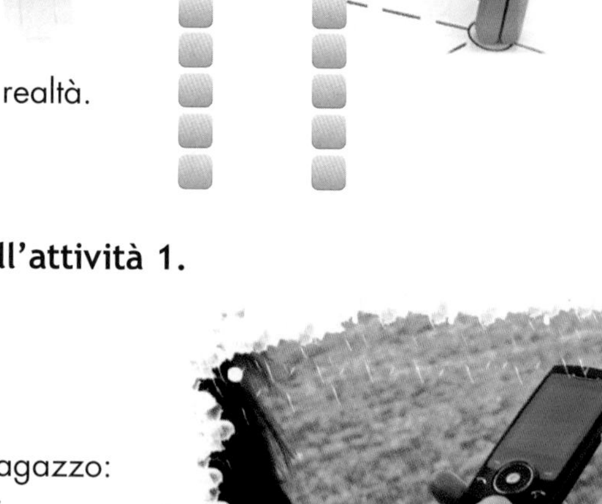

Valerio: Allora Alessia, come è questo *Max '79*?
Alessia: Guarda, lasciamo stare, è meglio...
Valerio: Perché?
Alessia: Perché dalla foto che mi ha inviato sembrava un bel ragazzo: giovane, alto, muscoloso, con i capelli lunghi e biondi...
Valerio: E invece? Com'è?
Alessia: Invece all'appuntamento è arrivato un tipo bruttino, di mezza statura, un po' grasso e quasi calvo. Occhi neri e, cosa che non sopporto, la barba lunga.
Valerio: E di carattere che tipo è? È simpatico?
Alessia: Per niente! È noioso, gli piace solo il calcio... e non mi ha offerto nemmeno un caffè! Non so... la chat rende le persone diverse... poi spesso quando conosci qualcuno di persona rimani deluso.
Valerio: Eh, lo so... Infatti per me è sempre meglio conoscere le persone... "dal vivo". Comunque, se conosci qualcuno su Internet puoi avere questi problemi...
Alessia: Io, da ora in poi, non voglio più conoscere persone in rete... Ma a proposito di conoscenze: oggi devi uscire con Samanta, vero?
Valerio: Sì, finalmente...
Alessia: Sei contento?
Valerio: Sì, Samanta è molto carina... e poi mi sembra simpatica, aperta e gentile. Poi le piacciono gli animali e per me questo è importante.
Alessia: Bene, se vi piacciono le stesse cose è più facile andare d'accordo. Sono sicura che Samanta è una persona interessante. Suo fratello Marco invece è troppo serio, non mi piace molto.
Valerio: Neanche a me. Ma forse in realtà è solo timido.

UFFICIO INFORMAZIONI

Oltre a Internet, i ragazzi italiani usano il telefonino per fare conoscenze e scrivono gli sms o messaggini per conoscere meglio qualcuno, non soltanto per comunicare informazioni. Tra i ragazzi è anche comune "fare uno squillo" e poi chiudere il telefono. Questo significa quasi sempre "ciao"!

Impariamo le parole - Descrizioni fisiche

3. Inserisci le espressioni della lista nella tabella.

giovane - basso - lisci e lunghi - azzurri - robusto - di mezza età - bianchi e corti - calvo - magro
mossi - a mandorla - alto - rotondi - ricci - anziano - grasso - muscoloso - castani e corti

età	corporatura	capelli	occhi
....	....	....	....
....	....	....	....
....	....	....	....
....	....	....	....
....	....	....	....
....	....	....	....

4. Completa la descrizione di queste persone.

Età	Età	Età	Età ....
Capelli	Capelli	Capelli	Capelli ....
Occhi	Occhi	Occhi	Occhi ....

5. Indica a chi si riferiscono le descrizioni.

- a. Maria è la ragazza giovane, di media statura con gli occhi neri e i capelli neri e corti.
- b. Paolo è il signore anziano, calvo e con i baffi.
- c. Franco è un ragazzo giovane, un po' grasso, porta gli occhiali e ha il pizzetto.
- d. Marta è magra, ha la pelle scura, i capelli lunghi e ricci.
- e. Luca è magro, alto, ha i capelli corti e il pizzetto.

Comunichiamo

6. **Rileggi il dialogo di pagina 126 e trova le espressioni per chiedere di descrivere una persona.**

a ....

b ....

Osserva!

- Samanta mi sembra simpatica, aperta e gentile.

Per dire un'opinione sulle persone possiamo usare l'espressione mi sembra/mi sembrano.

- Samanta mi sembra simpatica.
- Samanta e Pablo mi sembrano simpatici.

7. **Lavora con un compagno. A chiede di descrivere un compagno di classe e B risponde. Poi scambiatevi i ruoli.**

Descrivete: gli occhi, i capelli, la corporatura, la carnagione e altri particolari del viso.

Facciamo grammatica

Osserva!

- [...] dalla foto che mi ha inviato sembrava un bel ragazzo
- mi sembra simpatica
- non mi ha offerto nemmeno un caffè!
- gli piace solo il calcio

mi = a me

gli = a lui

Le parole di colore blu sono pronomi indiretti.

8. **Cerca nel dialogo di pagina 126 gli altri pronomi indiretti atoni e completa la tabella.**

pronomi indiretti
mi = a me
ti = a te
..... = a lui
..... = a lei
Le = a Lei (formale)
ci = a noi
..... = a voi
gli = a loro

9. **Riscrivi il testo e usa i pronomi indiretti atoni quando è necessario.**

Io e Sara siamo completamente diversi, qualche volta a me sembra impossibile che riusciamo a stare insieme. Ogni volta che chiedo a lei di fare con me qualcosa che interessa a me (fare un giro in moto, andare a teatro), risponde a me che a lei non interessa. Allora propone a me di andare in discoteca, ma io odio la discoteca! Sabato scorso siamo usciti con i miei amici e lei si è annoiata tantissimo ed è stata poco cortese anche con il mio amico Carlo e addirittura ha detto a lui che sta antipatico a lei. Tutti i miei amici l'hanno sentito e, ovviamente, ha dato fastidio a loro. L'unica cosa che piace molto a noi e che riusciamo a fare insieme è guardare i film in casa la domenica pomeriggio. Comunque, anche se ha un carattere molto difficile, in fondo Sara è una brava ragazza e io voglio bene a lei.

....

....

....

....

....

....

....

....

....

Osserva!

A
- Samanta mi sembra simpatica. E a te?
- Anche a me.

B
- Samanta non mi sembra simpatica.
- Neanche a me.

C
- Samanta mi sembra simpatica.
- A me no. Mi sembra antipatica.

D
- Samanta non mi sembra simpatica.
- A me sì.

10. Scrivi la regola.

1. In quali dialoghi la 2ª persona esprime la stessa idea della 1ª persona? .... / ....
2. In quali dialoghi la 2ª persona esprime un'idea diversa rispetto alla 1ª persona? .... / ....
3. Usiamo anche dopo una frase positiva o negativa? ....
4. Usiamo neanche dopo una frase positiva o negativa? ....

11. Completa con *Anche a me, Neanche a me, A me sì, A me no.*

1. Siena mi piace molto.
   ...., è molto bella.
2. Marco non mi sembra molto simpatico.
   ...., non ride e non scherza mai.
3. Il corso di italiano mi sembra difficile.
   ...., è tutto chiaro e semplice.
4. Non mi piace giocare a calcio.
   ...., è il mio sport preferito.
5. Mi piace la pizza fredda.
   ...., mangio solo la pizza calda di forno.
6. Oggi Maria mi sembra stanca.
   .... Secondo me lavora troppo.

Entriamo in tema

- Generalmente, quando ti senti nervoso?
- C'è qualcosa che ti fa sentire triste o depresso?
- Sei un tipo lunatico o costante?
- Ti piace il tuo carattere o vorresti essere diverso?

12. Che tipo sei? Fai il test e controlla il tuo profilo.

test psicologico

1. **Quale momento della giornata preferisci?**
   a. La mattina quando ti alzi. ❑
   b. Il pomeriggio quando finisci di studiare o lavorare. ❑
   c. La sera quando vai a dormire. ❑

2. **In una giornata di pioggia generalmente...**
   a. esci e incontri qualcuno fuori. ❑
   b. inviti gli amici a casa per stare un po' insieme. ❑
   c. stai a casa e leggi un libro o ascolti musica. ❑

3. **Se vedi piangere una persona che conosci, tu...**
   a. le/gli vai vicino e chiedi di raccontarti cosa è successo. ❑
   b. le/gli vai vicino e chiedi soltanto se va tutto bene. ❑
   c. non le/gli vai vicino, se vuole ti chiama lui/lei. ❑

4. **Tra questi colori preferisci...**
   a. il rosso. ❑
   b. il nero. ❑
   c. il grigio. ❑

5. **Decidi di prendere un animale in casa. Prendi...**
   a. un cane. ❑
   b. un gatto. ❑
   c. una tartaruga. ❑

6. **Questo mese hai 250 euro in più...**
   a. cerchi un volo low cost e fai un fine settimana fuori. ❑
   b. compri un oggetto che ti piace (vestito, ipod ecc.). ❑
   c. li conservi, i soldi possono sempre servire. ❑

7. **In genere ti capita di litigare...**
   a. ogni volta che qualcuno ha un'opinione diversa dalla tua. ❑
   b. quando parli con una persona aggressiva. ❑
   c. non litighi quasi mai. ❑

PROFILI

Maggior numero di risposte a.
Sei un tipo aperto e simpatico. Disponibile al confronto e pronto a fare nuove amicizie. Hai un carattere abbastanza istintivo.
Maggior numero di risposte b.
Sei un tipo moderato. Non ti piacciono gli eccessi, ma non hai un carattere chiuso. Vuoi conoscere le persone prima di avere un'opinione e non dai troppo peso alla prima impressione.
Maggior numero di risposte c.
Sei un solitario, sei il miglior amico di te stesso. Detesti i conflitti. Spesso sei pensieroso e ridi poco. Non hai carattere facile ma chi ti conosce bene ti apprezza.

Comunichiamo

13. Leggi queste descrizioni e scegli l'opzione che ritieni più adeguata.

A.
Mi chiamo Elena. Generalmente sono un tipo ottimista e molto allegro. Sono entusiasta delle novità e amo fare sempre nuove amicizie. Divento triste soltanto quando le cose vanno veramente male. Mi piace divertirmi e stare in compagnia dei miei amici. Le persone che mi conoscono dicono che sono un tipo estroverso e mai timido. Non so se questo può essere sempre un pregio, forse a qualcuno posso sembrare un po' invadente o addirittura maleducata.

B.
Sono Giuseppe. Sono un tipo che parla poco. Non mi piace raccontare la mia vita alla prima persona che conosco, faccio le mie confidenze esclusivamente agli amici più intimi. In famiglia poi non parlo per niente. Non sono una persona antipatica, ma sono molto riservato e per questo agli altri sembro una persona chiusa. In realtà non ho un carattere chiuso, ma devo conoscere bene una persona prima di aprirmi. Passo molto tempo a casa da solo o in compagnia dei miei cani. La mia fidanzata non è molto contenta di questo mio carattere un po' solitario, ma a me non dispiace.

C.
Sono Stefania. Tutti dicono che sono un tipo socievole, che parla molto. Non sono una persona molto costante e spesso cambio umore. Insomma, sono un po' lunatica. Discutere con le persone è la cosa che mi piace di più. Il mio pregio più grande forse è la capacità di ascoltare le persone e accettare senza pregiudizi tutti i punti di vista diversi dal mio. Il mio difetto peggiore? I miei amici dicono che sono molto permalosa e non so accettare né le critiche né lo scherzo. Probabilmente è vero. E se qualcuno mi fa notare questo mio difetto mi arrabbio!

1. Generalmente Elena è una persona
   - ☐ allegra ☐ triste ☐ timida
2. A qualcuno Elena può sembrare
   - ☐ timida ☐ estroversa ☐ invadente
3. A Giuseppe piace parlare
   - ☐ con tutti ☐ con la famiglia ☐ con gli amici più intimi
4. Giuseppe passa molto tempo
   - ☐ da solo ☐ con gli amici ☐ con la fidanzata
5. Stefania è un tipo
   - ☐ silenzioso ☐ socievole ☐ scherzoso
6. Un pregio di Stefania è
   - ☐ parlare molto ☐ essere costante ☐ accettare diversi punti di vista

14. Qual è la tua qualità migliore? E il tuo peggior difetto? Discutine con un compagno e poi riferite alla classe.

Impariamo le parole - Descrizione del carattere

15. Insieme a un compagno prova ad accoppiare l'aggettivo alla definizione, come nell'esempio.

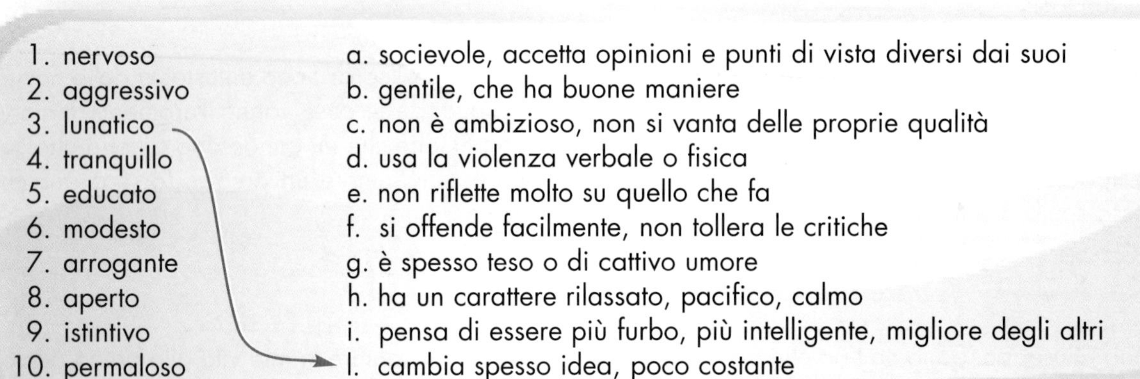

1. nervoso
2. aggressivo
3. lunatico
4. tranquillo
5. educato
6. modesto
7. arrogante
8. aperto
9. istintivo
10. permaloso

a. socievole, accetta opinioni e punti di vista diversi dai suoi
b. gentile, che ha buone maniere
c. non è ambizioso, non si vanta delle proprie qualità
d. usa la violenza verbale o fisica
e. non riflette molto su quello che fa
f. si offende facilmente, non tollera le critiche
g. è spesso teso o di cattivo umore
h. ha un carattere rilassato, pacifico, calmo
i. pensa di essere più furbo, più intelligente, migliore degli altri
l. cambia spesso idea, poco costante

16. Collega ogni aggettivo con l'aggettivo di significato opposto, come nell'esempio.

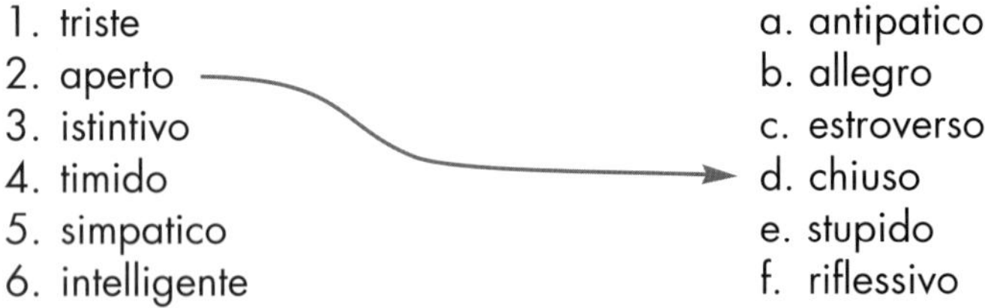

1. triste
2. aperto
3. istintivo
4. timido
5. simpatico
6. intelligente

a. antipatico
b. allegro
c. estroverso
d. chiuso
e. stupido
f. riflessivo

17. Come ti sembrano queste persone?

Francesca
Massimo

Chiara
Paolo

18. Descrivi le persone nella lista della pagina accanto. Il tuo compagno può scegliere se esprimere accordo o disaccordo.

Esempio: Chiara (educata, allegra)

- Chiara mi sembra educata e allegra. E a te?
- Anche a me.
- A me no, mi sembra un po' antipatica.

- Chiara non mi sembra educata e allegra. E a te?
- Neanche a me.

1. Paolo (educato, timido)
2. Luigi e Francesco (allegri, simpatici)
3. Marcello (triste, chiuso)
4. Giuseppe (intelligente, simpatico)
5. Marco (nervoso, maleducato)
6. Luisa (calma, dolce)
7. Laura (allegra, aperta)
8. Claudio (timido, chiuso)

19. Compila la pagina di facebook con il tuo profilo.

facebook Home Profilo Amici Posta Giacomo Mason Impostazioni Esci Ricerca

Giacomo Scrive un tutorial per il perfetto blogger intranet. 6 ore fa - cancella

Che fai in questo momento?

Applicazioni Modifica

Foto Gruppi

Eventi Mercato

Meet New People Are YOU Interested?

altro

Filtri notizie Aggiornamenti di stato Foto Elementi pubblicati Aggiornamenti in tempo reale

Alessandro si sente raffreddato. 3 minuti fa - Commenta

Marco prepara una risposta sostenibile. 27 minuti fa - 1 commento

Giacomo alle ore 17.13 del 14 ottobre
Trova questa risposta, non mi fare preoccupare

Invita i tuoi amici

Invita i tuoi amici
Usa i nostri semplici strumenti per invitare e connetterti velocemente con i tuoi amici su Facebook.

Amici
12 amici Mostra tutti

Crea un badge del profilo

Interessi:

Musica preferita:

Programmi TV preferiti:

Film preferiti:

Libri preferiti:

Citazioni preferite:

Su di me:

20. Leggi i testi e indica se le affermazioni che seguono sono vere o false.

Essere o apparire?

1.

Non siamo soltanto nella società dell'avere, siamo anche nella società del sembrare. Osservate per esempio il fenomeno delle Beauty Farm importate dagli Stati Uniti e in crescita rapidissima anche qui in Italia. E la necessità di sembrare belli a tutti i costi non riguarda più soltanto le donne: cresce il numero di uomini che frequentano le palestre tutti i giorni, vanno dagli estetisti regolarmente, spendono cifre enormi per un taglio di capelli e, sempre più spesso, vanno dal chirurgo plastico. E accendete la televisione a qualsiasi orario: dov'è la bellezza "normale"? Soltanto uomini e donne bellissimi, ma quasi di plastica. Anche nei telegiornali le donne devono essere belle e con pochi vestiti. Dov'è la professionalità? Dov'è la simpatia? Che importanza ha il buon carattere? Tutto questo è scandaloso. Dobbiamo dare più importanza all'essere e meno all'apparire.

Anche se il modello di bellezza è cambiato rispetto al passato, tra i simboli della bellezza italiana restano ancora oggi attrici e attori degli anni 50 e 60: Sofia Loren, Gina Lollobrigida, Marcello Mastroianni, Vittorio Gassman. Tra le attrici e gli attori contemporanei apprezzati anche per la loro bellezza ricordiamo: Monica Bellucci, Francesca Neri, Raoul Bova e Gabriel Garko.

Una copertina con una bellezza "tradizionale" e una pubblicità della Fiat che propone un modello "alternativo".

2.

Non capisco questo scandalo contro la bellezza nella nostra società e in televisione. Siamo onesti: nessuno vuole essere brutto, e a tutti piace vedere una bella donna, alta e snella, o un uomo giovane e muscoloso. Il carattere? Sì, certo... Ma un buon carattere senza un aspetto fisico piacevole spesso non è sufficiente per andare avanti nella vita. Le persone che non hanno un bel fisico devono essere motivate a migliorare. Quindi il mio consiglio è curare l'aspetto fisico: palestra, istituti di bellezza, attenzione alla vostra pelle e al vostro corpo. La bellezza e l'eleganza aiutano, questo è certo! E se avete alcuni difetti di carattere, pazienza... Spesso la prima impressione è quella che conta! E la prima impressione è quella che si dà anche senza parlare.

Articolo **1**	Vero	Falso
1. Gli uomini italiani danno importanza all'aspetto fisico.		
2. È sempre più comune utilizzare la chirurgia plastica.		
3. Per chi lavora in televisione è più importante la capacità rispetto alla bellezza.		

Articolo **2**	Vero	Falso
1. Il buon carattere è alla base del successo nella vita.		
2. È importante curare l'aspetto fisico.		
3. La prima impressione che si dà agli altri è molto importante.		

Parliamo un po'...

- Secondo te, qual è l'importanza dell'apparire nella società contemporanea?
- Lo scandalo del primo articolo è giusto o esagerato?
- Quando conosci una persona, quanta importanza dai al suo fisico?
- E al suo modo di vestire? E al suo carattere?
- Quanto è importante per te la prima impressione quando vedi/conosci una persona?
- ....

Si dice così!

Ecco alcune espressioni utili per...

Chiedere informazioni su una persona	Com'è? Com'è di fisico? Com'è di carattere? Che tipo è?
Descrivere qualcuno	Max è bello: ha i capelli lunghi e porta gli occhiali.
Esprimere una prima impressione su qualcuno	Mi sembra simpatica. Mi sembrano simpatici.

Ecco una lista di aggettivi utili per descrivere una persona.

Caratteristiche fisiche		**Carattere**	
Fisico			
Alto/a	Basso/a		
Magro/a	Grasso/a		
Robusto/a			
Capelli			
Lunghi	Corti	Simpatico/a	Antipatico/a
Lisci	Ricci	Educato/a	Maleducato/a
Neri	Biondi	Cortese/Gentile	Scortese
Castani		Modesto/a	Arrogante
		Allegro/a	Triste
Occhi		Aperto/a	Chiuso/a
Chiari	Scuri	Timido/a	Estroverso/a
Verdi/Azzurri/Neri/Castani		Calmo/a	Nervoso/a
		Dolce	Aggressivo/a
Carnagione/Pelle			
Chiara	Scura		
Altre caratteristiche			
Bello/a	Brutto/a		
Giovane	Anziano/a		

Pronomi personali indiretti

pronomi personali indiretti	
mi	a me
ti	a te
gli	a lui
le	a lei
Le	a Lei (formale)
ci	a noi
vi	a voi
gli	a loro

I pronomi personali indiretti sostituiscono persone e si usano quando il verbo risponde alla domanda *a chi?*

Non mi ha offerto nemmeno un caffè.
(Offrire un caffè a qualcuno. A chi non ha offerto nemmeno un caffè? A me.)

La posizione di questi pronomi è uguale a quella dei pronomi personali diretti (vedi unità 7) e si usano generalmente prima del verbo. Quando c'è un infinito vanno dopo e formano una sola parola. L'infinito perde la *e* finale.

Esempio:
Non mi vuole offrire nemmeno un caffè.
Non vuole offrirmi nemmeno un caffè.

Anche a me/Neanche a me

Uso anche a me quando voglio esprimere accordo, la stessa idea.
Anche a me si usa dopo una frase positiva.

Esempio:
- Marco mi sembra simpatico. • Anche a me.

Uso neanche a me quando voglio esprimere accordo, la stessa idea.
Neanche a me si usa dopo una frase negativa.

Esempio:
- Marco non mi sembra simpatico. • Neanche a me.

A me sì/A me no

Uso a me sì quando voglio esprimere disaccordo, una diversa idea.
Uso a me sì come risposta dopo frasi negative. Per sottolineare la differenza di opinione posso utilizzare *invece*.

Esempio:
- Luisa e Maria non mi sembrano gentili. • A me (invece) sì.

Uso a me no quando voglio esprimere disaccordo, una diversa idea.
Uso a me no come risposta dopo frasi positive. Per sottolineare la differenza di opinione posso utilizzare *invece*.

Esempio:
- Luisa e Maria mi sembrano gentili. • A me (invece) no.

Funzioni

1. Scegli l'opzione adatta

A.
- Io sono single, e tu?
- Io sono sposo/Io mi sono sposo/Io sono sposato.

B.
- Vai d'accordo con la tua ragazza?
- Non molto, divorziamo/ci innamoriamo/litighiamo spesso.

C.
- Massimo, da quanto tempo stai con Michela?
- Siamo fidanzati/Sono fidanzato/Ci siamo fidanzati dall'anno scorso.

D.
- Ho vinto 100.000 euro alla lotteria!
- Che rabbia!/Che peccato!/Favoloso!

E.
- Mi dispiace ma non posso partire con voi quest'estate.
- Che peccato!/Congratulazioni!/Favoloso!

/5

Grammatica

2. Inserisci gli aggettivi possessivi dati. Attenzione: ci sono due aggettivi in più!

la mia - i loro - il mio - i suoi - mia - il tuo - le vostre - la tua - tuo - il suo

1. Ciao Franco! Ti presento Luisa, ... fidanzata.
2. Quando arrivano .... amiche? Siamo già in ritardo!
3. Cecilia, mi dai .... ricetta per il pesto?
4. Scusa, non mi ricordo come si chiama .... fratello.
5. Marta e Maria hanno detto che .... genitori non sono in casa questo fine settimana.
6. Matteo ama gli animali. .... cane si chiama Raoul.
7. .... sorella Silvia ha 23 anni.
8. Laura non mi ha ancora presentato .... genitori.

/8

3. Completa le frasi con il futuro semplice.

Fra tre anni...

1. Io (*finire*) .... l'università.
2. Una volta che hai un buon lavoro (*essere*) .... indipendente.
3. Io e la mia ragazza (*affittare*) .... una casa in città.
4. Jack (*parlare*) .... perfettamente l'italiano.

5. Noi (*comprare*) .... una macchina nuova.
6. I genitori di Laura (*andare*) .... in pensione.
7. Mio figlio (*cominciare*) .... ad andare a scuola e mia moglie (*avere*) .... più tempo a disposizione la mattina.

/8

4. **Inserisci il pronome indiretto corretto.**

1. Maria, ... piace questa canzone?
2. Ragazzi, come .... sembra questo locale?
3. Marco non viene in discoteca perché non .... piace ballare.
4. Professore, ... dispiace ripetere, per favore?
5. Ho comprato un libro che .... sembra molto interessante.
6. Diana mangia solo formaggi e verdure perché non .... piace la carne.
7. Ho incontrato Alessandro e Mike e .... ho chiesto di prestarmi la loro macchina.

/7

5. **Completa le frasi con le parole della lista.**

ma - all'inizio - poi - o - perché

Nella mia università è obbligatorio studiare una lingua straniera. Gli studenti possono scegliere lo spagnolo (1).................................. l'italiano. Anche se lo spagnolo ha maggiore diffusione, io ho deciso di parlare l'italiano (2).................................. mi è sempre piaciuto. (3).................................. è stato difficile soprattutto per la grammatica, (4).................................. io ho continuato a frequentare il corso con impegno. (5).................................. dopo qualche settimana di studio ho cominciato a comunicare e adesso parlo l'italiano discretamente.

/5

Vocabolario

6. **Scrivi altri 7 aggettivi per descrivere una persona...**

gli occhi	i capelli	il carattere
1. castani	1. lunghi	1.
2.	2.	2.
3.	3.	3.

/7

Punteggio Totale /40

Prendiamo il treno!

Entriamo in tema

1. Conosci i treni italiani? Lavora con un compagno e abbina il treno alle sue caratteristiche principali. Poi controlla con la classe e con l'insegnante.

1. Intercity	a. Collega piccole città di una stessa regione. Effettua tutte le fermate.
2. Eurostar	b. Collega città lontane di regioni diverse.
3. Locale	c. Collega le principali città italiane. Effettua le fermate principali.
4. Diretto	d. Treno ad alta velocità.
5. Interregionale	e. Collega città vicine di regioni diverse.

Comunichiamo

2. Ascolta il dialogo e indica se le affermazioni sono vere o false.

	Vero	Falso
1. I ragazzi vogliono fare un giro in provincia di Siena.	☐	☐
2. Vogliono stare fuori tutto il fine settimana.	☐	☐
3. Tom vuole prendere la macchina.	☐	☐
4. Non ci sono treni per Asciano.	☐	☐
5. I ragazzi vanno alla stazione e si informano sugli orari dei treni.	☐	☐

3. Ascolta di nuovo il dialogo e segna sulla cartina i posti che vogliono visitare i ragazzi.

23

4. Ascolta ancora il dialogo e leggi il testo. Controlla le risposte delle attività 2 e 3.

Marco: Tom, andiamo a fare un giro fuori Siena questo fine settimana?
Tom: Mi dispiace ma non posso, devo studiare. Lunedì c'è il test di italiano e non ho ancora fatto niente.
Marco: Ma dai... partiamo sabato mattina e torniamo la sera. Domenica hai tutto il tempo per studiare!
Tom: Mmh... Va bene, d'accordo. Dove andiamo?
Marco: Io vorrei visitare un po' la provincia di Siena. Possiamo scendere a sud e visitare Asciano. So che c'è una bella Abbazia. Poi possiamo passare da Chianciano e pranzare lì.
Tom: A Chianciano ci sono le terme, vero?
Marco: Sì, infatti. Dopo pranzo... possiamo risalire e passare da Pienza, e se facciamo in tempo possiamo fare un salto a Montalcino. Così compriamo anche due bottiglie di Brunello.
Tom: Ok, per me va bene. Ma come ci muoviamo? Io non ho la macchina. Prendi la tua?
Marco: Ma no, prendiamo il treno!
Tom: Il treno? In Italia? Ma nessuno che conosco prende il treno! Tutti dicono che i treni sono lenti, sporchi e sempre in ritardo!
Marco: Beh, non è sempre così. Per me il treno è un ottimo mezzo di trasporto: posso rilassarmi, lavorare al computer o leggere un libro... Non c'è nessun pericolo anche se piove o fa brutto tempo. E poi arrivo direttamente nel centro delle città. Non ho lo stress di guidare la macchina e non devo pagare niente per il parcheggio. E poi sul treno possiamo portare anche le bici!
Tom: Ma per andare ad Asciano c'è un treno?
Marco: Certo! In Italia ci sono sia gli Eurostar che collegano le grandi città, sia i treni locali che collegano i piccoli centri.
Tom: Va bene, d'accordo! Senti, andiamo alla stazione e ci informiamo sugli orari?
Marco: Ma no! Troviamo tutte le informazioni sul sito internet.

UFFICIO INFORMAZIONI

Pienza e Montalcino sono paesi della Val D'Orcia, in provincia di Siena. L'Unesco ha riconosciuto la Val D'Orcia patrimonio dell'umanità per le sue bellezze artistiche e paesaggistiche.

5. Rileggi le prime otto battute del dialogo e trova le espressioni usate per...

invitare qualcuno	accettare un invito	rifiutare un invito
....	....	....

Controlla le tue risposte con la classe e con l'insegnante.

6. Nella lista ci sono altre espressioni per invitare e accettare o rifiutare. Inseriscile nella tabella.

Con piacere - Ti va un caffè? - Buona idea! - No, non mi va molto
Che ne dici di uscire un po'? - Certo - Volentieri - Perché non andiamo a teatro?
Grazie, ma preferisco di no - Vuoi giocare a calcio? - No, grazie lo stesso

invitare	accettare	rifiutare
Andiamo a fare un giro?	Va bene, d'accordo.	Mi dispiace ma non posso.
....	....	....
....	....	....
....	....	....
....	....	....

7. Fai dei dialoghi con un compagno con le espressioni della tabella. A turno scambiatevi i ruoli. Nei dialoghi 2 e 6 lo studente A insiste.

A.	B.
Invita un tuo amico/una tua amica a...	
1. mangiare una pizza.	rifiuti, devi cenare con i tuoi.
2. fare un giro in centro.	rifiuti, vuoi andare in palestra; accetti.
3. prendere una birra.	accetti.
4. fare un po' di footing.	rifiuti, sei stanco.
5. studiare in biblioteca.	accetti.
6. vedere la mostra di Caravaggio.	rifiuti, non hai soldi; accetti.

Facciamo grammatica

Osserva!

- ...non ho ancora fatto **niente**.
- Ma **nessuno** che conosco prende il treno!
- Non c'è **nessun** pericolo anche se piove o fa brutto tempo.
- ...non devo pagare **niente** per il parcheggio.

8. Scrivi la regola.

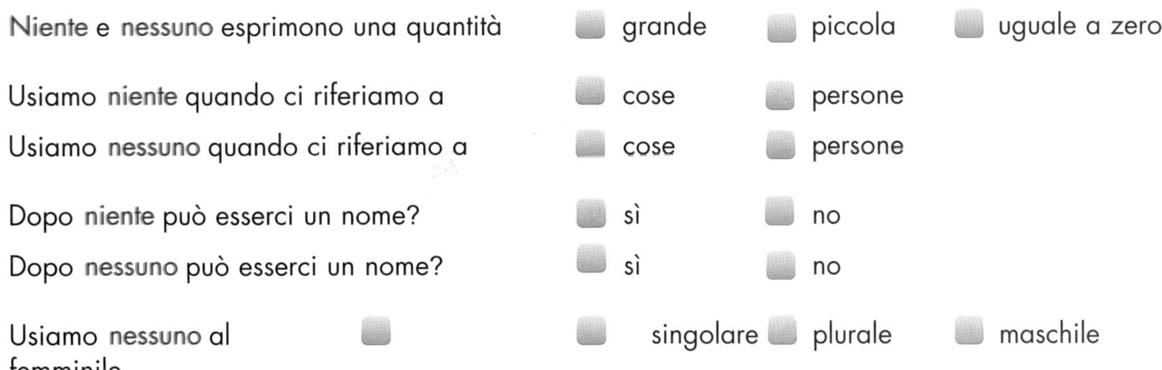

Niente e **nessuno** esprimono una quantità ☐ grande ☐ piccola ☐ uguale a zero

Usiamo **niente** quando ci riferiamo a ☐ cose ☐ persone

Usiamo **nessuno** quando ci riferiamo a ☐ cose ☐ persone

Dopo **niente** può esserci un nome? ☐ sì ☐ no

Dopo **nessuno** può esserci un nome? ☐ sì ☐ no

Usiamo **nessuno** al ☐ ☐ singolare ☐ plurale ☐ maschile femminile

Usiamo nessuno e niente in frasi affermative e negative. Qual è nei due casi la costruzione della frase?

Frase affermativa: .... + ...
Frase negativa: .... + ... + ...

Attenzione!

Quando dopo c'è un nome maschile nessuno segue la regola dell'articolo indeterminativo: nessun pericolo; nessuno spazio; nessuno zaino.

Niente è invariabile.

9. Completa con *nessuno* o *niente*.

1. Marco è arrivato in tempo: il treno non ha avuto .... ritardo.
2. .... dice che le ferrovie italiane sono perfette. Ma è falso anche dire che non funziona ....
3. Per me .... regione italiana è brutta. Ma la Toscana ha qualcosa in più delle altre.
4. Mi dispiace ma non c'è più .... posto a sedere su questo treno.
5. Non preoccuparti se non puoi venire. Non fa ....
6. Le ferrovie italiane non hanno .... da invidiare alle altre ferrovie d'Europa.

Impariamo le parole - Mezzi di trasporto

10. Scrivi i nomi della lista sotto le immagini.

treno - bici - macchina - metropolitana - autobus
nave - aereo - pullman - elicottero - moto

1. .... 2. .... 3. .... 4. .... 5. ....

6. .... 7. .... 8. .... 9. .... 10. ....

11. Forma le frasi possibili.

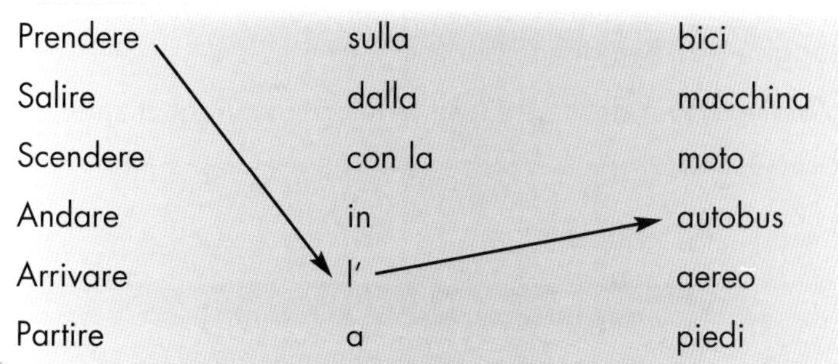

Prendere	sulla	bici
Salire	dalla	macchina
Scendere	con la	moto
Andare	in	autobus
Arrivare	l'	aereo
Partire	a	piedi

Comunichiamo

12. Ascolta il dialogo alla biglietteria della stazione e completa la tabella sul treno che prende il viaggiatore.

tipo di treno	
destinazione	
orario di partenza	
binario di partenza	
costo del biglietto	

13. Metti in ordine il dialogo tra un viaggiatore e un impiegato della biglietteria alla stazione. Poi ascolta nuovamente il dialogo e controlla.

- [ ] ● a. Il primo treno parte alle 18.55. È un Eurostar.
- [ ] ● b. Perfetto. Allora un biglietto di seconda classe, per favore.
- [1] ● c. Buongiorno. Senta, quando parte il primo treno per Roma?
- [ ] ● d. Prima o seconda classe?
- [ ] ● e. Grazie. Ah, scusi, da quale binario parte il treno?
- [ ] ● f. Seconda.
- [ ] ● g. Parte dal terzo binario. Buon viaggio!
- [ ] ● h. Ho capito. Quanto viene il biglietto?
- [ ] ● i. Il biglietto di seconda classe viene 15 euro.
- [ ] ● l. Ecco il biglietto.

14. Quali sono le espressioni utilizzate per...

1. Chiedere l'orario di partenza ....
2. Chiedere informazioni sul prezzo del biglietto ....
3. Dare informazioni sul prezzo del biglietto ....
4. Chiedere da dove parte il treno ....

15. Fai i dialoghi.

A. Sei alla stazione di Siena e vuoi prendere un treno per Napoli. Chiedi informazioni su orari, prezzi, durata del viaggio, stazione di cambio ecc.

B. Sei l'impiegato della biglietteria e devi dare tutte le informazioni al cliente.

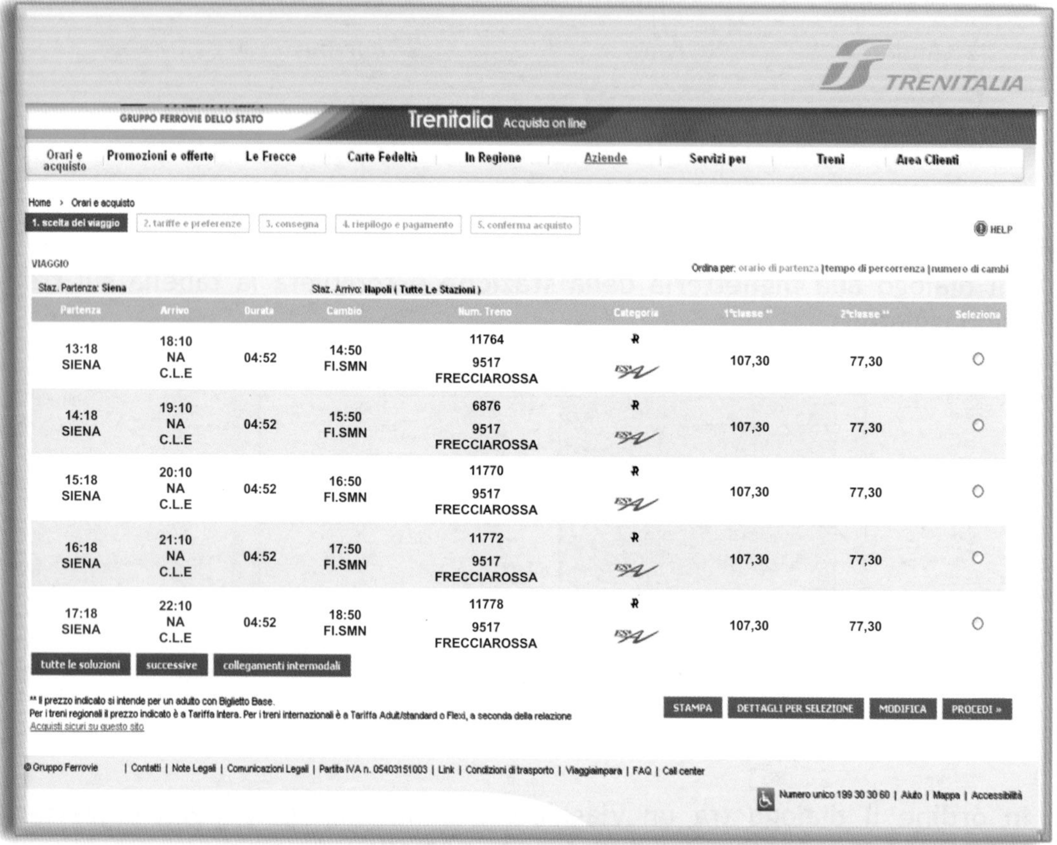

TRENITALIA

GRUPPO FERROVIE DELLO STATO — Trenitalia Acquista on line

Orari e acquisto | Promozioni e offerte | Le Frecce | Carte Fedeltà | In Regione | Aziende | Servizi per | Treni | Area Clienti

Home › Orari e acquisto

1. scelta del viaggio | 2. tariffe e preferenze | 3. consegna | 4. riepilogo e pagamento | 5. conferma acquisto — HELP

VIAGGIO — Ordina per: orario di partenza | tempo di percorrenza | numero di cambi

Staz. Partenza: Siena — Staz. Arrivo: Napoli (Tutte Le Stazioni)

Partenza	Arrivo	Durata	Cambio	Num. Treno	Categoria	1°classe **	2°classe **	Seleziona
13:18 SIENA	18:10 NA C.L.E	04:52	14:50 FI.SMN	11764 9517 FRECCIAROSSA	R	107,30	77,30	○
14:18 SIENA	19:10 NA C.L.E	04:52	15:50 FI.SMN	6876 9517 FRECCIAROSSA	R	107,30	77,30	○
15:18 SIENA	20:10 NA C.L.E	04:52	16:50 FI.SMN	11770 9517 FRECCIAROSSA	R	107,30	77,30	○
16:18 SIENA	21:10 NA C.L.E	04:52	17:50 FI.SMN	11772 9517 FRECCIAROSSA	R	107,30	77,30	○
17:18 SIENA	22:10 NA C.L.E	04:52	18:50 FI.SMN	11778 9517 FRECCIAROSSA	R	107,30	77,30	○

tutte le soluzioni | successive | collegamenti intermodali

** Il prezzo indicato si intende per un adulto con Biglietto Base.
Per i treni regionali il prezzo indicato è a Tariffa Intera. Per i treni internazionali è a Tariffa Adult/standard o Flexi, a seconda della relazione
Acquisti sicuri su questo sito

STAMPA | DETTAGLI PER SELEZIONE | MODIFICA | PROCEDI »

© Gruppo Ferrovie | Contatti | Note Legali | Comunicazioni Legali | Partita IVA n. 05403151003 | Link | Condizioni di trasporto | Viaggiaimpara | FAQ | Call center

Numero unico 199 30 30 60 | Aiuto | Mappa | Accessibilità

Impariamo le parole - Alla stazione

16. Con un compagno osservate la foto e scrivete nella tabella quante più parole conoscete.

verbi	nomi	aggettivi

17. Dove puoi sentire queste frasi?

	Alla stazione	Sul treno	In biglietteria
1. Biglietti, prego.			
2. La cuccetta comfort viene 25 euro.			
3. Un Intercity per Roma con posto prenotato, per favore.			
4. Purtroppo portiamo un ritardo di 20 minuti.			
5. Il treno Eurostar 254 per Bologna è in partenza dal binario 6.			
6. Se vuole Le posso prenotare un posto in cuccetta.			
7. Treno in arrivo al binario 1, allontanarsi dalla linea gialla.			
8. Si pregano i signori viaggiatori di abbassare il volume delle suonerie dei telefoni cellulari.			
9. È aperto nella carrozza 10 il servizio ristorante.			
10. Attenzione! È vietato attraversare i binari.			

Entriamo in tema

- Ricordi un viaggio particolarmente interessante che hai fatto?
- Con chi sei partito/a? Dove sei stato/a? Cosa hai visto?
- Quanto tempo è durato il viaggio?
- Quali mezzi di trasporto hai usato?

Comunichiamo

18. Ascolta il dialogo e rispondi alle domande.

1. Quali posti hanno visitato Carla e Pietro?

   ....

2. Cosa facevano la mattina?

   ....

3. Dove hanno dormito?

   ....

4. Con quali mezzi di trasporto andavano in giro?

   ....

5. Come era il tempo?

   ....

19. Ascolta di nuovo il dialogo e leggi il testo. Controlla le risposte dell'attività 18.

Lorenza: Allora Carla, come è andato il viaggio in Toscana? Racconta.
Carla: Benissimo. Io e Pietro abbiamo visitato le città più famose: Firenze, Siena, Pisa, Lucca, Arezzo.
Lorenza: Bello! Quanti giorni siete rimasti in Toscana?
Carla: Sette giorni.
Lorenza: E cosa facevate durante il giorno?
Carla: Allora, generalmente ci alzavamo verso le otto, dopo la colazione uscivamo dall'hotel e la mattina visitavamo una chiesa o un museo. Il pomeriggio invece andavamo in giro, ma senza un obiettivo preciso. Guardavamo le piazze, facevamo spese, prendevamo un caffè al bar.

Lorenza: Avete dormito sempre nello stesso hotel?
Carla: No, abbiamo dormito tre sere a Firenze, due sere a Siena e due sere a Pisa.
Lorenza: Senti, con quali mezzi andavate in giro? Avevate la macchina?
Carla: No, di solito prendevamo il treno: in Toscana ci sono stazioni in quasi tutti i piccoli centri. Così vedevamo anche lo splendido paesaggio della campagna toscana. Una volta c'è stato lo sciopero e allora siamo andati in giro con i pullman e gli autobus.
Lorenza: Insomma, hai fatto una bella vacanza.
Carla: Sì, bellissima. Abbiamo visto dei posti meravigliosi, abbiamo mangiato molto bene e non abbiamo speso molti soldi. Anche il tempo era bello, perfetto per andare in giro a piedi.

UFFICIO INFORMAZIONI

Una delle stazioni più famose di Italia è la stazione di Milano Centrale progettata negli anni Trenta sul modello della Union Station di Washington. La stazione ha uno stile architettonico misto, principalmente liberty. Molti ambienti hanno un'architettura simile a quella romana.

Facciamo grammatica

20. Nel dialogo ci sono alcuni verbi al tempo imperfetto. Leggi di nuovo il dialogo e con un compagno prova a completare la tabella. Poi confronta con tutta la classe e l'insegnante.

soggetto	imperfetto	infinito
voi	facevate	fare
		alzarsi
		uscire
noi		
	andavamo	
		guardare
noi		
	prendevamo	
voi	andavate	
		avere
		prendere
		vedere
	era	

21. Completa la tabella con la coniugazione regolare dell'imperfetto.

	visitare	prendere	uscire
io	visitavo	prendevo	uscivo
tu		prendevi	
lui/lei/Lei	visitava		
noi			uscivamo
voi		prendevate	
loro	visitavano		

22. Scrivi la regola sulla differenza di uso dell'imperfetto e del passato prossimo.

L'imperfetto si usa...
quando voglio indicare un'azione conclusa nel passato.
quando voglio indicare un'azione abituale nel passato.

Il passato prossimo si usa...
quando voglio indicare un'azione conclusa nel passato.
quando voglio indicare un'azione abituale nel passato.

23. Scrivi 6 domande da fare ai tuoi compagni di classe sulla loro vita durante lo scorso anno, come nell'esempio. Se vuoi puoi fare domande su studio, lavoro, abitudini, viaggi, sport, tempo libero ecc.

Quali lezioni frequentavi l'anno scorso?

....

....

....

....

....

....

24. Completa il testo con i verbi all'imperfetto.

Mike mi ha raccontato che quando (essere) (1)........................ in Italia (frequentare) (2)........................ un corso di italiano. (Andare) (3)........................ a lezione ogni mattina dalle 9 alle 12. Dopo le lezioni Mike e i suoi compagni di corso (pranzare) (4)........................ insieme alla mensa e (studiare) (5)........................ un po' in biblioteca. Quando (finire) (6)........................ di studiare, se non c'era altro da fare, Mike (prendere) (7)........................ l'autobus, (tornare) (8)........................ a casa e (parlare) (9)........................ un po' con i suoi compagni di casa italiani. (Uscire) (10)........................ quasi ogni sera dopo cena e qualche volta (cenare) (11)........................ fuori. Il fine settimana Mike e i suoi compagni (avere) (12)........................ più tempo libero perché non (esserci) (13)........................ il corso: spesso (decidere) (14)........................ di visitare una città italiana o una capitale europea. Mike mi ha detto che per viaggiare in Italia lui e i suoi amici (prendere) (15)........................ sempre il treno perché (essere) (16)........................ il mezzo di trasporto più comodo ed economico.

Conosciamo gli italiani

25. Leggi il testo. Vero o falso?

Frecciarossa. L'eccellenza italiana al servizio del Paese

L'offerta

Milano - Roma - Milano: 68 collegamenti giornalieri. Tempo di percorrenza: 2 ore e 45 minuti.
Milano - Napoli - Milano: 35 collegamenti giornalieri. Tempo di percorrenza: 4 ore e 10 minuti.
Torino - Roma - Torino: 14 collegamenti giornalieri. Tempo di percorrenza: 4 ore e 10 minuti.
Bologna - Firenze - Bologna: 44 collegamenti giornalieri cui si aggiungono 30 collegamenti effettuati con treni Frecciargento. Tempo di percorrenza: 37 minuti.
Roma - Napoli - Roma: 38 collegamenti giornalieri. Tempo di percorrenza: 1 ora e 10 minuti.

Informazioni e acquisto biglietti

Da casa sul sito *www.trenitalia.it*; tramite Call Center (numero a pagamento) con il servizio *Trenitalia Mobile* accessibile dal cellulare; in stazione o in agenzia.

Assistenza in ogni momento del viaggio

in stazione: desk dedicati per informazioni e cambio prenotazione veloce; monitor lungo i binari che segnalano il numero della vettura (un modo facile e utile per trovare subito il proprio posto); per chi viaggia in prima classe ed è in possesso della CARTAFRECCIA Oro o Platino, inoltre, accesso ai Freccia Club Eurostar e possibilità di utilizzare i *totem self service* per effettuare il cambio prenotazione veloce e tanti altri servizi esclusivi;

in treno: personale di bordo a vostra disposizione per informazione sulla circolazione e sui treni in coincidenza nelle stazioni di arrivo.

Comodità e convenienza

in stazione: percorsi guidati per trovare subito il binario da cui parte il vostro treno e monitor con informazioni sulla circolazione dei treni;
in treno: poltrone comode e prese elettriche al posto per lavorare con il computer o per guardare un film, ascoltare musica. Ai viaggiatori di prima classe degli Eurostar Alta Velocità Frecciarossa è offerto un aperitivo di benvenuto con prodotti di alta qualità e, al mattino, un quotidiano. Su tutti i treni Alta Velocità, inoltre, è disponibile un servizio di bar e ristorante nella speciale carrozza risto-bar; i viaggiatori hanno a disposizione, su alcune tratte, un servizio di accesso internet WiFi e una piena copertura telefonica.
all'arrivo: nel cuore delle città, collegamenti con la rete ferroviaria regionale e con altri mezzi di trasporto. A Roma e Milano, i clienti di prima classe potranno beneficiare anche dei servizi di noleggio dedicati ai clienti Alta Velocità.

Adattato da www.trenitalia.com

	Vero	Falso
1. I treni Frecciarossa collegano tutta l'Italia.		
2. È possibile comprare i biglietti chiamando il Call Center.		
3. È possibile avere informazioni sia in stazione che sul treno.		
4. Si offre a tutti i viaggiatori un aperitivo di benvenuto in treno.		
5. Su tutti i treni c'è un servizio ristorante.		
6. Può collegarsi a Internet soltanto chi viaggia in prima classe.		

Parliamo un po'...

- Quali sono secondo te i vantaggi e gli svantaggi del treno in Italia?
- Hai mai preso il treno in Italia? Come ti è sembrato?
- Nel tuo Paese prendi il treno?
- Quali sono le differenze tra i treni del tuo Paese e i treni italiani?
- È utile investire denaro su questo mezzo di trasporto?
- ...

Si dice così!

Ecco alcune espressioni utili per...

Invitare qualcuno	Che ne dici di uscire un po'? Perché non usciamo un po'? Andiamo a fare un giro?
Accettare	Va bene! D'accordo! Con piacere! Buona idea! Sì, volentieri.
Rifiutare	Mi dispiace ma non posso. Veramente non mi va molto. Grazie, ma preferisco di no.
Chiedere informazioni su orari e percorsi dei treni	A che ora parte? A che ora arriva? Da che binario parte? Dove devo cambiare?
Chiedere informazioni sul prezzo del biglietto	Quanto viene il biglietto di seconda classe?
Comprare un biglietto	Un Intercity per Roma con posto a sedere prenotato, per favore.

Sintesi grammaticale

- **Indefiniti negativi *nessuno* e *niente***

Nessuno e niente esprimono una quantità uguale a zero.

Usiamo nessuno soltanto al singolare con riferimento a persone e a cose. Può essere maschile e femminile.

Nessuno può essere un aggettivo, quando dopo c'è un nome.

Esempio:
Quest'anno non ho fatto nessun viaggio.

Nessuno può essere un pronome quando dopo non c'è un nome.

Esempio:
Nessuno va alla stazione di notte, non è sicuro.

Quando dopo c'è un nome maschile nessuno segue la regola dell'articolo indeterminativo:
nessun pericolo; nessuno spazio; nessuno zaino.

Niente si usa soltanto al singolare con riferimento a cose. Non cambia al maschile e al femminile.

Esempio:
Non ho niente da dire.

Un sinonimo di niente è nulla.

Usiamo nessuno e niente principalmente in frasi negative. Quando si usano in frasi negative devono andare *dopo* il verbo, quando si usano in frasi affermative vanno *prima* del verbo.

Esempi:
Non ho ancora fatto niente.
Non c'è nessun pericolo anche se piove o fa brutto tempo.

Niente è comodo quanto viaggiare in aereo.
Nessuno che conosco prende il treno!

L'imperfetto

L'imperfetto si usa principalmente per indicare azioni abituali nel passato. È possibile usare espressioni che sottolineano la ripetizione dell'azione.

Esempio:
Generalmente ci alzavamo verso le otto uscivamo dall'hotel verso le nove e la mattina visitavamo una chiesa, o un museo.

Per i verbi regolari l'imperfetto si forma dalla radice dell'infinito.

	VISITARE	PRENDERE	USCIRE
io	visitavo	prendevo	uscivo
tu	visitavi	prendevi	uscivi
lui/lei/Lei	visitava	prendeva	usciva
noi	visitavamo	prendevamo	uscivamo
voi	visitavate	prendevate	uscivate
loro	visitavano	prendevano	uscivano

Ecco la coniugazione di tre verbi irregolari.

	FARE	ESSERE	DIRE
io	facevo	ero	dicevo
tu	facevi	eri	dicevo
lui/lei/Lei	faceva	era	diceva
noi	facevamo	eravamo	dicevamo
voi	facevate	eravate	dicevate
loro	facevano	erano	dicevano

Scheda di autovalutazione 6

1. Scrivi almeno un'espressione per...

- Chiedere informazioni sul fisico e il carattere di una persona: ....

....

- Esprimere un'opinione su qualcuno: ....
- Esprimere accordo rispetto a quanto detto da un'altra persona: ....
- Invitare qualcuno: ....
- Accettare un invito: ....
- Rifiutare un invito: ....
- Parlare di azioni passate abituali: ....

....

2. Quali sono le parole che vuoi ricordare delle unità 10 e 11? Prova a scrivere anche aggettivi, nomi, verbi, avverbi collegati alle parole che vuoi ricordare.

1. ....
2. ....
3. ....
4. ....
5. ....
6. ....
7. ....
8. ....

3. Conosci altre parole sul tema dell'unità? Se sì, quali? E dove hai sentito o hai letto queste parole?

PAROLE NUOVE	tv	radio	internet	per strada	giornali	altri compagni	altro, specificare

4. **Rispetto all'inizio del corso, come valuti la competenza che hai acquisito in queste abilità?**

	molto buona	buona	soddisfacente	insoddisfacente
parlare				
ascoltare				
leggere				
scrivere				

5. **Rispetto all'inizio del corso, pensi di aver migliorato la conoscenza della cultura italiana?**

- molto
- abbastanza
- poco
- per niente

6. **Vuoi continuare a studiare l'italiano?**

Sì, perché ....

....

....

No, perché ....

....

....

Alleghe, Belluno

Unità 12

Ti vesti alla moda?

Entriamo in tema

- Che tipo di abbigliamento preferisci? Sportivo o elegante?
- Quanta importanza dai all'abbigliamento?
- Quali stilisti italiani conosci?
- Ti piace la moda italiana?
- Hai un capo di abbigliamento italiano?
- Qual è il capo di abbigliamento che ti piace di più?

Comunichiamo

1. Ascolta il dialogo che si svolge in un negozio di abbigliamento e indica se le affermazioni che seguono sono vere o false.

	Vero	Falso
1. Marco compra i pantaloni grigi.		
2. I pantaloni grigi sono un po' larghi.		
3. Marco porta una taglia media.		
4. Marco compra una camicia a righe.		
5. Marco ottiene uno sconto.		

2. Ascolta di nuovo il dialogo e leggi il testo. Controlla le risposte dell'attività 1.

Marco: Allora Marta, secondo te sono più belli questi pantaloni neri qui o quei pantaloni marroni in vetrina?
Marta: Secondo me questi neri, sono molto eleganti. Ma anche quelli grigi in vetrina sono belli. Dai, provali tutti e due!
Marco: Va bene.
dopo la prova
Marco: Allora, che ne dici di questi grigi? Vanno bene?
Marta: Mah... Sono un po' larghi di vita, forse quelli neri ti stanno meglio.
Marco: Allora, ti piacciono?
Marta: Beh sì, ti stanno molto bene.
Marco: Ok, allora prendo questi neri. Senti, mi serve anche un maglione. Che ne dici di questo giallo a righe?
Marta: Marco, quel giallo è orribile... Questo qui rosso è molto meglio. Tu che taglia porti?
Marco: La media.
Marta: Vediamo... Ecco, prova questo.
dopo la prova
Marco: Va bene?
Marta: Sì, è perfetto.
Marco: Allora lo prendo?
Marta: Sì, prendilo.
alla cassa
cassiera: Allora, i pantaloni vengono 95 euro, il maglione 80. In tutto sono 175 euro.
Marco: Mi fa un piccolo sconto, per favore?
cassiera: Mmh... va bene: facciamo 160 euro.
Marco: La ringrazio.
cassiera: Prego. Ecco i suoi vestiti. E qui c'è lo scontrino.

UFFICIO INFORMAZIONI

Generalmente gli italiani non chiedono lo sconto nei negozi, se non sono clienti abituali. In ogni caso chiedono lo sconto gentilmente e senza insistere se il negoziante non lo fa. Quando compri qualcosa, non solo di abbigliamento, conserva sempre lo scontrino perché serve come garanzia e se devi cambiare il prodotto.

3. Leggi di nuovo il dialogo e trova le espressioni usate per...

chiedere e dire la taglia	chiedere e dire come sta qualcosa	chiedere e fare uno sconto	chiedere e dire un'opinione
....	....	....	....
....	....	....	....
....	....	....	....

4. Metti in ordine le battute della cliente.

Una ragazza entra in un negozio di abbigliamento per comprare una gonna e una camicetta.

Commessa

1. Buongiorno, posso aiutarLa? ☐
2. Certo signora. Che taglia porta? ☐
3. Ecco, questa è una 40. Il camerino è lì. ☐
4. Secondo me è perfetta. ☐
5. La prendo subito. Le piace? ☐
6. Sì, aspetti... Abbiamo questa rossa o questa gialla. ☐
7. Allora, la gonna viene 60 euro e la camicetta 45. In tutto sono 105 euro. ☐
8. No signora, mi dispiace. I prezzi sono già scontati. ☐

Cliente

a. Allora, come mi sta?
b. Mh... allora, prendo questa rossa. Quanto pago?
c. Sì, vorrei provare la gonna nera in vetrina.
d. Mi può fare un piccolo sconto?
e. Bene allora la prendo. Senta, vorrei vedere anche quella camicetta grigia.
f. Va bene, grazie lo stesso.
g. Sì, è molto bella. Avete anche altri colori?
h. Porto la 40.

5. Inventa un dialogo con un tuo compagno.

A. Entri in un negozio per fare spese. Devi comprare almeno tre capi di abbigliamento. Rispondi alle domande del commesso. Chiedi di provare i vestiti. Chiedi il prezzo. Chiedi un piccolo sconto. Paghi e saluti.

B. Chiedi al cliente la taglia, il colore, la misura dei capi di abbigliamento che vuole comprare. Rispondi alle sue richieste.

Impariamo le parole - Abbigliamento

6. Scrivi i nomi della lista sotto le immagini.

calze - pantaloni - cintura - camicia - giacca - cravatta - gonna - scarpe
maglietta - sciarpa - guanti - giubbotto - cappotto - maglione - stivali - cappello

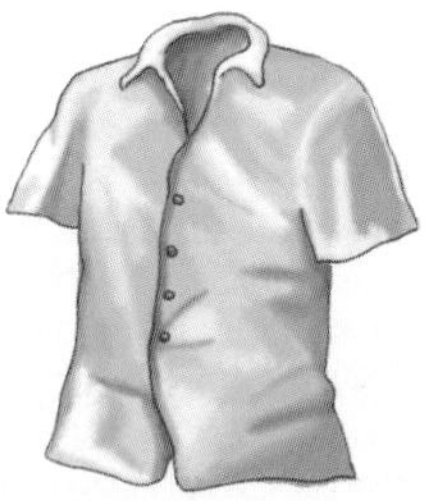
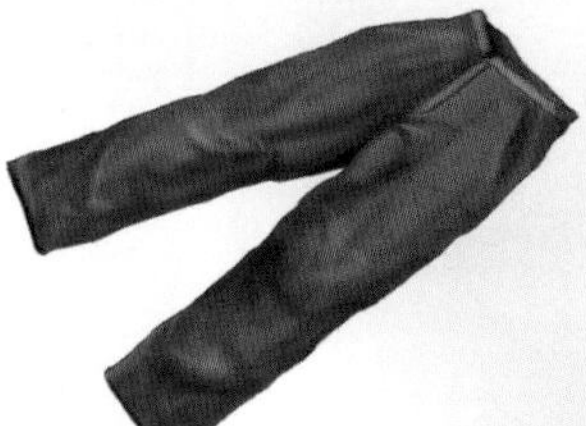
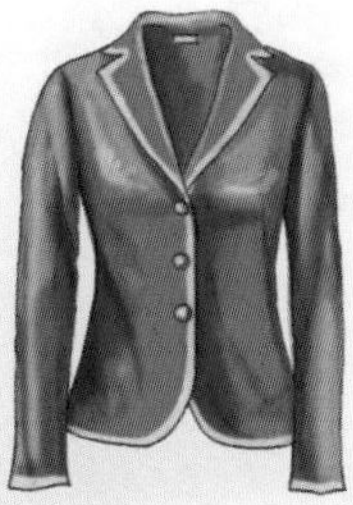
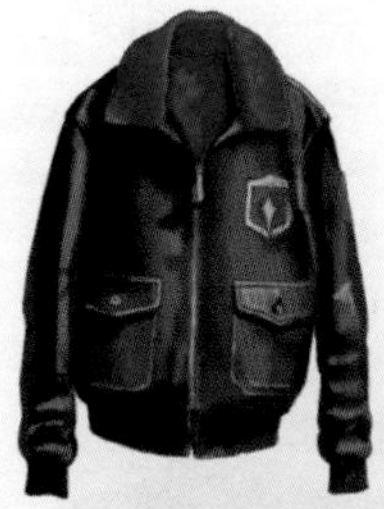

1. .... 2. .... 3. .... 4. ....

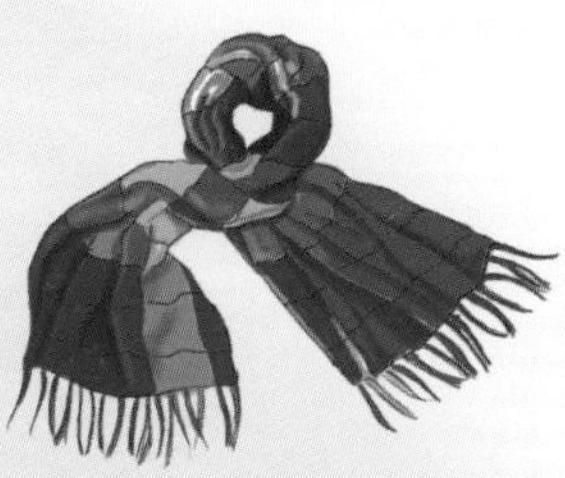
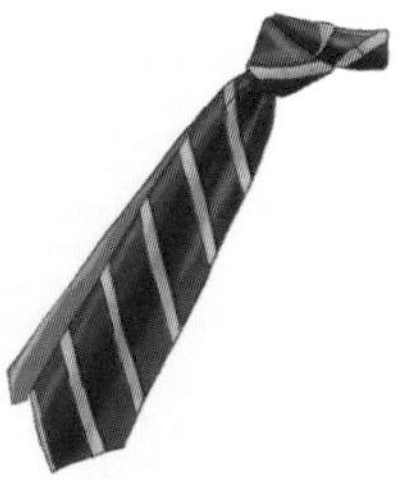
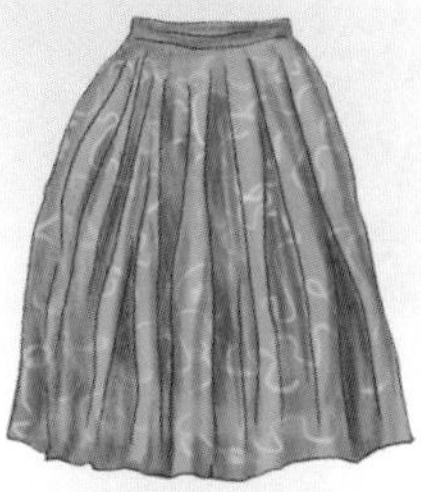
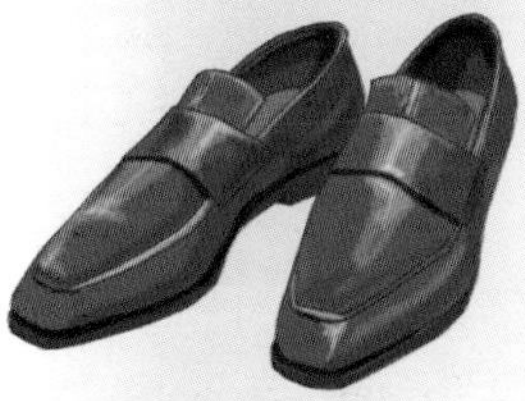

5. .... 6. .... 7. .... 8. ....

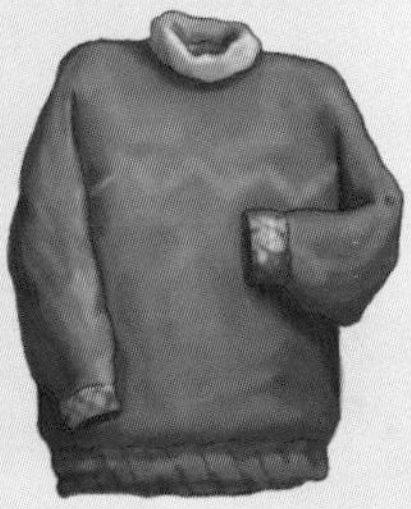
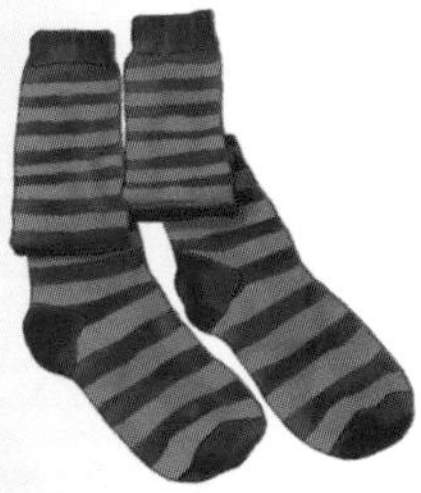
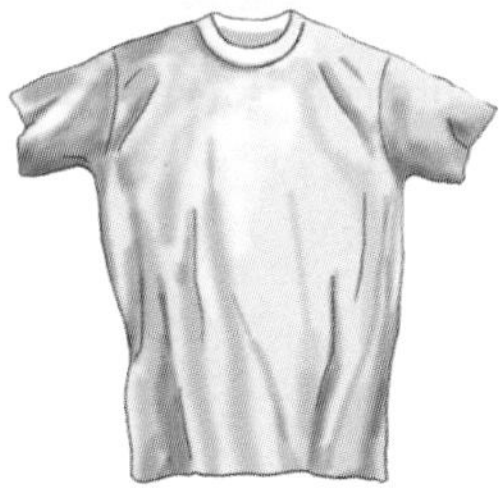
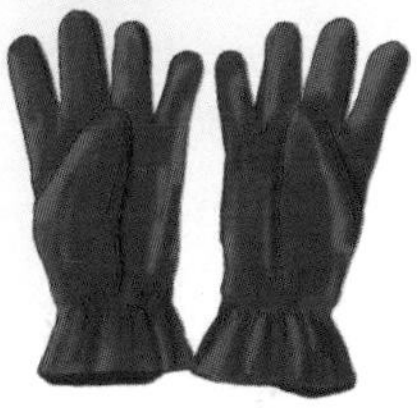

9. .... 10. .... 11. .... 12. ....

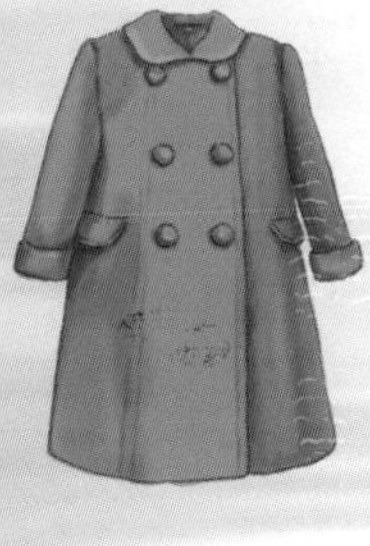
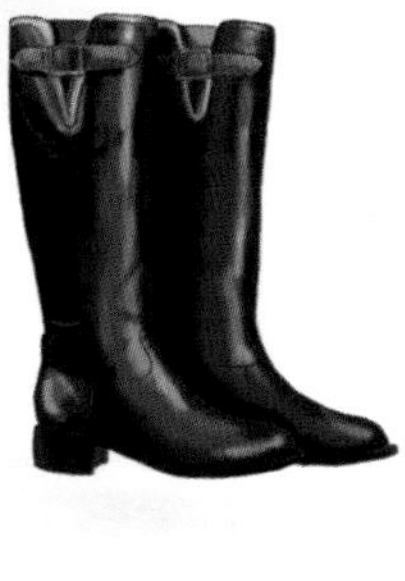
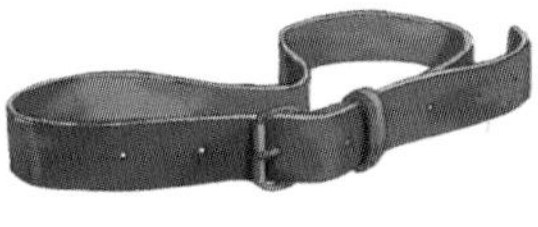
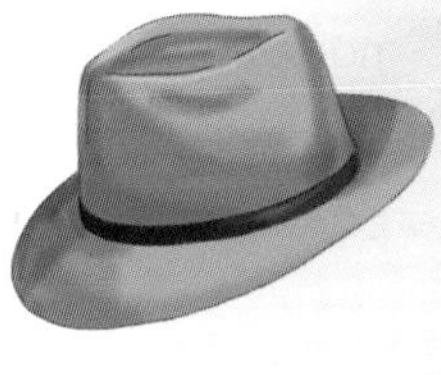

13. .... 14. .... 15. .... 16. ....

Attenzione!

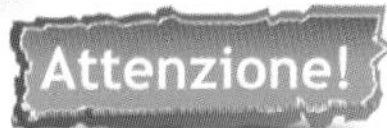

Due camicie, due magliette, due giacche.

ma...

Un paio di pantaloni, un paio di scarpe, un paio di calze, un paio di occhiali.

7. Abbina le espressioni date alle foto corrispondenti.

a quadri - a fiori - a pois - a tinta unita - a righe - a fantasia

A .... B .... C ....

D .... E .... F ....

UFFICIO INFORMAZIONI

Per i vestiti in generale si usa la parola **taglia**: *un vestito, una camicia, un paio di pantaloni taglia 38 (o piccola/media/grande)*. Si usa spesso anche la **lettera**: *porto **una S*** (= piccola, small); *porto **una M*** (= media, medium); *porto **una L*** (= grande, large); *porto **una XL*** (= molto grande, extra large). Per tutti i tipi di scarpe si usa la parola **numero**: *un paio di scarpe, di stivali numero 40.*

8. Osserva per due minuti i tuoi compagni e descrivi 2-3 capi di abbigliamento di uno di loro senza dire il nome, come nell'esempio. Gli altri devono provare a indovinare chi è.

- Ha una camicia a tinta unita e le calze blu.
- È Robert?
- Sì/no...

Facciamo grammatica

Osserva!

- Secondo te sono più belli questi pantaloni neri qui o quei pantaloni marroni in vetrina?
- Secondo me quelli neri. Ma anche quelli grigi in vetrina sono belli.

Le parole colorate in rosso servono a indicare qualcosa.

9. Scrivi la regola.

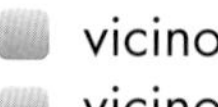

Usiamo questo per indicare qualcosa che, rispetto a chi parla, è ☐ vicino ☐ lontano

Usiamo quello per indicare qualcosa che, rispetto a chi parla, è ☐ vicino ☐ lontano

10. Completa le tabelle.

maschile singolare	femminile singolare	maschile plurale	femminile plurale
....	quest...	questi	....
....	....	quelli	quelle

Le forme di quello cambiano quando è seguito da un nome.

	maschile	femminile
singolare	il vestito .... vestito	la camicia .... camicia
	l'orologio quell'orologio lo zaino .... zaino	l'amica quell'amica
plurale	i pantaloni quei pantaloni	le borse .... borse
	gli stivali .... stivali gli ombrelli .... ombrelli	

11. Ripeti il dialogo e sostituisci i capi di abbigliamento e i colori. Se necessario cambia anche gli altri elementi della frase.

- Secondo te sono più belli questi pantaloni neri o quei pantaloni grigi in vetrina?
- Secondo me sono più belli questi neri. Ma anche quelli grigi in vetrina sono belli.

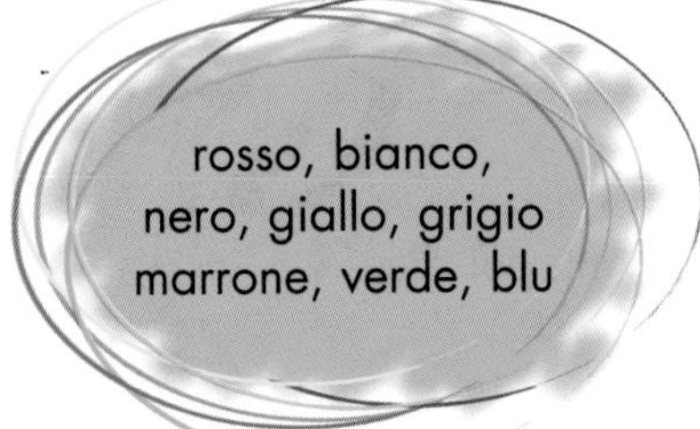

maglione, camicia,
maglietta, gonna, calze
giacca, scarpe, cintura

12. Completa con le forme corrette di *questo* e *quello*.

1. Questa camicia blu non mi piace, preferisco .... bianca.
2. Marco mi passi .... maglione, per favore?
3. Elena, sei elegantissima! .... scarpe sono splendide e anche .... gonna.
4. Mi piacciono molto le gonne, soprattutto .... lunghe di cotone.
5. Signorina, vorrei vedere .... stivali neri che sono in vetrina.
6. Senta, vorrei cambiare .... pantaloni neri con .... grigi dello stesso modello.

Entriamo in tema

- Che tipo di regali ti piace ricevere?
- Hai mai ricevuto un regalo inutile?
- Hai mai riciclato un regalo che ti hanno fatto?
- Sei bravo a fare i regali o compri sempre le stesse cose?
- Quando parlano di regali, gli italiani dicono "basta il pensiero". Sei d'accordo o di solito fai regali costosi?

Comunichiamo

27 **13. Ascolta il dialogo e rispondi alle domande.**

1. Perché Anna chiede un consiglio ad Elisa?

   ....

2. In che modo si veste Giulio?

   ....

3. Che cosa consiglia Elisa a Anna?

   ....

4. Perché Anna ha dei dubbi per comprare il bracciale?

   ....

5. Di che materiale dovrebbe essere il bracciale?

   ....

27 **14. Ascolta di nuovo il dialogo e leggi il testo. Controlla le risposte dell'attività 13.**

Anna: Elisa, ho bisogno di un consiglio.
Elisa: Dimmi tutto.
Anna: Domani è il compleanno di Giulio e devo ancora comprare il regalo.
Elisa: Hai già un'idea?
Anna: Mah, qualcosa di abbigliamento, non so esattamente...
Elisa: Regalagli una camicia.
Anna: No, ne ha già molte.
Elisa: Allora prendigli un paio di pantaloni.
Anna: No, i pantaloni vuole sempre provarli. Altrimenti poi dice che sono troppo larghi o troppo stretti...
Elisa: Una cravatta?
Anna: No, regalare una cravatta a Giulio non è una buona idea. Lo sai, si veste sempre molto classico e per le cravatte ha gusti difficili...
Elisa: Ho trovato, compragli un bracciale.
Anna: Beh, a me piacciono i bracciali da uomo, però non sono sicura... non ho molti soldi.
Elisa: Sta' tranquilla, un bracciale d'argento o d'acciaio costa meno di una cravatta o di una camicia.
Anna: Va bene... Ma dove lo compro?
Elisa: Vieni con me, ti accompagno io. Conosco una gioielleria qui vicino.

Impariamo le parole - Materiali, difetti, accessori e negozi

15. Dividi le parole della lista nella tabella.

seta - portachiavi - anello - acciaio - oro - borsa - stretto - corto - portafoglio
argento - bracciale - lungo - collana - pelle - largo - lana - orecchini - cotone

materiali	difetti dei capi d'abbigliamento	accessori d'abbigliamento

16. Dove posso comprare questi oggetti? Abbina gli oggetti ai negozi.

1. portafogli, cinture, portachiavi
2. bracciali, collane, orecchini, orologi
3. scarpe, stivali, sandali
4. quaderni, matite, penne
5. libri, guide turistiche, calendari, cd

a. calzature
b. pelletteria
c. gioielleria
d. libreria
e. cartoleria

17. Descrivi dettagliatamente l'abbigliamento di queste persone.

Facciamo grammatica

Osserva!

Nel dialogo di pagina 158 Elisa dà alcuni consigli ad Anna e usa il modo imperativo.

18. Leggi di nuovo il dialogo a pagina 158 e scrivi accanto all'infinito la forma dell'imperativo che usa Elisa.

1. Dire a me ....
2. Regalare a lui ....
3. Prendere a lui ....
4. Comprare a lui ....
5. Stare ....
6. Venire ....

19. Scrivi la regola.

L'imperativo informale dei verbi in -are finisce in ....

L'imperativo informale dei verbi in -ere finisce in ....

L'imperativo informale dei verbi in -ire finisce in ....

Qual è la posizione dei pronomi con l'imperativo informale?

....

L'imperativo negativo si forma con **non** + infinito.

- Non comprare questa cravatta, è troppo costosa!

Alcuni imperativi irregolari:

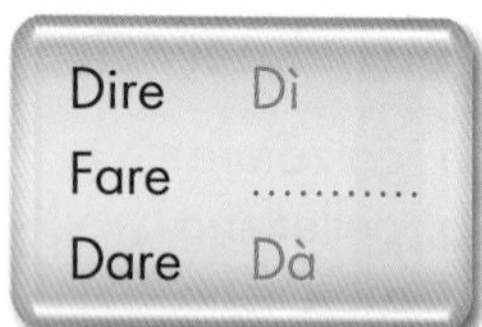

Dire	Dì
Fare	....
Dare	Dà

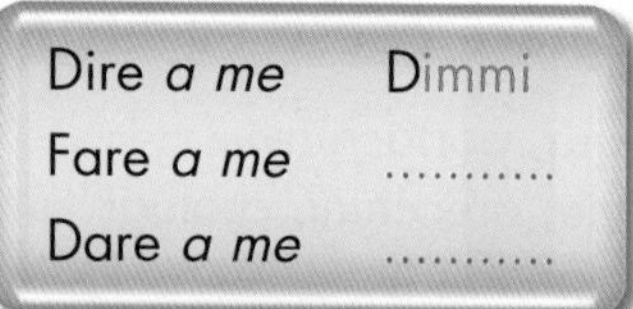

Dire *a me*	Dimmi
Fare *a me*	....
Dare *a me*	....

20. Inventa un dialogo.

È il compleanno di Rossella, la fidanzata di Marco. Marco vuole farle un regalo e ti chiede consiglio. Insieme a un compagno inventa un dialogo e ricordate che:

- Marco ha 100 euro a disposizione;
- l'anno scorso Marco ha regalato a Rossella un paio di scarpe;
- Rossella ha gusti difficili per l'abbigliamento;
- Rossella ama gli accessori e i gioielli.

21. Completa il testo con gli imperativi e aggiungi i pronomi quando è necessario.

Ecco alcuni consigli per comprare vestiti in maniera intelligente:

1. Se non hai necessità, (comprare) (1)............................... i vestiti quando ci sono i saldi, puoi risparmiare un sacco di soldi.
2. (Guardare) (2)................................ attentamente la qualità del prodotto, non (considerare) (3)........................., soltanto la marca.
3. (Fare) (4)................................ un giro anche al mercato, puoi trovare vestiti economici e di qualità.
4. Quando vai a comprare i vestiti, (comprare i vestiti) (5)................................ con un amico o un'amica. È sempre utile avere un'altra opinione.
5. (Chiedere) (6)................................ anche consiglio ai commessi, sono lì per questo.
6. Se decidi di comprare qualcosa (chiedere) (7)................................ uno sconto, ma non (insistere) (8)................................ se non lo fanno.
7. Se fai un regalo, (informarsi) (9)................................ se è possibile cambiare quello che compri.
8. (Ricordarsi) (10)................................ di conservare lo scontrino.

Conosciamo gli italiani

22. Leggi il testo e indica se le affermazioni che seguono sono vere o false.

Pitti Immagine, la moda a Firenze

Pitti Immagine a Firenze è la prima manifestazione della stagione della moda in Europa e nel mondo. *Pitti Immagine* mostra, con una visione globale e moderna, la moda maschile, femminile e per bambini contemporanea, dall'abbigliamento agli accessori. Tanti eventi coinvolgono la città di Firenze e sono presenti gli stilisti italiani e stranieri più conosciuti.

Una tendenza degli ultimi anni è la grande attenzione non solo alla moda classica, ma anche a quella sportiva. Infatti, lo sport è sicuramente uno dei driver fondamentali della moda degli ultimi 15 anni. In *Pitti Immagine* ci saranno abiti, accessori, foto, video e campagne pubblicitarie, che rappresentano il segno dello sport nella moda e viceversa.

Alcuni stilisti presenti a *Pitti Immagine* hanno recepito il problema dell'anoressia nel mondo della moda, quindi non ci saranno soltanto le solite modelle magrissime. Tra gli altri, Elena Mirò presenta la sua collezione "ciao, magre!" con le bellissime modelle con taglia superiore alla 46

Pitti Immagine non è soltanto moda al femminile, ovviamente. La moda maschile è ormai allo stesso livello della moda femminile, questa non è una novità. La vera novità di *Pitti Immagine* negli ultimi anni sono i bambini. Il giro di affari intorno alla moda per bambini ha numeri incredibili: pensate che quest'anno a Firenze hanno presentato 527 collezioni di vestiti, scarpe ma anche di orologi e costosissimi gioielli appositamente prodotti per i bambini. "I bambini stanno diventando sempre più esigenti ed è giusto dargli tutta l'attenzione che desiderano. I bambini devono sognare e noi li aiutiamo a sognare con abbigliamento e accessori tutti per loro", dice uno degli organizzatori di *Pitti Bimbo*. E i bambini, come si comportano? A prima vista sfilano come professionisti, eleganti, aggressivi, per niente imbarazzati. I genitori orgogliosi li accompagnano e sognano un futuro modello o una futura modella in famiglia. Probabilmente per i bambini è un gioco, ma qualche nostalgico preferisce ancora vederli giocare con i giocattoli, invece di vederli in passerella.

UFFICIO INFORMAZIONI

Palazzo Pitti a Firenze ha ospitato le prime sfilate di moda di Pitti. Il Palazzo, uno dei più belli e famosi della città di Firenze, ospita oggi diversi importanti musei. Tra gli altri la "galleria del costume", il più grande museo dedicato alla moda italiana con abiti storici che risalgono anche al XVI secolo. Sono presenti abiti dei più famosi stilisti italiani contemporanei: Valentino, Armani, Missoni, Versace e altri.

	Vero	Falso
1. *Pitti Immagine* è una manifestazione di moda solo femminile.	☐	☐
2. La moda sportiva è sempre più importante negli ultimi anni.	☐	☐
3. Le modelle di Elena Mirò sono magrissime.	☐	☐
4. Gli stilisti creano accessori e gioielli per bambini.	☐	☐
5. I bambini partecipano alle sfilate di *Pitti Immagine*.	☐	☐

Parliamo un po'...

- Sei mai stato a una sfilata di moda?
- Esistono manifestazioni importanti come *Pitti Immagine* nel tuo Paese?
- Cosa pensi di queste manifestazioni?
- Cosa pensi dei bambini e delle bambine, di cui parla l'articolo, che fanno i modelli e le modelle?

Si dice così!

Ecco alcune espressioni utili per...

Chiedere un' opinione su qualcosa	Che ne dici di questi?
Esprimere un'opinione	Secondo me sono più belli i pantaloni neri.
Chiedere come sta qualcosa	Va bene il maglione? Vanno bene i pantaloni?
Chiedere la taglia	Che taglia hai? Che taglia porti?
Dire la taglia	Porto la 46.
Chiedere uno sconto	Mi fa un piccolo sconto?
Descrivere l'abbigliamento di qualcuno	Marco veste in modo sportivo/elegante/classico. Anna porta i jeans. Luisa indossa un vestito blu.

Sintesi grammaticale

- **I pronomi *questo* e *quello***

Servono per indicare qualcosa o qualcuno vicino o lontano da chi parla.

Questo indica qualcosa vicino a chi parla.
Quello indica qualcosa lontano da chi parla.

Questo e quello usati come pronomi sostituiscono un nome e generalmente si accompagnano a un gesto.

maschile singolare	femminile singolare	maschile plurale	femminile plurale
questo	questa	questi	queste
quello	quella	quelli	quelle

- **Gli aggettivi *questo* e *quello***

Questo e quello possono anche essere seguiti da un nome.

Attenzione!

In questo caso quello cambia a seconda del nome che segue.

maschile singolare	femminile singolare	maschile plurale	femminile plurale
questo maglione	questa camicia	questi pantaloni	queste scarpe
questo orologio	questa amica	questi stivali	
questo zaino			
quel maglione	quella camicia	quei pantaloni	quelle scarpe
quell'orologio	quell'amica	quegli stivali	
quello zaino			

Imperativo informale (*tu*) affermativo e negativo

L'imperativo si usa per dare consigli o ordini.

Esempi:
Prova i pantaloni neri!
Chiudi la porta!

La desinenza è -a per i verbi in *-are*; -i per i verbi in *-ere* e in *-ire*.

COMPRARE	DECIDERE	SENTIRE
compra	decidi	senti

Tutti i pronomi vanno dopo l'imperativo informale.

Esempio:
Prova *i pantaloni*! Provali!

L'imperativo negativo informale si forma con la negazione seguita dall'infinito del verbo.

COMPRARE	DECIDERE	SENTIRE
non comprare	non decidere	non sentire

In questo caso, con i pronomi ci sono 2 possibilità:

1) I pronomi possono andare tra la negazione e l'infinito:

Esempio:
Posso prendere la macchina? No, non la prendere!

2) I pronomi possono andare dopo l'infinito e, in questo caso, l'infinito perde la *-e* finale:

Esempio:
Posso prendere la macchina? No, non prenderla!

Alcuni imperativi informali (*tu*) irregolari

DIRE	DARE	FARE	ANDARE	STARE	ESSERE	AVERE
di'/dici	da'/dai	fa'/fai	va'/vai	sta'/stai	sii	abbi

Con l'imperativo di *dire*, *dare*, *fare*, *andare* e *stare*, i pronomi che seguono raddoppiano la consonante.

Funzioni

1. Metti in ordine il dialogo.

A. Mh... mi sembra un po' stretta. Forse è meglio la 41.
B. Sì grazie. Vorrei vedere una camicia bianca per me.
C. Che taglia porta?
D. Mi dispiace ma le camicie bianche taglia 41 sono finite. Però abbiamo questa blu, molto bella.
E. Buongiorno, posso essere utile?
F. Io porto la 40.
G. Va bene, allora provo questa blu.
H. Bene, aspetti un momento.... Ecco, questa camicia bianca è l'ultimo modello.

E			F				G

/5

2. Completa il dialogo.

- Ciao Marta! Andiamo al cinema questa sera?
- ....
- Ma non ritorniamo tardi! Stiamo fuori tre ore al massimo.
- ....
- Il primo spettacolo inizia alle sei. Alle nove siamo a casa.
- ....
- Andiamo con la macchina, prendo la mia.
- ....
- Ti vengo a prendere io alle cinque e mezzo, se per te va bene.
- ....
- Bene. Allora a dopo!

/5

Grammatica

3. Completa con il passato prossimo o con l'imperfetto.

A.
L'estate scorsa, quando ero in Italia, di solito (*andare*) .... al mare e (*restare*) .... lì tutto il giorno; una volta però, (*andare*) .... in montagna.

B.
Quando (*essere*) .... piccolo giocavo spesso con mio fratello e i miei cugini.

C.

- Che cosa (*tu - fare*) .... ieri sera?
- Prima (*andare*) .... al cinema e poi (*andare*) .... in pizzeria.

D.

L'anno scorso Marta e Giovanni (*frequentare*) .... i corsi all'università ogni mattina. Dopo i corsi (*pranzare*) .... in mensa e di pomeriggio (*studiare*) .... insieme in biblioteca

/10

4. Scegli la forma corretta.

1. Vorrei vedere quegli/quelle/quei pantaloni, per favore.
2. Mi dà quelle/quegli/quella mele rosse?
3. Quel/Quello/Quella ragazzo si chiama Marco.
4. Quella/Quello/Quei macchina sportiva è velocissima.
5. Ti piacciono quei/quelli/quegli stivali?

/5

5. Completa con l'imperativo informale. Attenzione ai pronomi!

Marco lascia la sua casa a Marcello per qualche giorno e in un messaggio gli scrive alcune istruzioni.

Ciao Massimo,
ti do soltanto alcune istruzioni per trovarti meglio in questi giorni: quando esci (*chiudere*) (1)........................... bene le finestre; (*stare*) (2)........................ attento perché la finestra della cucina è un po' rotta. Se il telefono suona (*rispondere*) (3)........................ e (*lasciare a me*) (4)........................ un messaggio. In camera mia c'è un computer, (*usare il computer*) (5)........................ quando vuoi. Per avere l'acqua calda (*accendere*) (6)........................ lo scaldabagno, ma (*tu - ricordarsi*) (7)........................ di accenderlo almeno 2 ore prima di fare la doccia!
Ho iniziato a mangiare un formaggio in frigo, (*finire il formaggio*) (8)........................ altrimenti va a male. Quando fumi, (*aprire*) (9)........................ la finestra altrimenti rimane il cattivo odore di fumo. Questo è tutto! Allora (*tu - divertirsi*) (10)........................ Ci vediamo tra 3 giorni!
Marco

/10

Vocabolario

6. Completa il testo con le seguenti parole. Attenzione! Ci sono due parole in più.

stretti - scontrino - lunghi - un paio - cambiare - due - maglione

Una signora entra in un negozio di abbigliamento per comprare (1)........................... di stivali e un maglione. La signora porta il numero 40 ma gli stivali sono (2)........................... quindi decide di prendere gli stivali numero 41.
La signora va nel camerino e prova anche un (3)........................... di lana blu che è un po' largo di spalle. Alla fine la signora compra anche un paio di jeans per il marito. I jeans sono di buona qualità e anche economici perché costano solo 35 euro. In ogni caso la signora li può (4)........................... se conserva lo (5)...........................

/5

Punteggio Totale /40

Ciao, io sono Anna. E tu?

Unità 1

Esercizi

Funzioni

1. Rispondi alle domande.

1. ● Di che nazionalità sei? ● ....
2. ● Di dove sei? ● ....
3. ● Qual è il tuo indirizzo? ● ....
4. ● Qual è il tuo numero di telefono? ● ....

2. Scegli l'opzione corretta.

1. Quanti/Come/Qual è il tuo numero di telefono?
2. Quanti/Come/Dove sono Marco e Luisa? Sono in classe?
3. Dove/Come/Quanti sono gli studenti di italiano negli Stati Uniti? Molti o pochi?
4. Di dove/Dove/Come è Marco? Di Roma?
5. Scusa, non ho capito. Qual/Come/Dove è il tuo nome?

3. Il saluto è formale o informale?

		formale	informale
1.	● Buongiorno, signora Rinaldi.	formale ☐	informale ☐
	● Buongiorno, signor Rossi.	formale ☐	informale ☐
2.	● Buonasera, signor Tarini.	formale ☐	informale ☐
	● Ciao, Carlo.	formale ☐	informale ☐
3.	● Ciao, ragazzi, a dopo.	formale ☐	informale ☐
	● Ciao, Marco.	formale ☐	informale ☐
4.	● Arrivederci, Claudia.	formale ☐	informale ☐
	● Arrivederci.	formale ☐	informale ☐

4. Completa i dialoghi con le parole della lista. Attenzione al rapporto informale o formale.

E tu - quanti - si chiama - buongiorno - ha - dov'è - dove - ti chiami

1. ● Ciao. Io sono Giorgio. Tu come ....?
   ● Mi chiamo Luigi.

2. ● Lei di .... signor Smith?
   ● Io sono di Liverpool. ....?
   ● Io sono di Milano.

3. ● Scusi, signora. Lei come ....?
   ● Sono Francesca Ardagna.

4. ● .... signora Lavino.
   ● Ciao, Carlo.

5. ● .... anni .... signor Galli?
   ● Ho 53 anni.

6. ● Scusa, di .... sei?
   ● Di Napoli.

5. **Scrivi dei dialoghi tra queste persone. Attenzione al rapporto formale o informale.**

Il signor Rossi/Il signor Bianchi	Mike/Maria
Felipe/Signor Smith	La signora Calà/La signora Benatti

Esempio:
- Ciao. Io mi chiamo Pablo. E tu?
- Piacere, Pablo, io sono Alexis.
- Di dove sei, Alexis?
- Sono americana, di Boston. E tu?
- Io sono spagnolo, di Madrid.
- Quanti anni hai?
- Ho venticinque anni.

Vocabolario

6. **Dal nome della nazione forma l'aggettivo di nazionalità.**

Cuba	cubano	Finlandia	finlandese
Messico		Francia	
Bolivia		Canada	
Corea		Norvegia	
Brasile		Giappone	
Italia		Irlanda	

7. **Completa le frasi.**

1. Francesca è italian.....
2. Robert è ingles.....
3. Pablo è spagnol.....
4. Erica è tedesc.....
5. Mike è canades.....
6. Irina è russ.....
7. Jean Paul è frances.....
8. Sophie è marocchin.....
9. Diego è argentin.....

8. **Chi sono? Completa la tabella e aggiungi la città di provenienza e l'età.**

Sandro Rossi — Mike Tafuri — Erica e Lara Schneider — Robert Murphy

Amelie e Lauran Givon — Robert Pearson — Josè Guerreira — Raul e Sara Lopez

nome	cognome	nazionalità	città	età

9. Adesso scrivi una breve presentazione come nell'esempio.

1. Sandro Rossi è italiano, di Firenze. Ha 24 anni.
2. ....
3. ....
4. ....
5. ....
6. ....
7. ....
8. ....

10. Quali espressioni vanno con *essere*? Quali con *avere*?

1. .... fame

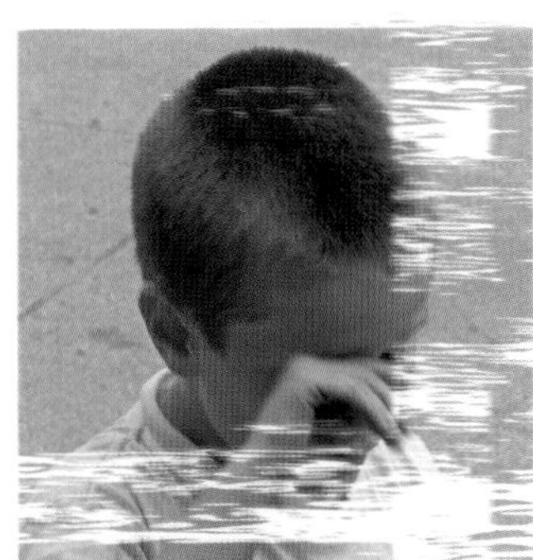
2. .... stanco

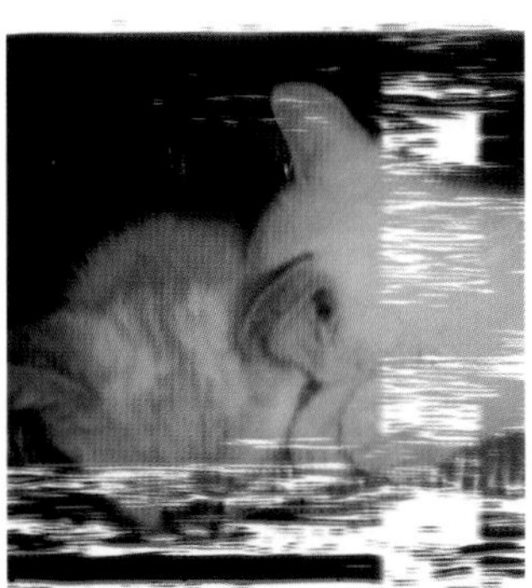
3. .... sonno

4. .... allegro

5. .... sete

6. .... triste

11. Scrivi i numeri.

1 .....n.....

12 .....od.....c.....

5 c.....n.....u.....

21 v.....nt.....n.....

18 di.....i.....tt.....

0 .....e.....o

77 .....ett.....n.....as.....t.....e

80 .....tt.....nt.....

13 .....red.....c.....

31 t.....e.....t.....no

58 c.....n.....u.....nt.....tto

33 tr.....n.....a.....r.....

Grammatica

12. Completa le risposte.

1. Sei americano? Sì, ...
2. Marco è in classe? No, ...
3. Hai 25 anni? No, ...
4. Marta e Mariella hanno fame? Sì, ...
5. La tua ragazza è stanca? Sì, ...
6. Pablo è di Parigi? No, ...
7. I tuoi amici sono a casa? Sì, ...
8. Tu e Luisa siete amici? Sì, ...

13. Trasforma le frasi al plurale.

1. Io sono italiano. Noi ....
2. Tu hai ventidue anni. Voi ....
3. Io ho un libro di italiano. Noi ....
4. Veronica è studentessa. Veronica e Caterina ....
5. Tu hai un cellulare nuovo. Voi ....
6. Mike è di New York. Loro ....
7. Tu sei straniero. Voi ....

14. Inserisci le parole nella tabella.

tavolo - sedie - studenti - porta - finestra - zaini - libro
penne - foglio - amico - ragazzi - orologio

maschile singolare	maschile plurale	femminile singolare	femminile plurale

Per concludere

15. Forma le frasi.

1. Di / siete / ragazzi? / dove ....
2. George / è / inglese. / non ....
3. Qual / numero / il tuo / è / di telefono? ....
4. Mi / 24 anni. / Marco / e ho / chiamo ....
5. Come / scrive / il tuo / si / nome? ....

16. Trova l'errore e correggi le frasi.

1. Come ti chiama? ....
2. Io sono venti anni. ....
3. Ciao signora Rossi! ....
4. Sono di america. ....
5. Io e Pablo sono amici. ....

17. Scrivi una tua presentazione e indica nome, cognome, età, nazionalità, città, indirizzo e numero di telefono.

....

....

....

....

....

Pronuncia

18. Ascolta le parole e ripetile.

19. Ascolta di nuovo le parole. Quale suono senti?

	1	2	3	4	5	6	7	8	9	10	11	12
chiedere	✓											
ciao		✓										

20. Ascolta le parole. Quale suono senti?

	1	2	3	4	5	6	7	8	9	10	11	12
che cosa	✓											
certo		✓										

Parola chiave

21. Completa lo schema con le parole della lista. Puoi aggiungere anche altre parole che conosci.

cosa? - dove? - come si scrive? - chi? - come stai? - quale? - quanto? - come si pronuncia?
qual è il tuo numero di telefono? - come si dice? - quanti anni hai?

COME?

altri interrogativi
....
....
....
....
....

funzione principale
interrogativo per fare domande

domande con altri interrogativi
Chi è Maria?
Qual è il tuo indirizzo?
....
....
....

domande con *come*
Come ti chiami?
....
....
....
....

Lavori o studi?

Funzioni

1. Inserisci le battute, date a destra, nel dialogo tra Anna e Robert.

- Io mi chiamo Anna. E tu?
- Robert. Sei italiana, Anna?
- ....
- ....
- No, sono di Roma.
- ....
- No, non studio, lavoro.
- Che lavoro fai?
- ....
- Giornalista! È un lavoro interessante, vero?
- Sì, molto. E tu sei studente?
- Sì, studio architettura.
- ....
- Ventitré e tu?
- Ventisei.

a. Bello! Senti ma quanti anni hai?
b. Ah, e sei di qui?
c. Sono giornalista per un giornale locale.
d. Sì, sì, sono italiana.
e. Che fai qui a Bologna? Studi?

2. Completa il dialogo tra Marco, Giulio e Michelle.

- Ciao Giulio, come stai?
- ....
  (saluti e rispondi)
- Anch'io sto bene, grazie.
  ....
  (chiedi a Giulio se conosce Michelle, la tua amica francese).
- No, non ci conosciamo.
- ....
  (presenti Michelle a Giulio)
- Piacere.
- Piacere. Sei a Firenze in vacanza, Michelle?
- ....
  (rispondi)
- Buona scelta! Firenze è la città giusta per studiare la storia dell'arte.

Vocabolario

3. Che lavoro fanno?

1. Franco lavora in un'officina, ripara le automobili.
   Franco fa il ....
2. Antonio lavora in un ristorante, cucina i piatti per i clienti.
   ....
3. Elisa lavora all'Università per Stranieri, insegna italiano.
   ....
4. Elena lavora in un bar, porta i cibi e le bevande ai clienti seduti ai tavoli.
   ....
5. Pietro lavora in una ditta. Progetta case, strade, ponti.
   ....
6. Francesca lavora in un piccolo negozio di abbigliamento. Mostra e vende i vestiti ai clienti.
   ....

4. Completa l'annuncio di lavoro pubblicato su un sito web con le parole date.

fare - a - ho - cameriera - anni - ristoranti - in - frequento

LAVORO

Mi chiamo Marisa, ho 23 (1)......................... e abito (2)......................... Roma, vicino alla stazione centrale. (3)......................... la Facoltà di Lettere all'Università *La Sapienza* di Roma e cerco un lavoro, a tempo parziale, preferibilmente nel pomeriggio.
(4)......................... molta esperienza come cassiera e come commessa (5)......................... negozi di abbigliamento, ma sono disponibile anche a (6)......................... lavori come la baby sitter o la (7)......................... in bar o (8)......................... Ho una macchina e posso andare in tutte le zone della città.

Città	Roma
Zona	Stazione centrale
Telefono	348 - 7453129
Tipo di lavoro richiesto	Commessa, cassiera, cameriera, baby sitter
Caratteristiche del lavoro	A tempo parziale, preferibilmente nel pomeriggio
Esperienza	2 anni di esperienza
Educazione	Diploma Scuola superiore
Altri requisiti	A tempo pieno, part time

5. Sul modello dell'annuncio precedente, scrivi un annuncio per trovare un lavoro in Italia (50/60 parole).

....
....
....
....

Città	
Zona	
Telefono	
Tipo di lavoro richiesto	
Caratteristiche del lavoro	
Esperienza	
Educazione	
Altri requisiti	

Grammatica

6. Completa le frasi con il presente dei verbi regolari.

1. John è in Italia da poco tempo e non (parlare) .... bene l'italiano.
2. Io e la mia fidanzata (lavorare) .... nello stesso ufficio.
3. Paolo e Francesca (leggere) .... un libro.
4. Ragazzi, (chiudere) .... la finestra, per favore?
5. Simona la mattina (dormire) .... sempre fino a tardi.
6. Giorgio, (vedere) .... quella ragazza alta? È mia sorella Lucia.
7. Claudio e Alessandro (partire) .... domani mattina con il treno.
8. Gli italiani (mangiare) .... la pasta quasi tutti i giorni.
9. La libreria in Piazza del Duomo (aprire) .... la mattina alle 9.
10. Mark è sempre attento in classe e (rispondere) .... bene a tutte le domande.

7. Completa le frasi con il presente dei verbi irregolari.

1. Nino, perché non (venire) .... a Firenze sabato?
2. Buongiorno signora Martini. Come (stare) ....?
3. Domani Marco e Francesca (venire) .... a cena a casa mia.
4. Per stare in forma io (bere) .... minimo 2 litri di acqua al giorno.
5. I miei genitori (andare) .... in vacanza la prossima settimana.
6. Molti italiani (bere) .... un bicchiere di vino a pranzo o a cena.
7. In questo periodo lavoro molto e (stare) .... fuori casa tutto il giorno.
8. ● Ragazzi, che (noi - fare) .... stasera?
   ● (Noi - andare) .... al cinema?
9. Io e la mia fidanzata (stare) .... insieme da due anni.
10. (Io - fare) .... una doccia e (venire) .... subito da te.
11. Allora ragazzi, cosa (fare) ....?
    (Stare) .... a casa o (venire) .... alla festa con noi?
12. Mike e Dennis sono studenti motivati e (fare) .... i compiti ogni giorno.

8. Scegli l'articolo determinativo corretto.

	singolare				plurale				singolare				plurale		
	il	lo	la	l'	i	gli	le		il	lo	la	l'	i	gli	le
libro								chiave							
orologio								banca							
amiche								stadio							
casa								amici							
materia								ospedale							

9. Inserisci le parole nella tabella come nell'esempio.

compiti - lezioni - alberi - facili - vuoto - l' - alti - lo - zaino - gli - lo - stadio - il - macchina - caro
i - casa - libro - veloce - pieno - interessante - la - albergo - le - grande - difficili - la

articolo	nome	aggettivo
l'	albergo	caro

10. Completa il testo con le preposizioni semplici.

Sabato prossimo Carlo va (1)............... teatro con Francesca. Paolo, invece, sta (2)............... casa per studiare. Anna e Laura vanno (3)............... Sicilia per visitare Palermo. Roberto va (4)............... campagna a fare un giro in bicicletta. Lucia e Riccardo vanno (5)............... pizzeria o poi (6)............... vedere un film. Io invece vado in giro con Nino, un mio amico. Nino vive e lavora (7)............... Firenze, ma viene (8)............... Napoli.

Per concludere

11. Forma le frasi.

1. Frequento / facoltà / Roma / di / la / Medicina / a

   ....

2. Anna / insegnante / una / privata / in / fa / l' / scuola

   ....

3. Ciao / Luisa / questa / la mia / è / Marco / ragazza

   ....

4. Lino / Firenze / e / a / Gina / vengono

   ....

5. Mark / ma / Italia / americano / abita / in / è

   ....

12. Trova l'errore e correggi le frasi.

1. Che cosa lavori? ....
2. Faccio insegnante. ....
3. Le lezione di italiano è difficile. ....
4. Gli studenti fate il test. ....
5. Julie va a Italia per le vacanze. ....

Pronuncia

13. Ascolta le parole e ripetile.

14. Ascolta di nuovo le parole. Quale suono senti?

	1	2	3	4	5	6	7	8	9	10	11	12
giornalista	✓											
dialoghi		✓										

15. Ascolta le parole. Quale suono senti?

	1	2	3	4	5	6	7	8	9	10	11	12
Angela	✓											
righe		✓										

Parola chiave

16. Completa lo schema con le parole della lista. Puoi aggiungere anche altre parole che conosci.

andare a casa - teatro - piazza - va bene - tornare - palestra - andare a fare un giro
Roma - come va? - pizzeria - ritornare - letto

ANDARE

funzione principale
esprimere movimento
funzione secondaria
chiedere come si sta

contrari
....
....

posti dove *puoi andare*
in ....
in ....
in ....
a ....
a ....
a ....

espressioni con *andare* con altri significati
....
....

espressioni con *andare* con significato di movimento
....
....

Una bottiglia d'acqua, per favore.

Funzioni

1. Qual è l'espressione corretta per...?

1. Ordinare qualcosa.	a. Quant'è?
2. Esprimere un gusto.	b. Posso fumare una sigaretta?
3. Esprimere una preferenza.	c. Preferisco una pizza.
4. Chiedere il prezzo.	d. Può chiudere la finestra, per favore?
5. Chiedere il permesso.	e. Mi piace il gelato.
6. Chiedere a qualcuno di fare qualcosa.	f. Vorrei un caffè.

2. Rileggi il dialogo, riportato anche a pagina 39, e completa il riassunto.

- Cameriere, scusi.
- Prego, dica.
- È possibile aprire la finestra? Fa molto caldo.
- Certo, la apro subito.
- Ah, senta, può portare un'altra bustina di zucchero, per favore?
- Va bene.
- Scusi, ancora un'ultima cosa: posso fumare in questa sala?
- No, in questo bar non può fumare.
- Ma non c'è nessuno qui!
- Signore, mi dispiace, ma in Italia nei locali pubblici non è possibile fumare.
- D'accordo, allora mi può portare il conto?
- Sì, subito.

Il cliente chiede al cameriere se (1)...................................... aprire la finestra e se può (2)................................... una bustina di zucchero. Poi il cliente chiede il permesso di (3)...................................... una sigaretta. Il cameriere risponde che nel bar (4)...................................... fumare anche se non c'è nessuno. Il cliente deluso, chiede al cameriere se può (5)...................................... il conto.

3. Cosa puoi dire in queste situazioni?

1. Non capisci qualcosa in italiano. Chiedi al professore di ripetere.
   ....
2. Sei in classe, hai freddo e la finestra è aperta.
   ....
3. Sei in classe, un compagno parla a bassa voce e non lo capisci.
   ....
4. Chiedi a tuo padre il permesso di prendere la macchina per stasera.
   ....
5. Chiedi al cameriere di aggiungere il ghiaccio nella tua Coca.
   ....

Vocabolario

4. Completa il brano con le seguenti parole.

menu - preferisce - tavolino - chiede - prendono
sceglie - prendere - chiamano - pagano - con la

Nadia e Claudia sono sedute al (1)................................. di un bar per (2)................................. qualcosa e danno uno sguardo al (3)................................. Nadia prende un cappuccino mentre Claudia (4)................................. qualcosa da mangiare. Purtroppo non ci sono molte cose e alla fine Claudia (5)................................. una pizzetta con i funghi e un panino (6)................................. mozzarella. Arriva il cameriere e (7)................................. a Nadia e Claudia cosa (8)................................. .... Dopo il pranzo veloce, Claudia e Nadia (9)................................. il cameriere e chiedono il conto. In tutto (10)................................. 7 euro e cinquanta.

5. Riordina le lettere e scopri le parole che ci sono nel menu del bar *Le contrade*.

1. tatel _ _ _ _ _
2. naponi _ _ _ _ _ _
3. talego _ _ _ _ _ _
4. nertocto _ _ _ _ _ _ _ _
5. punopaccic _ _ _ _ _ _ _ _ _ _
6. chiribece _ _ _ _ _ _ _ _ _
7. lerammatal _ _ _ _ _ _ _ _ _ _
8. matrizenoz _ _ _ _ _ _ _ _ _ _

Bar "Le Contrade"

CAFFETTERIA	
Caffè	0,80
Caffè corretto	0,95
Caffè d'orzo in tazza piccola	0,80
Caffè d'orzo in tazza grande	0,95
Cappuccino	1,20
Latte	1,00
Latte macchiato	1,20
Tè al limone/al latte	1,20

PANINI	
Pomodoro, mozzarella, rucola	[illegible],40
Prosciutto e mozzarella	2,70

TRAMEZZINI	
Tonno e pomodoro	2,00
Tonno e maionese	2,00
Prosciutto e formaggio	2,00
Spinaci e funghi	2,00

6. Inserisci le parole della lista nella tabella.

carne - vino - acqua - scatola - pesce - arance - grissini - succo di frutta - mele - etto - mozzarella
bustina - bottiglia - pane - uva - grammi - lattuga - patate - litro - pacco - chilo - birra

cose da mangiare	cose da bere	contenitori	misure e pesi

7. Collega le parti di sinistra a quelle di destra e forma le frasi.

1. Vado al supermercato e...
2. Marta è vegetariana e...
3. La mozzarella è...
4. Il Chianti è...
5. Dal fruttivendolo...

a. compro due chili di arance.
b. faccio la spesa.
c. un famoso vino italiano.
d. non mangia carne e pesce.
e. un ottimo formaggio.

8. Scrivi quattro regole per preparare un buon panino imbottito. Puoi usare queste parole.

carne, pane, crudo, cotto, ketchup, insalata, pomodoro
alto, schiacciato, fetta di formaggio

1. ....
2. ....
3. ....
4. ....

Grammatica

9. Inserisci l'espressione adatta.

non piace - piacciono - mi piace - non mi piacciono - ti piace

A
- .... questa pasta? È una mia nuova ricetta.
- Sì, ... molto.

B
- Non sopporto i reality show.
- Davvero? A me invece .... molto. Sono divertenti.

C
- A Luisa .... andare a ballare.
- Peccato! Allora sabato non andiamo in discoteca.

D
- .... i film italiani, sono noiosi!
- Ma che dici? Secondo me, sono i migliori.

10. Completa i dialoghi con le forme giuste dei verbi tra parentesi.

A
- Allora, stasera noi (uscire) ....?
- Certo, (finire) .... di lavorare e passo da te.
- Vengono anche Giulia e Roberto?
- No, (preferire) .... restare a casa.

B
- Quando (partire) .... per le vacanze tu e Claudia?
- Mah, non so... se Claudia (riuscire) .... ad avere le ferie, probabilmente (partire) .... il primo agosto.

C
- Mike, come va con il corso di italiano?
- Generalmente bene. Quando l'insegnante parla velocemente però (capire) .... poco.

11. Sostituisci le parole in blu e trasforma le frasi con il *ci*.

1. Sono un tipo sportivo e vado in palestra. Vado in palestra almeno 2 volte alla settimana.

   ....

2. Gli italiani vanno spesso al bar. Vanno al bar principalmente a colazione e dopo pranzo.

   ....

3. Marta va a Palermo domani. Resta a Palermo tutta la settimana.

   ....

4. Vado sempre in vacanza in Toscana. Torno in Toscana ogni estate.

   ....

5. Sara ed Elena sono di Roma ma vivono a Firenze. Vivono a Firenze da tre anni.

   ....

Per concludere

12. Forma le frasi.

1. Vai / al supermercato / tu / o / vado / ci / io?

   ....

2. Conosco / ci / bar *Le contrade*, / il / ogni mattina / faccio / colazione

   ....

3. Non / con / crema / piacciono / i cornetti / la / mi

   ....

4. Questa / e / a / casa / Paolo / sera / mangiano / Miriam

   ....

5. Mi / organizzare / con / amici / piace / gli / cene

   ....

13. Trova l'errore e correggi le frasi.

1. Mi posso portare il conto? ....
2. Scusi, posso pago con la carta di credito? ....
3. Cameriere, scusi può fumare in questo locale? ....
4. È posso avere un'altra birra, per favore? Questa è calda! ....
5. Mi può dai un'altra bustina di zucchero? ....
6. Cameriere, posso portare un menu per favore? ....

14. Scrivi un breve testo (50/60 parole) dove parli di questi argomenti:

- le tue abitudini alimentari;
- dove mangi di solito (a casa o fuori);
- cosa pensi delle abitudini alimentari degli italiani.

....

....

....

....

....

Pronuncia

15. Ascolta le parole e ripeti.

16. Ascolta di nuovo le parole. Il suono è intenso o tenue?

	1	2	3	4	5	6	7	8	9	10
suono intenso / facciamo	✓									
suono tenue /dieci		✓								

11	12	13	14	15	16	17	18	19	20

Parola chiave

17. Completa lo schema con le parole della lista. Puoi aggiungere anche altre parole che conosci.

gustoso - saporito - disonesto - buona idea! - delizioso - cattivo - affettuoso - che buono!
insapore - musica - gentile - cattivo - onesto - malvagio - libro - disgustoso

BUONO

categoria grammaticale
aggettivo

sinonimi (cibo, alimenti)
....
....
....

sinonimi (persone)
....
....
....

espressioni con *buono*
....
....

contrari (cibo, alimenti)
....
....
....

contrari (persone)
....
....
....

altro
buona ....
buon ....

Vado a piedi o prendo l'autobus?

Funzioni

1. Cosa dici per...?

1. Richiamare l'attenzione di qualcuno.
2. Informarti sugli orari dell'autobus.
3. Esprimere incertezza.
4. Informarti su dove comprare un biglietto.
5. Dire l'orario.
6. Esprimere abilità.

a. So parlare lo spagnolo.
b. Sono le otto e mezzo.
c. Senta, scusi!
d. Non so esattamente.
e. Dove posso comprare un biglietto?
f. A che ora passa l'autobus?

2. Che ore sono? Scrivi l'orario nei due diversi modi possibili.

A. 12:00
1. ....
2. ....

B. 05:15
1. ....
2. ....

C. 14:45
1. ....
2. ....

D. 07:40
1. ....
2. ....

Vocabolario

3. Scegli l'opzione adatta.

1. Io prendo l'autobus/in l'autobus/a autobus per andare al lavoro.
2. In genere vado a casa con piedi/in piedi/a piedi.
3. C'è una fontana prima il semaforo/prima dal semaforo/prima del semaforo.
4. Per Piazza del Campo vai/prendi/giri la prima a sinistra.
5. Per il Museo d'arte devi scendere/prendere/salire alla terza fermata.
6. Via Machiavelli è sempre a dritto/dritto/in dritto, a cinque minuti da qui.
7. La fermata dell'autobus è in fronte/a fronte/di fronte a casa mia.
8. La stazione del metrò è lontano all'/lontano dall'/lontano dell' ufficio.

4. Scrivi i giorni e gli orari di apertura di questi posti.

La Scuola di italiano per stranieri è aperta ....

....

La Banca Monte dei Paschi è aperta ...., la mattina

.... e il pomeriggio ....

L'Ufficio dei Vigili Urbani è aperto ....

....

5. Completa il testo con i verbi della lista. Attenzione! Nella lista ci sono 2 verbi in più.

vuoi - puoi - devi - vogliono - devi - vuole - puoi - può - devo - vuoi - possono - devi

Se (1)........................... girare la città con i mezzi pubblici, (2)........................... avere un biglietto. (3)......................... comprare il biglietto in edicola o dal tabaccaio. Quando sali su un autobus o su un pullman (4).......................... convalidare subito il biglietto. Infatti spesso (5)........................... salire il controllore e se vede che sei senza biglietto o con il biglietto non convalidato, ti fa la multa. In molte città italiane esiste un biglietto unico. Con questo biglietto i viaggiatori (6)........................... prendere tutti i mezzi di trasporto: l'autobus, la metropolitana e il treno fino a una certa distanza. I mezzi pubblici sono una buona soluzione per le persone che (7)........................... evitare il traffico e arrivare nel centro delle città senza problemi. (8)........................... una città più pulita? Allora (9)......................... lasciare la macchina in garage e usare i mezzi pubblici. In questo modo (10)........................... dare realmente una mano a risolvere i problemi di inquinamento e di traffico nelle città.

6. Completa il testo con le parole della lista.

i vigili - centro - al traffico - parcheggio - prendere - a piedi

Camminare in macchina nelle città italiane è un problema perché oggi la maggior parte dei centri storici delle città sono chiusi (1)...................... Quando devo andare in centro la soluzione migliore è (2)..................... l'autobus. Con la macchina infatti non posso arrivare in centro e ho sempre il grosso problema del (3)......................... Ormai quasi tutti i posteggi sono a pagamento e posteggi liberi sono soltanto in periferia. E poi se non rispetti qualche regola (4).................... fanno multe costose. Quando devo andare in centro quindi vado quasi sempre in autobus, economico e comodo. Se ho un po' di tempo in più, faccio una passeggiata (5)..................... È bello girare per le strade del (6).....................: scopro stradine e traverse che in macchina non vedo mai.

7. L'agenda di Keri è rovinata. Riscrivi i suoi impegni.

Lune...... matt........., ore 12 e tren......
Visita museo di arte con Laura

Mar........... da........ 10 a........ 12
Lezione di italiano

...........ledì pome................., ...re 17
Lezione di tennis

Gio........... ore 10
Scambio di conversazione con Mario

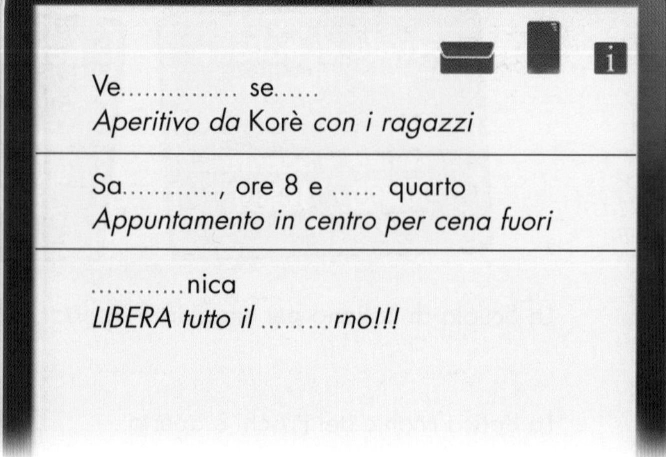

Grammatica

8. Inserisci l'articolo indeterminativo.

Vicino a casa mia c'è...

1. .... ufficio postale, 2. .... giardino, 3. .... piscina, 4. .... banca, 5. .... negozio di abbigliamento, 6. .... gelateria, 7. .... studio di avvocato.

9. Inserisci l'articolo indeterminativo o determinativo.

1. .... zona dove abito è piena di verde.
   Voglio abitare in .... zona piena di verde.

2. Cerco .... farmacia.
   Cerco .... farmacia *Cristaldi.*

3. Compro .... biglietto.
   Compro .... biglietto per il concerto di Vasco.

4. Conosco Mary, ... ragazza di Mike.
   Conosco .... ragazza simpatica.

5. Visito .... Galleria di arte moderna di Roma.
   Visito .... museo.

6. Cerco .... palestra per fare un po' di sport.
   .... palestra dove vado è in Via Libertà.

10. Completa con il presente del verbo *volere*.

1. Matteo e Marcello .... andare al cinema stasera.
2. Gaia .... prendere l'autobus, io preferisco andare a piedi.
3. Ragazzi, ... un caffè?
4. Io .... uscire presto da casa per non trovare traffico.
5. Nina, ... un po' della mia pizza? Per me è troppa.
6. Io e Antonio non .... andare in discoteca, quindi restiamo a casa.

11. Completa con il presente del verbo *dovere*.

1. Per guidare la macchina in Italia tu .... avere 18 anni.
2. Kate .... preparare una presentazione per l'esame finale.
3. Tutti .... timbrare il biglietto sull'autobus.
4. Per finire il lavoro in tempo noi .... lavorare molto.
5. A che ora voi .... tornare a casa?
6. Ho un impegno a Firenze e .... essere lì alle 15.

12. Completa con il presente del verbo *potere*.

1. Se non piove, noi .... andare in piazza.
2. Marta non .... venire alla festa stasera.
3. La domenica mattina io .... dormire più a lungo.
4. Se non ti piace prendere l'autobus .... prendere la metropolitana.
5. I mezzi pubblici .... aiutare a risolvere il problema del traffico in città.
6. Secondo me, voi .... avere buoni risultati se studiate con impegno.

13. Forma le frasi e indica la funzione di *sapere*.

	conoscenza	abilità
1. giocare / sai / bene / tu / calcio? / a	☐	☐
2. sappiamo / a che ora / arrivati / sono / non / a casa / i ragazzi	☐	☐
3. adesso / tutta / Maria / sa / verità / la	☐	☐
4. mio / due / figlio / e / ha / già / anni / parlare / sa	☐	☐
5. gli italiani / le / non / lingue / parlare / straniere / sanno	☐	☐

Per concludere

14. Forma le frasi.

1. Scusi / dove / albergo / è / sa / l' / *Jolly*?
   ....
2. Per / in Piazza di Spagna / andare / prendere / la / deve / metropolitana
   ....
3. Scusi / biglietto / posso / un / dove / comprare / per l'autobus?
   ....
4. Il / parte / per / da / 18 / pullman / Firenze / Piazza Gramsci / alle
   ....
5. La / a / aperta / stazione / 6 / è / dalle / mezzanotte
   ....
6. Senta / passa / per / a / ora / che / scusi / autobus / andare / l' / allo stadio?
   ....

15. Trova l'errore e correggi le frasi.

1. È tardissimo, devo vado a casa.
   ....
2. Sono le mezzanotte e Marco è ancora fuori.
   ....
3. Scusi, mi puoi dire dov'è la stazione?
   ....
4. La prossima fine settimana voglio fare un giro fuori città.
   ....
5. John è un studente attento e intelligente.
   ....
6. La biblioteca è aperta tutti i giorni da 9.00 alle 18.30.
   ....

16. Pensa alla tua giornata di domani e scrivi un breve testo (80/100 parole). Indica le cose che devi fare, che vuoi fare e che puoi fare.

....

....

....

....

....

Pronuncia

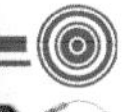

17. Ascolta le parole e ripetile.

18. Ascolta di nuovo le parole. Quale suono senti?

	1	2	3	4	5	6	7	8	9	10	11	12
gli	✓											
Napoli		✓										

Parola chiave

19. Completa lo schema con le parole della lista. Puoi aggiungere anche altre parole che conosci.

autobus - comprare - edicola - convalidare - giornaliero - vendere - metropolitana - mostra d'arte
a tempo - biglietteria - turno in uffici o negozi - pullman - tabaccheria - settimanale

Dove abiti?

Funzioni

1. Marcella, Franco, Valeria, Luigi e Maria cercano casa. Leggi gli annunci e indica qual è il più adatto a ciascuno.

A. Stanza singola in centro.
In appartamento con altre 3 persone.
2 bagni. 350 euro spese escluse.
Connessione internet.
Solo ragazze.

B. Doppia appena fuori le mura.
A 2 minuti da fermata autobus.
Preferibilmente settimana corta.
Ottimo prezzo.
No erasmus.

C. Appartamento a 3 km da Siena.
Riscaldamento autonomo.
Posto auto.
650 euro spese escluse.
No animali.

D. Ampio e luminoso appartamento.
Immediata periferia.
Giardino comune.
850 euro trattabili.
Animali ammessi.

1. Marcella aspetta un figlio e insieme al marito cerca una nuova casa. Vogliono prendere un cane.
2. Luigi e Maria sono fidanzati e vogliono andare a vivere insieme. A Siena centro però gli appartamenti sono troppo cari.
3. Franco lavora a Siena. Cerca una sistemazione economica, anche fuori dal centro della città.
4. Valeria è una ragazza Erasmus che sta a Siena per 3 mesi. Vuole dividere un appartamento con altre ragazze.

2. Com'è la tua casa ideale? Scrivi una descrizione e indica...

- il posto
- i servizi della zona
- il numero di stanze
- le qualità della casa
- l'arredamento

....

....

....

....

....

....

....

3. Collega le frasi di sinistra con quelle di destra.

1. Buongiorno. Avete una
2. Serviamo la colazione
3. La stanza è luminosa e dà
4. Senta, io ho un cane e
5. Potete aggiungere un letto singolo

a. su un giardino interno.
b. nella stanza matrimoniale?
c. dalle 8 alle 9.30 circa.
d. voglio portarlo con me.
e. stanza singola per domani sera?

Vocabolario

4. Scrivi le parole della lista sotto le immagini.

comodino - lavastoviglie - specchio - cuscino - lampada - posate - forno
frigorifero - poltrona - armadio - lavandino - divano - libreria - tappeto - lavatrice

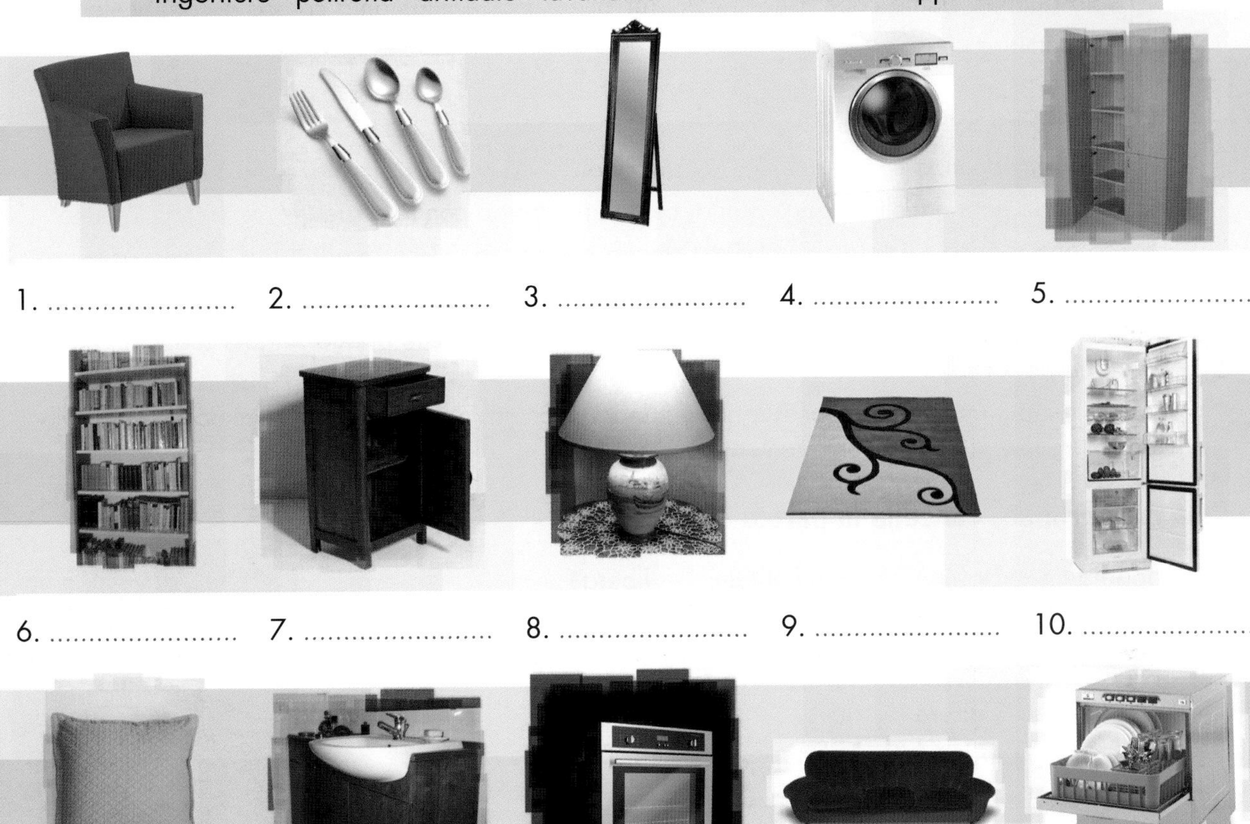

1. .... 2. .... 3. .... 4. .... 5. ....

6. .... 7. .... 8. .... 9. .... 10. ....

11. .... 12. .... 13. .... 14. .... 15. ....

5. Dove vanno gli oggetti dell'attività 4? Dividili in gruppi. Alcuni vanno bene per più di una stanza.

stanza da letto	cucina	soggiorno	bagno

6. Completa il testo con le parole della lista.

spolvero - buttano - apparecchiano - stiro - passo l'aspirapolvere - lavano - passo 

Di solito faccio i lavori di casa il venerdì sera, quando tutti sono fuori. Per prima cosa (1)................................ in tutta la casa, specialmente sotto il tavolo della cucina. Poi (2)................................... i mobili e alla fine, (3)................................... lo straccio. Se ho tempo poi mi dedico a fare qualcosa per me e (4)................................... le camicie. I miei compagni di casa odiano fare le faccende di casa ma per me è rilassante, insomma le faccio con piacere. Quello che non sopporto però è che i miei compagni di casa non fanno neanche le cose quotidiane: non (5)................................... la tavola prima di cena, (6)................................... i piatti quando vogliono, (7)................................... la spazzatura solo quando siamo coperti dai rifiuti. Per questi motivi litighiamo spesso e certe volte vorrei veramente cambiare casa.

7. Scegli l'opzione corretta.

1. Marco va in vacanza con la moglie. Ha bisogno di una camera singola/doppia/matrimoniale.
2. Ho una macchina e molti bagagli quindi cerco un albergo con televisione/parcheggio/sauna.
3. Franco non sopporta il caldo. Vuole una stanza con la sauna/il frigobar/l'aria condizionata.
4. Devo ricevere una chiamata dall'estero quindi voglio il frigobar/telefono/bagno in camera.
5. Se prendiamo una camera doppia/arredata/accessoriata invece di due singole, possiamo risparmiare un po' di soldi.
6. Prendo sempre una camera con bagno/aria condizionata/colazione, così quando arrivo in albergo posso fare la doccia comodamente.

8. Da ogni gruppo, cancella la parola estranea.

1. doppia singola matrimoniale libera
2. cucina ripostiglio divano camera da letto
3. piatti posate bicchieri tavolo
4. prenotare stirare lavare ordinare
5. villa appartamento albergo monolocale
6. accogliente luminoso pulito veloce
7. salotto balcone portineria studio
8. frigobar colazione aria condizionata bagno in camera

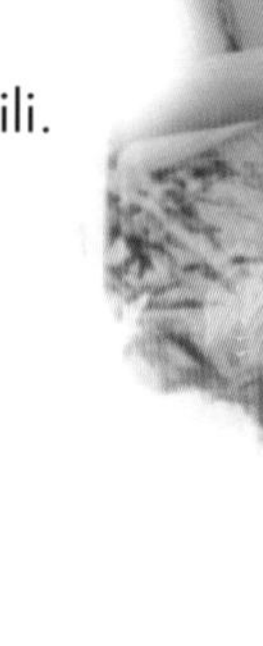

Grammatica

9. Completa le frasi con *è/sono* o con *c'è/ci sono*.

1. Nella mia camera .... una finestra.
2. In casa mia .... due divani e quattro poltrone.
3. I piatti .... sulla tavola.
4. Ho preso casa da poco e non .... ancora i mobili.
5. Nella mia zona .... un bel giardino.
6. Dove .... le posate?
7. La fermata dell'autobus .... vicino casa mia.
8. I miei compagni .... tutti in classe.

9. La mia casa non .... molto luminosa.
10. Generalmente la mattina presto non .... molto traffico.
11. In questo albergo non .... l'aria condizionata.
12. Nell'albergo *Belvedere* .... camere molto carine.

10. Forma la preposizione articolata quando è necessario.

1. Prima di lasciare l'Italia voglio andare (a) .... Venezia.
2. Le chiavi sono (su) .... tavolo. Non dimenticare di prenderle.
3. Ho visto la villa (di) .... signori Rossi. È molto bella.
4. I vestiti sono (in) .... armadio.
5. Ragazzi, dobbiamo decidere i turni (di) .... pulizie di casa.
6. L'albergo offre molti servizi (a) .... clienti.
7. Ragazzi, venite a cena (a) .... casa mia?
8. Chiedo (a) .... mie amiche se stasera sono in casa.

11. Forma le preposizioni articolate e inseriscile nelle frasi al posto giusto.

Appartamento ci sono quattro stanze. ⟶ (in+il) = Nell'appartamento...

1. Il mio appartamento è quarto piano di un palazzo antico. (a+il) ....
2. In tutte le stanze albergo c'è l'aria condizionata. (di+l') ....
3. Ho uno splendido balcone con vista mare. (su+il) ....
4. Il costo di una casa dipende molto zona in cui si trova. (da+la) ....
5. I proprietari di alberghi criticano il comportamento turisti italiani. (di+i) ....
6. I prezzi degli affitti sono molto diversi varie città italiane. (in+le) ....
7. In un albergo di lusso è importante anche la qualità ristorante. (di+il) ....
8. In Italia non è comune lasciare grosse mance camerieri. (a+i) ....
9. La camera singola viene 40 euro giorno. (a+il) ....
10. L'affitto appartamenti in centro è molto caro. (di+gli) ....

Per concludere

12. Forma le frasi.

1. Nella / ci / e luminose / tre stanze / sono / casa / grandi
....
2. La periferia / è / città / la zona più economica / della
....
3. Divido / alcuni / la casa / amici / con
....
4. L'appartamento / Marco / è / lontano / di / centro / dal
....
5. Chiedo / il / bagno / sempre / in / in / albergo / camera
....

13. Trova l'errore e correggi le frasi.

1. L'appartamento è al numero 34 di la strada principale. ....
2. Nella mia casa c'è ancora pochi mobili. ....
3. Tralla cucina e il soggiorno c'è la mia camera da letto. ....
4. Arrivo in albergo alle 18 in punto circa. ....
5. Scusi, nella stanza è l'aria condizionata? ....

14. Leggi il testo e il biglietto a pagina 63 e rispondi a Maurizio.

Anche Maurizio è un compagno di casa con molti difetti: quando si alza fa rumore e sveglia gli altri ragazzi, quando torna a casa il pomeriggio tiene la musica ad alto volume e vuole decidere sempre lui cosa vedere in televisione. Scrivi un biglietto di risposta a Maurizio: chiedi scusa per il tuo comportamento a casa ma fai notare anche i suoi errori.

Pronuncia

34 **15. Ascolta le parole e ripetile.**

34 **16. Ascolta di nuovo le parole. Quale suono senti?**

	1	2	3	4	5	6	7	8	9	10
conosci	✓									
ascolta		✓								

	11	12	13	14	15	16	17	18	19	20

Parola chiave

17. Completa lo schema con le parole della lista. Puoi aggiungere anche altre parole che conosci.

appartamento - monolocale - luminosa - padrone di casa - accogliente - passare lo straccio
calda - corridoio - affitto - soggiorno - contratto - villa - salotto - spolverare - lavare i piatti

CASA

tipi di casa
....
....
....

aggettivi della casa
....
....
....

pagare la casa
....
....
....

pulire e riordinare la casa
....
....
....

parti della casa
....
....
....

La mia giornata a Firenze

Esercizi

Funzioni

1. Cosa indicano queste espressioni?

1. Di solito alle 11 vado a lezione.
2. Quante volte alla settimana esci la sera?
3. Vado in palestra 3 volte alla settimana.
4. Ci sentiamo presto.
5. Come ti trovi?
6. Cosa fai di bello?

1	2	3	4	5	6

a. Chiedere a una persona informazioni in maniera informale (sul suo lavoro, lo studio, il tempo libero ecc.).
b. Salutare in maniera informale.
c. Esprimere azioni abituali.
d. Chiedere informazioni su come sta qualcuno in un posto.
e. Esprimere la frequenza.
f. Chiedere con quale frequenza si fa qualcosa.

2. Completa il dialogo tra Jenny e la sua amica.

- Allora Jenny, come va qui a Firenze?
- ....
  (rispondi e dici che sei impegnata e hai poco tempo libero)
- Perché? Cosa fai?
- ....
  (rispondi e dici che hai le lezioni all'università e lavori)
- Davvero? Senti, ma cosa fai di bello? Lavori tutti i giorni o soltanto alcuni giorni alla settimana?
- ....
  (rispondi e specifichi quando lavori)
- Beh, almeno non sei occupata tutti i giorni. Senti, ma riesci a seguire anche le lezioni?
- ....
  (rispondi e specifichi che gli orari di lavoro e delle lezioni sono diversi)
- Insomma, sei sempre di corsa...
- ....
  (rispondi e dai qualche informazione sui tuoi orari: quando ti alzi, esci di casa, arrivi a lezione ecc.)
- Ma almeno il fine settimana riesci a rilassarti un po'?
- ....
  (rispondi e dai qualche informazione su quello che fai di solito il fine settimana)
- Bene. Allora, se ti va, possiamo uscire insieme una di queste sere.
- ....
  (rispondi di sì e dai la tua disponibilità per il fine settimana)
- Ok. Allora ti telefono sabato così ci mettiamo d'accordo. Ciao Jenny, buona giornata.
- ....
  (rispondi)

Vocabolario

3. Completa le frasi con le espressioni della lista. Attenzione! Ci sono 2 espressioni in più.

con calma - in orario - domani - giusto in tempo - in ritardo - alla fine - immediatamente

1. Devo andare. Non voglio arrivare .... all'appuntamento con Elena.
2. Stai tranquilla, il film inizia alle 21 quindi siamo perfettamente ....
3. Mi alzo presto la mattina perché voglio fare colazione ....
4. Devi cominciare .... il lavoro perché deve essere pronto entro stasera.
5. Se esco alle 8 da casa faccio .... a prendere l'autobus delle 8.15.

4. Con quale frequenza fai queste cose? Scrivi delle frasi usando gli avverbi adatti.

1. Andare in palestra.
   ....
2. Visitare un museo o una mostra.
   ....
3. Alzarsi dopo le 10.
   ....
4. Andare a dormire dopo mezzanotte.
   ....
5. Parlare italiano con i compagni di corso.
   ....
6. Organizzare una cena a casa.
   ....
7. Parlare al telefono con un parente.
   ....
8. Studiare per più di 5 ore.
   ....

5. Scegli l'opzione adeguata.

1. Devo cominciare a studiare sul serio. Sono già al secondo anno fuori lezione/corso.
2. Tutti gli studenti devono sopportare/sostenere almeno 20 esami.
3. Non ho studiato abbastanza. A questo appello/questa chiamata non mi presento.
4. Frequento la facoltà/l'autorità di Medicina a Bologna.
5. Quando sono all'università mi fermo a mangiare in cantina/mensa.
6. Se vuoi avere informazioni devi andare alla segreteria/amministrazione studenti.
7. Se voglio laurearmi/diplomarmi, devo scrivere la tesi.
8. Dopo il corso possiamo andare a studiare in libreria/biblioteca.

Grammatica

6. Scegli la forma corretta del verbo.

1. Sabato pomeriggio incontro/mi incontro con Anna in centro.
2. Marco vede/si vede i suoi amici ogni fine settimana.
3. Marco e i suoi amici vedono/si vedono ogni fine settimana.
4. Mia madre prepara/si prepara il pranzo per tutta la famiglia.
5. Mettiamo/Ci mettiamo i libri nello zaino prima di andare a lezione.

6. La commessa del negozio non è molto gentile e non saluta/si saluta mai i clienti.
7. Quando vado in centro, incontro/mi incontro sempre qualcuno che conosco.
8. Lavo/Mi lavo la macchina ogni domenica.

7. Completa le frasi con il corretto pronome riflessivo.

1. Gaia .... alza ogni mattina alle 7.
2. Alberto e Cristina .... conoscono da molti anni.
3. .... faccio la barba ogni tre giorni.
4. Marcello, a che ora .... vediamo stasera?
5. I ragazzi .... incontrano in piazza domani mattina alle 8.
6. Come .... trovi nella nuova casa?
7. Ragazzi, ... annoiate durante la lezione?
8. Per andare al lavoro Maria .... veste sempre in maniera elegante.

8. Scrivi le domande a queste risposte, come nell'esempio.

1. Di solito, a che ora ti svegli la mattina?	La mattina mi sveglio alle 7.
2. ....?	Faccio colazione alle 7.30.
3. ....?	Di solito mi preparo in mezz'ora.
4. ....?	Sì, se l'autobus passa in orario.
5. ....?	Torno a casa e mi riposo.
6. ....?	Di solito ceno a casa.
7. ....?	Quasi sempre il fine settimana.

9. Trasforma le frasi al plurale e alla forma negativa.

1. Mi vesto in maniera sportiva.	Noi invece ....
2. Kate si mette il vestito nero.	Mary e Lana invece ....
3. Mi preparo in fretta.	Noi invece ....
4. Ti svegli presto.	Voi invece ....
5. Sara si riposa il pomeriggio.	Anna e Maria invece ....
6. Ti annoi quando visiti un museo.	Voi invece ....
7. Mi diverto quando vado in discoteca.	Noi invece ....
8. Nino si addormenta tardi.	Voi invece ....

10. Trasforma le frasi e usa *mai* o *quasi mai*.

1. Faccio sempre colazione al bar.
....
2. Marco e Marina stanno sempre insieme.
....
3. Dopo pranzo, quasi sempre mi riposo un po'.
....
4. Per andare al lavoro prendo quasi sempre l'autobus.
....
5. Le lezioni finiscono sempre prima delle 17.
....
6. Quasi sempre il sabato sera mangio fuori.
....

11. Scegli l'avverbio di frequenza adatto e trasforma le frasi come nell'esempio. In alcuni casi è possibile scegliere più di un avverbio.

Leggo un po' ogni giorno.
Leggo sempre un po'.

spesso - quasi mai - raramente - sempre - mai - generalmente

1. Sono vegetariano e non mangio la carne.
....
2. Fumo pochissimo, al massimo una sigaretta dopo cena.
....
3. Vado in palestra almeno 4 volte alla settimana.
....
4. Esco soltanto il sabato sera.
....
5. Molti pomeriggi studio in biblioteca.
....

Per concludere

12. Trova gli errori e correggi le frasi.

1. La mattina mi alzo tardi mai. ....
2. Ragazzi, non spesso uscite la sera? ....
3. La domenica, di solito incontro con i miei amici. ....
4. Perché non quasi mai studi il pomeriggio? ....
5. Sempre non mangiamo alla mensa universitaria. ....

13. Forma le frasi.

1. Giuliana / e / trucca / in / si / si / pettina / dieci minuti
....
2. Tutte / Francesco / le mattine / rade / fa / si / la doccia / poi / si / e
....
3. Spesso / addormentiamo / sera / la / sul / ci / divano
....
4. Marco / svegliano / Francesca / mattina / si / 7.30 / ogni / e / alle
....
5. Vado / palestra / alla / tre / settimana / almeno / volte / in
....
6. Paola / e / una vacanza / prendono / non / un / Roberta / da / si / anno
....
7. Massimiliano / non / con / si diverte / nervoso / noi / e diventa
....
8. Vi / vestito / mettete / elegante / il / un / per / matrimonio / di Carlo e Francesca / ?
....

14. Scrivi una e-mail.
Sei in Italia per 3 mesi per studiare l'italiano. Scrivi una e-mail (80/100 parole) a un tuo amico/una tua amica e descrivi la tua giornata tipo.

Pronuncia

15. Ascolta le parole e ripetile.

16. Ascolta di nuovo le parole. Quale suono senti?

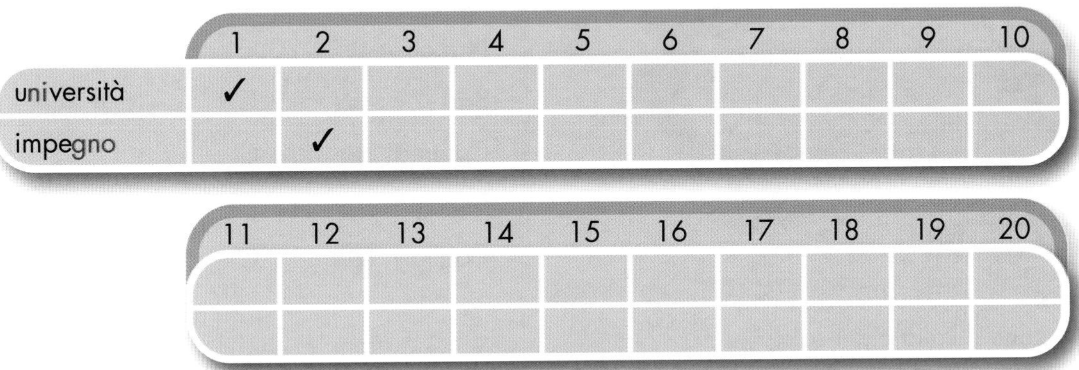

	1	2	3	4	5	6	7	8	9	10
università	✓									
impegno		✓								

	11	12	13	14	15	16	17	18	19	20
università										
impegno										

Parola chiave

17. Completa lo schema con le parole della lista. Puoi aggiungere anche altre parole che conosci.

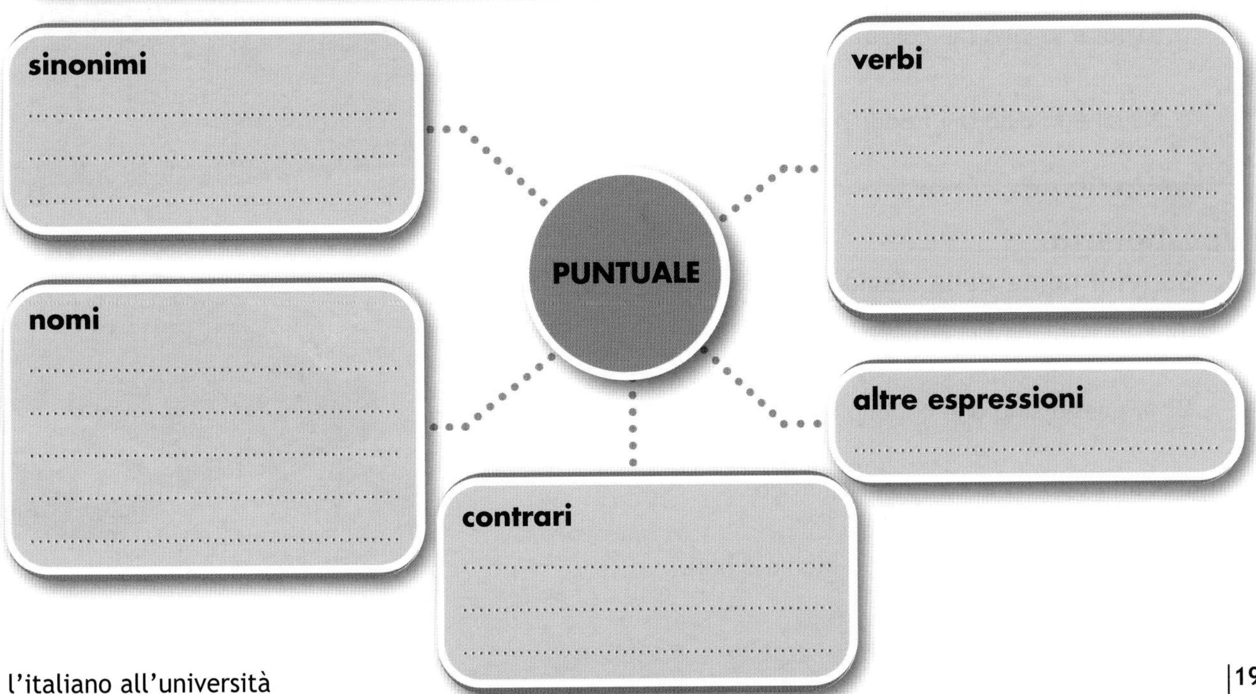

Che tempo fa?

Funzioni

1. Osserva la cartina e rispondi alle domande.

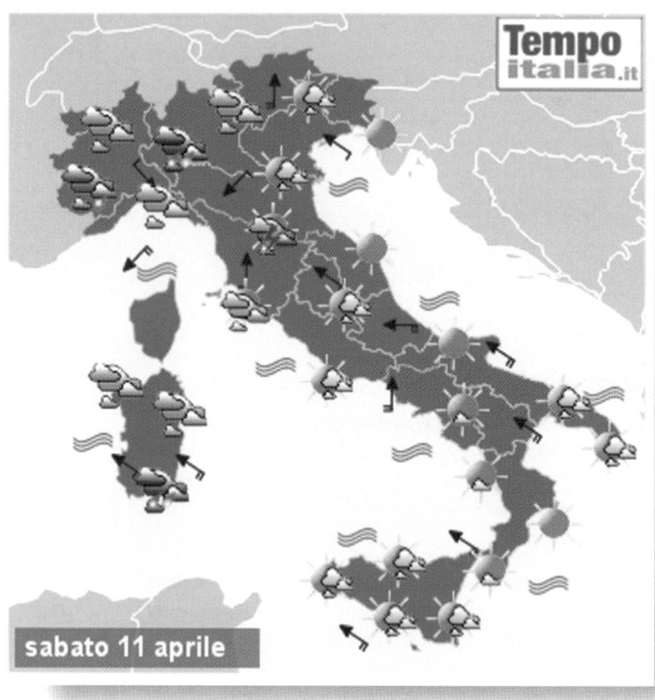

Torino	12°C
Milano	18°C
Venezia	21°C
Genova	16°C
Bologna	20°C
Firenze	21°C
Perugia	18°C
Roma	18°C
Napoli	20°C
Bari	19°C
Catania	16°C
Palermo	18°C
Cagliari	11°C

1. In quali zone d'Italia c'è il sole?
....
2. In quali zone d'Italia il tempo è nuvoloso?
....
3. Che tempo fa a Bologna?
....
4. Che tempo fa a Cagliari?
....
5. Qual è la città più calda?
....
6. Qual è la città più fredda?
....

Vocabolario

2. Scrivi il nome della stagione sotto alla definizione.

1. È la stagione più calda dell'anno. Chi può, va al mare.
....
2. In questa stagione cadono le foglie e le piogge sono frequenti.
....
3. Fa freddo e nel Nord Italia nevica.
....
4. Il clima è mite e fioriscono piante e fiori.
....

3. Inserisci le parole nella tabella come nell'esempio.

vento - neve - nuvola - nevica - sole - nebbia - tira vento
nuvoloso - ventoso - soleggiato - nebbioso - innevato

nome	aggettivo	verbo
Pioggia	Piovoso	Piove

4. Cancella la parola estranea da ogni gruppo di parole.

1. nord - in mezzo - sud - ovest - est
2. neve - freddo - caldo - mite
3. stagione - marzo - giugno - dicembre
4. pioggia - vento - stagione - sole
5. estate - primavera - gennaio - autunno
6. montagna - mare - campagna - regione
7. città - isole - regioni - laghi
8. clima - giorno - mese - anno

Grammatica

5. Rispondi con i pronomi diretti.

1. Conosci bene Roma? ....
2. Dove passi l'estate? ....
3. Visiti le regioni del Sud? ....
4. Puoi prendere l'ombrello? ....
5. Sai dov'è Parma? ....
6. Guardi le previsioni del tempo? ....
7. Raccogli i funghi in autunno? ....
8. Fai il bagno al lago? ....

6. Completa con i pronomi diretti *lo, la, li, le* e accoppia le domande alle risposte.

1. Puoi prenotare i biglietti del treno?
2. Quando viaggi in macchina usi la carta geografica?
3. Potete portare la macchina fotografica?
4. Quando prendete le ferie quest'anno?
5. Sapete che in Italia ci sono venti regioni?
6. Ti piace il caldo estivo?
7. Accendi spesso il riscaldamento in casa?

a. Sì, tranquillo, ... prenoto io.
b. No, non .... sopporto.
c. .... prendiamo in estate, così andiamo al mare.
d. No, ... uso solo quando fa molto freddo.
e. No, non .... uso. Uso il navigatore.
f. Sì, ... sappiamo.
g. Sì, ... portiamo noi.

1	2	3	4	5	6	7

7. Completa con i pronomi diretti personali *mi, ti, ci, vi*.

1. Io e Angelo siamo senza macchina. .... accompagni tu alla stazione?
2. Stai tranquillo. Se il mio treno arriva in ritardo, ... avverto.
3. Se volete possiamo aspettar..............., così partiamo insieme.
4. Ragazzi, se venite a Siena, ... invito a cena nel ristorante migliore della città.
5. .... aiuti a mettere le valigie in macchina, per favore? Sono già in ritardo.
6. Marco, chi è quella persona che .... saluta?
7. Elena, non posso entrare in centro con la macchina ma posso lasciar............... alla fermata.

8. Trasforma le frasi con i pronomi diretti atoni.

1. Franco saluta me ogni volta che vede me.
   ....
2. Devo passare a prendere te o ci vediamo in centro?
   ....
3. Bambini, domani porto voi al mare.
   ....
4. Laura non ringrazia mai noi quando la aiutiamo.
   ....

9. Completa le frasi.

1. Faccio molte passeggiate,
2. Posso chiamarti più tardi
3. Dopo la festa Stefano
4. Ragazzi, adesso
5. Compro due libri
6. La macchina è rotta
7. Ho bisogno di un passaggio:
8. Roma è la capitale d'Italia,

a. e devo ancora ripararla.
b. è tardi e devo salutarvi.
c. mi piace farle soprattutto in primavera.
d. Salvo ha la macchina, lo chiedo a lui.
e. e li leggo durante le vacanze.
f. lo sanno tutti.
g. o ti disturbo?
h. mi accompagna a casa.

10. Scegli il verbo adatto e completa le frasi con la forma *stare + gerundio*.

1. Marta .... un libro in giardino.
2. Tu .... un po' di musica
3. Franco .... un po' di giardinaggio.
4. Io .... per gli Stati Uniti.
5. I bambini .... profondamente.
6. Il cane .... fuori con Nino.
7. Gli studenti .... una relazione.
8. Ti presto il mio ombrello, fuori ....

fare giocare partire scrivere leggere dormire piovere ascoltare

11. Scegli la forma corretta.

1. L'Italia è un Paese con molto/molta/molti/molte città d'arte.
2. Sfortunatamente viaggio poco/poca/pochi/poche perché non ho tempo.
3. In alcune città del Nord la temperatura è molto/molta/molti/molte bassa.
4. Nella mia zona in inverno ci sono poco/poca/pochi/poche piste da sci.
5. Quando vado in vacanza conosco sempre molto/molta/molti/molte persone.

6. Mi piace molto/molta/molti/molte visitare posti nuovi.
7. Faccio poco/poca/pochi/poche viaggi all'anno.
8. Quando viaggio visito molto/molta/molti/molte posti nuovi.
9. Sono un principiante e so sciare poco/poca/pochi/poche.
10. Ho poco/poca/pochi/poche voglia di andare in vacanza con Alex.

Per concludere

12. Trova l'errore e correggi le frasi.

1. In Irlanda pioggia spesso. ....
2. In inverno nella mia città il tempo è molto piove. ....
3. Qui all'ombra fa freddo. Andiamo in un posto più sole. ....
4. Non posso venire in viaggio con voi perché ho poco soldi. ....
5. La temperatura sta scendando sensibilmente. ....
6. In Sicilia neve poco in inverno. ....
7. Paolo, accompagnaci a casa per favore? ....
8. Massimo e Gianni stanno mangiandi un gelato. ....
9. Londra è una città nebbia. ....
10. Quando viaggio, visito molto musei. ....

13. Forma le frasi.

1. L'inverno / la temperatura / sta / e / aumenta / finendo
....
2. Che / in questo / tempo / fa / nella tua / periodo / città?
....
3. In / un clima / Italia / molti / vengono / turisti / perché / mite / c'è
....
4. Luisa / in Francia / invece / andando / andando / i miei amici / stanno / sta / a Roma
....
5. Leggo / specialmente / quando / sono in vacanza / molti / in estate / libri
....
6. Molti / in vacanza / generalmente / ad agosto / vanno / italiani / al mare
....
7. I cannoli / e li / in Sicilia / sono / sempre / dolci tipici siciliani / quando vado / mangio
....
8. Possiamo / e fa / perché / il tempo / bello / caldo / andare al mare / è
....

14. Descrivi qual è il periodo dell'anno che preferisci e perché (100/120 parole).

....
....
....
....
....

Pronuncia

36

15. Ascolta le parole e ripetile

36

16. Ascolta di nuovo le parole. Quale suono senti?

	1	2	3	4	5	6	7	8	9	10
famose	✓									
Genova		✓								

11	12	13	14	15	16	17	18	19	20

Parola chiave

17. Completa lo schema con le parole della lista. Puoi aggiungere anche altre parole che conosci.

essere in tempo - fa bel tempo - ammazzare il tempo - fa brutto tempo - c'è un tempo splendido
passare il tempo - arrivare in tempo - che tempo fa? - il tempo è denaro - com'è il tempo?
il tempo è bello/brutto/nuvoloso/soleggiato - il tempo passa

TEMPO

ATMOSFERICO

espressioni con *fare*
....
....
....

espressioni con *essere*
....
....
....
....

CRONOLOGICO

espressioni con significato di *trascorrere*
....
....

espressioni con significato di *entro un limite definito*
....
....
....

altre espressioni
....
....

Che cosa hai fatto nel fine settimana?

Esercizi

Funzioni

1. Metti in ordine il dialogo.

A. ● Che film hai visto?
B. ● Sì, per me è un film bellissimo.
C. ● Cosa hai fatto ieri sera?
D. ● Ti è piaciuto?
E. ● Sì, l'ho visto la settimana scorsa.
F. ● E a te è piaciuto?
G. ● Ho visto *Alla ricerca della felicità*.
H. ● No, non molto. Secondo me è un film un po' lento. Tu l'hai visto?
I. ● Ho visto un film su Sky Cinema.

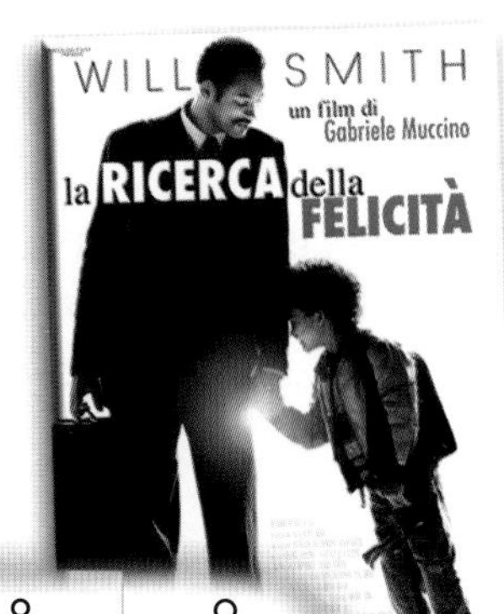

1	2	3	4	5	6	7	8	9
C								

2. Completa il dialogo con le domande.

Paolo: ....?
Luca: Sabato scorso sono andato a Siena.
Paolo: ....?
Luca: Ci sono andato in autobus.
Paolo: ....?
Luca: Sì, ci sono andato con Sandra.
Paolo: ....?
Luca: Abbiamo visitato il Duomo, Piazza del Campo e il Museo Civico.
Paolo: ....?
Luca: Abbiamo mangiato in un buon ristorante e ho assaggiato dell'ottimo vino.
Paolo: ....?
Luca: Siamo ritornati a Firenze verso le sette e mezzo.

Vocabolario

3. Completa le frasi.

1. Sabato ho invitato qualche amico a cena e quindi
2. Amo la natura e quando posso
3. Sono stanco morto! Questo fine settimana
4. Ho bisogno di qualche vestito,
5. Andiamo a visitare la mostra di Caravaggio?
6. Sono ingrassato, dovrei

a. fare un po' di sport in più.
b. voglio dormire fino a tardi.
c. ho cucinato tutto il giorno.
d. Domenica l'ingresso è gratis.
e. mi accompagni a fare spese?
f. faccio lunghe passeggiate in campagna.

4. **Completa le frasi con le parole date.**

fa - stamattina - scorso - scorsa - ieri - fa

1. Sono andato al cinema la settimana ....
2. Ho incontrato Mary poco ....
3. Ho telefonato a Nino l'altro ....
4. Ho controllato la posta due giorni ....
5. L'anno .... sono stato a Parigi.
6. .... Anna si è alzata tardi.

5. **Inserisci le espressioni della lista e completa le frasi.**

hanno fatto un po' di sport - sono andate a una festa
ha letto un libro - avete visitato una mostra - ha fatto una passeggiata
ho guardato - sei andato a teatro - ha fatto spese

Il fine settimana scorso...

1. Lisa e Mary .... e si sono divertite.
2. Maria .... in campagna.
3. Tu .... a vedere una commedia?
4. Voi .... alla Galleria d'arte contemporanea, vero?
5. I miei amici sono andati in palestra e ....
6. Elisa .... di poesie.
7. Marta .... nei negozi del centro.
8. Io sono stato a casa e .... la Tv.

6. **Rileggi il dialogo a pagina 102 e completa il riassunto.**

Francesco sabato mattina (1)................................ tardi, ha sistemato casa e ha stirato (2)................................ camicie. Di pomeriggio ha incontrato (3)................................ amici. Prima è andato (4)................................ un giro in centro e poi (5)................................ una mostra di pittura. Di sera Francesco è uscito con (6)................................ Siccome non (7)................................ i biglietti per lo spettacolo al Teatro dei Rozzi, (8)................................ di andare al *Barone Rosso*. Lì hanno bevuto (9)................................ e hanno ascoltato (10)................................ buona musica dal vivo.

Grammatica

7. **Trasforma le frasi.**

1. Ieri sera sono uscito.	Anche Martina ieri sera ....
2. Marco è andato al bar.	Anche Francesca .... al bar.
3. Noi siamo restati a casa.	Anche Anna e Maria .... a casa.
4. I miei genitori sono partiti.	Anche Marcello ....
5. Sono nato nel 1989.	Anche le mie sorelle .... nel 1989.
6. Sabato sei tornato tardi.	Anche voi .... tardi.
7. Anna si è divertita molto.	Anche noi .... molto.
8. Alberto si è alzato presto.	Anche Luisa e Gino .... presto.

9. Ti sei messa il vestito nuovo. Anche Emy e Ely .... il vestito nuovo.
10. Finalmente mi sono rilassato. Anche voi finalmente ....

8. Completa il testo del diario di Alessandra con i verbi al passato prossimo.

Caro diario,
ecco che cosa ho fatto domenica. La mattina presto (partire) (1).................................... per Bologna. (Arrivare) (2).................................... alle nove e mezzo e (incontrare) (3).................................... alcune amiche bolognesi. (Noi - fare) (4).................................... un giro in città, (bere) (5).................................... un caffè e poi (vedere) (6).................................... una bella mostra di pittura. A pranzo (io - mangiare) (7).................................... in una piccola trattoria con un'amica, poi alle tre, dopo una passeggiata, (prendere) (8).................................... il treno per Parma. Qui (visitare) (9).................................... alcune chiese, poi, verso le sette e mezzo, (tornare) (10).................................... a Firenze. (Cenare) (11)...................................., (guardare) (12).................................... la TV, (ascoltare) (13).................................... un po' di musica e poi (andare) (14).................................... a letto. Insomma (essere) (15).................................... una giornata rilassante e (io - divertirsi) (16).................................... .

9. Trasforma le frasi con il partitivo (*del, dello, della, dei, degli, delle*).

1. Ho visto alcuni amici. ....
2. Ho bevuto un po' di vino. ....
3. Ho conosciuto alcune ragazze. ....
4. Ho messo un po' di zucchero nel caffè. ....
5. Ho comprato qualche libro. ....
6. Ho preparato un po' di pasta per cena. ....
7. Ho portato qualche dolce. ....
8. Ho scritto alcune e-mail. ....

10. Riscrivi le frasi e inserisci *già* o *ancora*.

1. Avete fatto gli esercizi?
....
2. Oddio è tardissimo! E devo fare la doccia!
....
3. Avete visitato il Duomo? Io non ho potuto visitarlo.
....
4. Sono già le 11 ma Matteo non si è alzato.
....
5. Il dottore è andato via? Quando lo posso trovare?
....
6. Sei arrivato a casa? Hai fatto presto.
....
7. Tuo figlio ha 6 anni? Allora ha cominciato ad andare a scuola.
....
8. Non ho riordinato la casa, ma voglio farlo questo pomeriggio.
....

11. Rispondi alle domande e utilizza i pronomi diretti.

1. Ha visitato la mostra? ....
2. Hai aperto le finestre? ....
3. Hai finito i compiti? ....
4. Hai letto il libro? ....
5. Hai fatto le fotografie? ....
6. Hai mangiato la pizza? ....
7. Hai portato le birre? ....
8. Hai spento lo stereo? ....
9. Hai fatto il bucato? ....
10. Hai cucinato gli spaghetti? ....

SANTI POETI NAVIGATORI...
Gli Uffizi a Montecatini Terme
TERME TAMERICI
Montecatini Terme
16 aprile - 16 luglio

Per concludere

12. Forma le frasi.

1. La settimana /siamo / a fare / una passeggiata / scorsa / andati
....
2. Ieri / sono / visto / e / un film interessante / andata / al cinema / ho
....
3. Abito a Roma / ancora / ho / il Vaticano / un mese ma non / visto / da
....
4. Anna e Franco / un corso / un anno / frequentato / hanno / di giapponese / fa
....
5. Elena / buonissimi / degli / spaghetti / ha / al pesto / cucinato
....
6. Yumo / in Italia / due mesi / arrivata / fa / parla / un po' di italiano / e già / è
....
7. Ho / 35 euro / del concerto / e li / comprato / i biglietti / ho / pagati
....
8. Ieri / alla festa / invitate / e le / Simona e Miriam / ho / ho / incontrato
....

13. Trova l'errore e correggi le frasi.

1. Ieri ha stato una bella giornata. ....
2. Hai veramente dei amici simpatici! ....
3. Marina è uscito ieri sera con Marcello. ....
4. Hai portato i libri o li hai dimenticato a casa? ....
5. Sabato sera non mi ho divertita per niente. ....
6. Lo scorso fine settimana non siamo usciti e siamo rimanuti a casa. ....
7. Non ho già finito di fare gli esercizi. ....
8. Ho conosciuto Marisa il mese fa. ....

14. Scrivi un testo e descrivi cosa fai di solito nel tempo libero e nel fine settimana (100/150 parole).

....

....

....

....

....

....

....

Pronuncia

15. Ascolta le parole e ripetile.

16. Ascolta di nuovo le parole. Quale suono senti?

	1	2	3	4	5	6	7	8	9	10
simpatico	✓									
dialogo		✓								

	11	12	13	14	15	16	17	18	19	20
simpatico										
dialogo										

Parola chiave

17. Completa lo schema con le parole della lista. Puoi aggiungere anche altre parole che conosci.

andare fuori - (fuori) dai gangheri - stare/restare a casa - entrare - allo scoperto
fuori - (fuori) dal coro - fare un giro - (fuori) di testa

sinonimi
....
....

contrari
....
....

USCIRE

con significato di *diventare molto nervoso*
uscire ....

con significato di *apparire, spuntare*
uscire ....

con significato di *mostrare le reali intenzioni*
uscire ....

con significato di *impazzire, diventare pazzo*
uscire ....

con significato di *dire o fare cose diverse rispetto agli altri*
uscire ....

La nuova famiglia italiana

Funzioni

1. Leggi i racconti delle persone e accoppia i genitori (g.) ai figli (f.).

A.
Mi chiamo Giovanni e ho 29 anni. Sono un tipo che ama la libertà, ma da due anni sono fidanzato con Marta, una ragazza che amo tantissimo. Io e Marta andiamo molto d'accordo e vogliamo sposarci appena possibile. Purtroppo in questo momento Marta non lavora quindi non possiamo comprare una casa. Una soluzione può essere quella di trovare una casa in affitto ma le spese sono abbastanza alte, quindi preferisco restare a casa con i miei. Se Marta trova un lavoro, allora possiamo sposarci e vivere insieme.

B.
Sono Caterina, ho 43 anni e faccio la giornalista. Sono separata da un anno e ho un figlio di 15 anni. Purtroppo mio figlio non ha un'adolescenza serena. Io sono quasi sempre fuori casa per lavoro e quando sono a casa lo trovo sempre nervoso... non mi racconta mai quello che fa a scuola o con i suoi amici. Non so cosa fare... Chiude la porta della sua stanza, naviga tutto il giorno in internet e rifiuta ogni tipo di rapporto con me. Probabilmente ha bisogno anche della figura paterna che non ha.

C.
I miei genitori sono divorziati e io vivo con mia madre. Ho un ottimo rapporto con mamma e papà e anche loro si vogliono bene anche se non stanno più insieme. Mamma adesso si è fidanzata e anche papà ha una ragazza. Io sto bene a casa e vado d'accordo con i miei genitori. Anche il fidanzato di mamma e la fidanzata di papà sono molto simpatici e affettuosi con me.

D.
I miei genitori sono separati e io vivo con mia madre. Lei è sempre fuori per lavoro e la vedo pochissimo. Io e mia madre non andiamo molto d'accordo e spesso litighiamo: quando torna a casa vuole sapere quello che faccio, ma io non parlo volentieri con lei e preferisco navigare in internet. Non sopporto poi quando entra in camera mia e si lamenta del disordine che c'è, del letto che non è rifatto... Insomma, la stanza è mia e ci vivo io! Mia madre non sta quasi mai in casa, e quando la vedo si lamenta sempre di qualcosa.

E.
Sono Pietro, sono sposato con Francesca da 32 anni e abbiamo un figlio ormai adulto. Nostro figlio ha un lavoro e una fidanzata, ma non si decide a uscire di casa. Non capisco perché i ragazzi di oggi vogliono restare con i genitori fino a quando sono adulti. Capisco che a casa hanno tutte le comodità... ma insomma, un po' di spirito di indipendenza! Mia moglie invece fa di tutto per tenere nostro figlio a casa e dice che non guadagna soldi sufficienti per essere indipendente. È vero non guadagna molto, ma può sicuramente prendere almeno una piccola casa in affitto.

F.
Ho 40 anni e una bambina di 12 anni. Sono divorziata da 3 anni dal mio ex marito, Stefano, ma fortunatamente i nostri rapporti sono rimasti buoni. Nostra figlia Maria vive con me, ma Stefano viene a trovarla ogni fine settimana e passano un po' di tempo insieme. Da un anno vivo insieme a Franco, il mio nuovo fidanzato che adora Maria e anche a Maria piace Franco. Anche Stefano ha una ragazza, Laura, quindi Maria spesso passa il fine settimana con il papà e la sua nuova fidanzata. Anche se non siamo una famiglia tradizionale spesso per le feste ci troviamo tutti insieme, io e Franco, Stefano e Laura e ovviamente Maria. Mia figlia è serena e accetta senza problemi la sua nuova famiglia allargata.

(g.) .... /........ (f.) (g.) .... /........ (f.) (g.) .... /........ (f.)

2. Quali espressioni puoi usare in queste situazioni?

1. La tua ragazza ha passato un esame difficile.
   Mannaggia!/Che fortuna!/Congratulazioni!
2. Tuo fratello ha vinto 10.000 euro alla lotteria.
   Che rabbia!/Che fortuna!/Che peccato!
3. La tua squadra ha perso la partita all'ultimo minuto.
   Favoloso!/Che sfortuna!/Che bello!
4. Tua sorella aspetta un bambino.
   Che rabbia!/Che peccato!/Che bello!
5. Devi consegnare due relazioni al tuo professore entro la prossima settimana.
   Congratulazioni!/Accidenti!/Che peccato!

Vocabolario

3. Osserva l'albero genealogico di Francesca e rispondi alle domande.

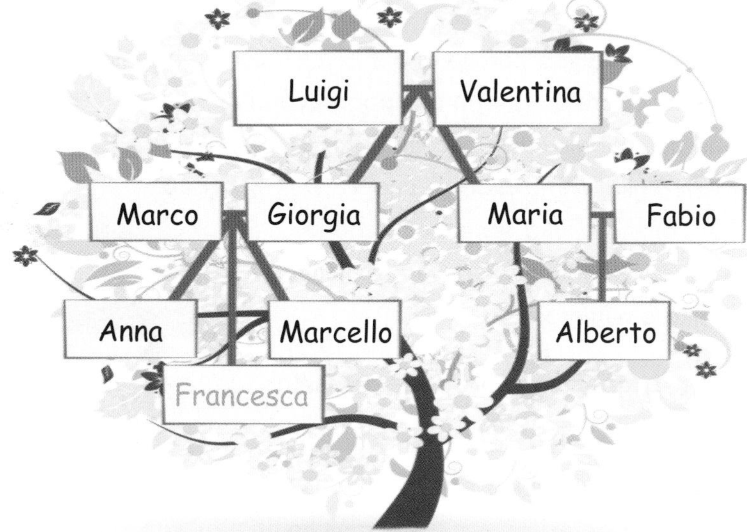

1. Chi sono Marco e Giorgia?
   ....
2. Chi è Anna?
   ....
3. Chi è Alberto?
   ....
4. Chi sono Luigi e Valentina?
   ....
5. Chi è Maria?
   ....
6. Chi è Marcello?
   ....
7. Chi è Francesca rispetto a Maria?
   ....
8. Chi è Francesca rispetto a Luigi e Valentina?
   ....
9. Chi è Luigi rispetto a Marco?
   ....
10. Chi è Fabio rispetto a Giorgia?
    ....

4. Unisci le frasi.

1. È già da un po' che Marco e Laura escono insieme e
2. Sara e Nino sono una bella coppia:
3. Non mi trovo più bene con Alessio,
4. Quando Jenny e Eric si sono conosciuti
5. Giovanni ha divorziato dalla moglie e
6. Dopo molte discussioni Anna e Giulio

a. sono felicemente sposati da 3 anni.
b. prima o poi si fidanzeranno sicuramente.
c. hanno deciso di separarsi.
d. adesso sta insieme a Barbara.
e. litighiamo per qualunque motivo.
f. si sono innamorati a prima vista.

Grammatica

5. Completa le frasi con l'aggettivo possessivo.

1. Anna e Marco fanno una festa per inaugurare la l............... nuova casa.
2. Marcello e Francesco non sopportano i l............... nuovi compagni di casa.
3. Grazie per l'invito. Mi fa piacere conoscere i v............... amici.
4. Dobbiamo uscire presto la mattina perché la n............... scuola è lontana da casa.
5. Nel tempo libero mi piace fare un giro in campagna con i m............... cani.
6. Se vuoi stare insieme ad Antonio, devi accettare i s............... difetti.
7. Venite a trovarmi? Che bello! Mi fa piacere una v............... visita.
8. Elena e la s............... amica Giulia sono molto carine.
9. Com'è il t............... corso di italiano? Facile o difficile?
10. La m............... famiglia è numerosa.

6. Inserisci l'articolo determinativo dove è necessario.

1. Ti presento Marcella, ... mia ragazza.
2. .... mio fratello lavora in banca.
3. Alla festa ho conosciuto Susan e .... sue amiche.
4. Kate è andata in vacanza con .... suoi genitori.
5. Ti presento Dalila, ... mia moglie.
6. Passo le feste di Natale con .... mia famiglia e .... miei parenti.
7. .... mio padre ha 55 anni e lavora in banca, ... mia madre invece è casalinga.
8. Ieri sera ho cenato con .... mio fratello e .... miei cugini.
9. Se vuoi posso chiamarti domani. Mi dai .... tuo numero di telefono?
10. .... miei nonni sono anziani ma ancora attivi.

7. Scegli la forma corretta del futuro semplice.

1. Il prossimo fine settimana i miei amici andranno/anderanno a Bologna.
2. Domani scriverò/scrivrò una mail alla segreteria per chiedere qualche informazione sui corsi.
3. Io e Marianna ci sposremo/ci sposeremo tra due settimane.
4. Quando facerai/farai 18 anni ti comprarò/comprerò una macchina.
5. Se Marco e Eva continueranno/continuaranno a litigare così, prima o poi si lasceranno.
6. Sono sicura che quest'anno incontrarai/incontrerai l'uomo della tua vita.
7. Quando finirò/finiscerò gli studi, vorrei fare un viaggio in Europa.
8. Domani sarete/esserete ancora a Milano o partirete/partrete?
9. Ti giuro che ti amerò/amrò per tutta la vita!
10. Potrai/Poterai tornare a casa per pranzo o doverai/dovrai restare qui?

8. Forma delle frasi.

1. Vuoi continuare a convivere
2. Non ci siamo ancora sposati
3. Mio padre è pensionato, mia madre
4. Voglio bene a mio fratello
5. Ho litigato con Giorgio

ma
perché
o
invece

a. litighiamo spesso.
b. si è comportato male con me.
c. lavora ancora.
d. pensi di sposarti prima o poi?
e. ci sposeremo l'anno prossimo.

Per concludere

9. Trova l'errore e correggi le frasi.

1. Voglio molto bene a mia famiglia. ....
2. Giorgio e Laura sposano tra un mese. ....
3. Devi decidere se vuoi sposare Marco ma se lo vuoi lasciare. ....
4. Più tardi Giorgia anderà a prendere i suoi figli a scuola. ....
5. Li conosco da 10 anni ma non conosco ancora i suoi genitori. ....
6. Stasera Nino prende il suo macchina. ....
7. Ho sposato con Marcella da tre anni. ....
8. Io e Martina abbiamo fidanzati e stiamo bene insieme. ....

10. Forma le frasi.

1. Passo / famiglia / con / la / le feste / mia
   ....
2. I / sono sposati / da / miei / anni / genitori / venti
   ....
3. Quali sono / per il / tuoi / prossimo / i / progetti / anno?
   ....
4. Marcello e Gaia / insieme / sposarsi / stanno / vogliono/ da molti anni / ma / non
   ....
5. La famiglia / è molto diversa / italiana / dalla famiglia / attuale / di trenta anni fa
   ....
6. Ci saranno / gli amici / o inviterete / invitati / al matrimonio / molti / soltanto / più intimi?
   ....

11. Completa il testo con le parole della lista.

o - genitori - perché - ma - marito - coppie - si sposano - famiglia

Come cambia la famiglia italiana

Donne di trent'anni senza figli né (1)....................... che rimangono a vivere con i (2).......................; è questo un primato che l'Italia ha rispetto agli altri Paesi europei. La formula tradizionale italiana di famiglia ha avuto infatti molte trasformazioni e sono presenti oggi molte situazioni diverse: famiglie unipersonali, (3)....................... senza figli (4)....................... famiglie con un solo genitore. È uno dei dati dell'indagine Eurispes per la festa della donna: *Quattro ritratti per l'8 marzo*, la posizione della donna in (5)......................, in politica, al lavoro e rispetto al fenomeno dell'immigrazione. (6)....................... il modello familiare classico della coppia resiste e rappresenta la scelta del 72,4% delle trentenni italiane anche se, tra queste, il 9,3% ha formato una coppia senza figli. Questo rappresenta secondo l'indagine un modello familiare "che aumenta continuamente a partire dai primi anni Ottanta" (7)....................... le donne (8)....................... sempre più tardi, ma soprattutto per la "professionalizzazione femminile": per il lavoro le donne possono rinunciare ad avere figli.

adattato da http://www.edscuola.it

12. Scrivi un breve testo su una persona della tua famiglia e sul tuo rapporto con lui (80/100 parole).

....

....

....

....

....

Pronuncia

38 13. Ascolta le parole e ripetile.

38 14. Ascolta di nuovo le parole. Quale suono senti?

	1	2	3	4	5	6	7	8	9	10
insieme	✓									
divorzio		✓								

11	12	13	14	15	16	17	18	19	20

Parola chiave

15. Completa lo schema con le parole della lista. Puoi aggiungere anche altre parole che conosci.

parenti - unita - genitori - fratelli - mettere su - familiari - allargata - cugini - farsi una - affare di famiglia reale - essere figlio di papà/di famiglia - distrutta - amare - interessi di famiglia - tradizionale - riunire

FAMIGLIA

verbi

....

....

....

nomi di familiari

....

....

....

aggettivi

....

....

....

....

....

altre espressioni

....

....

....

....

sinonimi

....

....

Mi sembra...

Esercizi

Funzioni

1. Metti in ordine il dialogo.

A. • E gli altri amici di Maurizio come sono?
B. • E che tipo è?
C. • Ho capito. E fisicamente com'è?
D. • Allora, come è andata ieri sera?
E. • Guarda, mi sembrano tutte persone simpatiche. Alcuni sono un po' introversi, ma sai... ieri ci siamo visti per la prima volta quindi non posso ancora dirlo.
F. • Molto carina. Alta, snella con i capelli biondi e mossi e gli occhi chiari. E un bel sorriso.
G. • Mah... veramente non abbiamo parlato molto. Però mi sembra una persona cordiale e gentile.
H. • Bene. Sono uscita con Maurizio e i suoi compagni di corso. Finalmente ho conosciuto Marcella, la ragazza che piace a Maurizio.

1	2	3	4	5	6	7	8
D							

Vocabolario

2. Riordina le lettere e scopri gli aggettivi.

1. simos _ _ _ _ _
2. volac _ _ _ _ _
3. buostro _ _ _ _ _ _ _
4. vanegio _ _ _ _ _ _ _
5. naziona _ _ _ _ _ _ _
6. gregavossi _ _ _ _ _ _ _ _ _ _
7. copatinati _ _ _ _ _ _ _ _ _ _
8. tocadulema _ _ _ _ _ _ _ _ _ _

3. Leggi il testo e completa la scheda.

Maria è italiana e abita a Roma. È una bella ragazza e fa l'infermiera in un ospedale. Ha 25 anni ed è alta e magra. Ha gli occhi azzurri e i capelli neri, lisci e lunghi. Io non la conosco molto bene, ma mi sembra educata e allegra anche in situazioni difficili.
Il fidanzato di Maria si chiama Pablo: ha 32 anni, ed è brasiliano, di Rio. Pablo fa il cameriere a Roma in un ristorante in Via Condotti, vicino a Piazza di Spagna. È sempre molto simpatico con tutti; è alto e un po' grasso; ha la pelle scura, gli occhi neri e i capelli lunghi e ricci.

	Nazionalità	Fisico	Occhi	Capelli
Maria				
Pablo				

4. **Inserisci gli aggettivi nella tabella. Attenzione! Alcuni aggettivi vanno bene sia per il fisico sia per il carattere.**

interessante - carino - robusto - chiaro - forte - tranquillo - nervoso
muscoloso - brutto - calvo - noioso - scuro - aperto

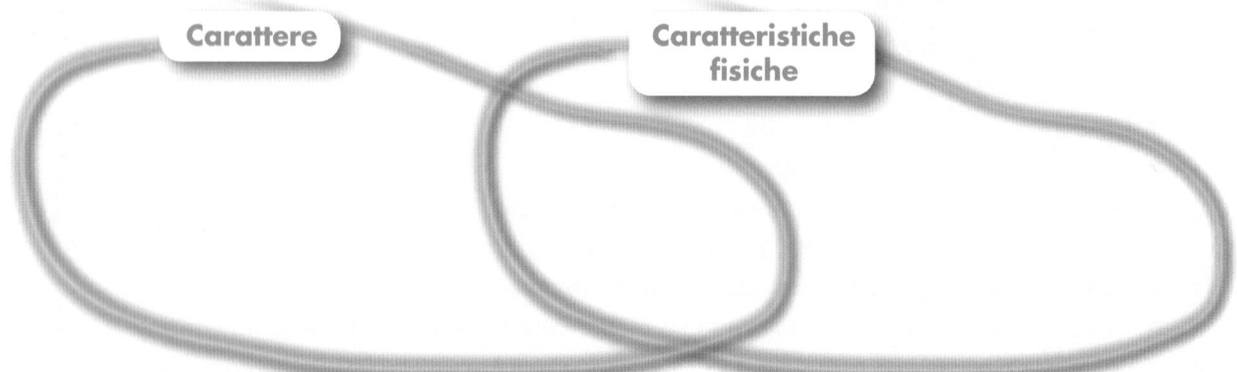

5. **Riscrivi il testo dell'attività 3 di pagina 213 e cambia gli aggettivi sul fisico e sul carattere con gli opposti (100/150 parole).**

Maria è ....
....
....
....
....
....
....
....
....

Grammatica

6. **Completa i dialoghi con le espressioni della lista. Attenzione: ci sono 2 espressioni in più!**

a me è sembrato - mi sembrano - mi è sembrato - non mi è sembrato
invece - a me sì - neanche a me - a me no

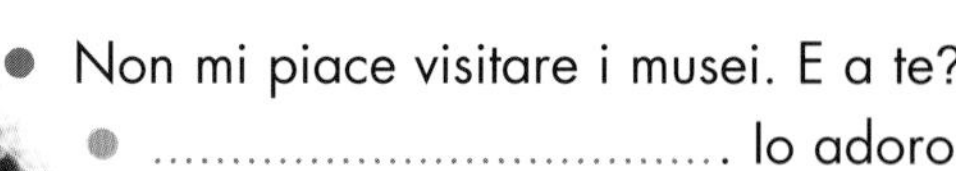

A.
- Non mi piace visitare i musei. E a te?
- .... Io adoro la storia dell'arte!

B.
- Non mi piace andare in discoteca.
- ...., preferisco un locale più tranquillo.

C.
- Il film di ieri mi è sembrato molto interessante.
- Davvero? .... a me no. .... noioso.

D.
- Marco e Maria .... simpatici.
- Anche a me sembrano simpatici.

E.
- .... un test difficile.
- Neanche a me, è stato abbastanza semplice. Speriamo di prendere un buon voto.

7. Completa con i pronomi indiretti.

1. Signor Rossi, ... dispiace chiudere la porta, per favore?
2. Quello che gli altri dicono di Vito non .... interessa. Per me è sempre un caro amico.
3. Allora ragazzi, come .... è sembrata Roma? .... è piaciuta?
4. Professoressa, posso far............... una domanda?
5. I miei amici cambiano casa e domani .... do una mano a traslocare.
6. Massimo devo chieder............... un favore. .... servono 100 euro in prestito.
7. Elena, non abbiamo la macchina. .... presti la tua?
8. Non ho sentito Alberto e Stefania. Appena ho un minuto .... telefono.

8. Riscrivi le frasi usando i pronomi diretti o indiretti.

1. Nadia è una ragazza molto intelligente e io voglio bene a Nadia. (1 pronome)

   ....

2. Se incontro Maria dico a Maria che cerchi Maria. (2 pronomi)

   ....

3. Ho visto Luigi e Franco e ho dato a Luigi e Franco l'invito per la mia festa. (1 pronome)

   ....

4. Sandro non mi ha ancora perdonato. Ogni volta che vedo Sandro vorrei parlare a Sandro per chiedere scusa a Sandro. (3 pronomi)

   ....

5. Da un po' non sento mia madre. Adesso scrivo un messaggio a mia madre e più tardi provo a chiamare mia madre al telefono. (2 pronomi)

   ....

6. È uscito l'ultimo film di Brad Pitt e oggi voglio assolutamente vedere il film! Ho telefonato anche a Marta e Mario per invitare Marta e Mario al cinema e ho detto a Marta e Mario di avvertire anche Franco. (3 pronomi)

   ....

   ....

Per concludere

9. Trova gli errori e correggi le frasi.

1. Buongiorno Dottore, io sono Marco Rossi. Piacere di conoscerti.

   ....

2. Non sopporto gli arroganti e mi piacciono neanche gli ipocriti.

   ....

3. Giulia è molto carina e simpatica e anche sua sorella è un po' antipatica.

   ....

4. I tuoi amici mi sembra persone interessanti.

   ....

5. Marcello prende le decisioni immediatamente. Insomma è un tipo maleducato.

   ....

6. Non mi piace molto parlare in chat, e a tu?

   ....

7. Ecco il numero di Mario, così puoi telefonarlo e invitarlo alla festa.

....

8. Valerio non va in discoteca perché non si piace ballare.

....

10. Forma le frasi.

1. Alberto / sembra / persona / mi / aperta / una / non / molto

....

2. Ho conosciuto / e / Mary / oggi / incontro / la / su Facebook

....

3. Come / di / Vito / è / carattere / ?

....

4. Caterina / con / chiari / la ragazza /è / gli / occhi

....

5. A / conoscere / Nino / persone / piace / sempre / nuove

....

6. Anna / ha / chiara / e la / i capelli / carnagione / biondi

....

7. Neanche / a / di Mario / il carattere / piace / me

....

8. Elena / allegro / tipo / socievole / è / e / un

....

11. Completa il testo con le parole e le espressioni della lista.

corti - sembrano - timido - lo - piacevole - anche a me - tipo - mi
lo - scuri - a me - gli - corporatura - gli - gentile

Finalmente ho conosciuto Davide, un ....(1) interessante. Abbiamo parlato per un mese su una chat, e la settimana scorsa io ....(2) ho inviato una mia foto e lui ....(3) ha inviato la sua e alla fine abbiamo deciso di incontrarci. Davide non è molto alto, ha i capelli ....(4) e gli occhi ....(5) e ha una ....(6) robusta. Non è certamente un bellissimo ragazzo, ma ....(7) non interessano i ragazzi troppo belli perché spesso ....(8) di plastica... Davide invece ha un viso interessante e uno sguardo vivace e profondo e questo mi affascina molto. Davide ha un carattere ....(9) ed è un po' ....(10). Questo per me è stata una novità perché in chat ha sempre molte cose da dire. Ho scoperto che nel tempo libero ....(11) piace andare in bici e fare passeggiate, cioè le stesse cose che piacciono ....(12). Insomma, Davide è una persona ....(13), abbiamo gusti simili e ieri siamo stati bene insieme e vorrei continuare a sentir.................. ....(14) e a frequentar..........................(15) per conoscerlo un po' meglio.

12. Scrivi la descrizione del fisico e del carattere di un compagno di classe o di un tuo amico (100/150 parole).

....
....
....
....
....
....

Pronuncia

13. Ascolta le parole e ripetile.

14. Ascolta di nuovo le parole. Il suono è intenso o tenue?

	1	2	3	4	5	6	7	8	9	10
suono intenso / spesso	✓									
suono tenue / noioso		✓								

11	12	13	14	15	16	17	18	19	20

Parola chiave

15. Completa lo schema con le parole della lista. Puoi aggiungere anche altre parole che conosci.

ho conosciuto un tipo - interessante - cose di questo tipo - un paese tipo l'Italia - intelligente
sei proprio il mio tipo - un tipo di persona - una persona tipo Maria - ti ha cercato un tipo - noioso
un problema di tipo grammaticale - un tipo di lavoro - sei proprio un bel tipo!

TIPO

sinonimo di *persona*
....
....
....

sinonimo di *genere*
....
....
....
....

aggettivi con *tipo*
....
....
....

espressioni
....
....

nella lingua parlata sinonimo di *come* per fare paragoni
....
....

Prendiamo il treno!

Funzioni

1. ***Chi lo dice?*** **Indica chi può dire le seguenti frasi.**

	viaggiatore	impiegato
1. Il biglietto di seconda classe costa 10 euro.		
2. Scusi, quand'è il prossimo treno per Milano Centrale?		
3. Deve cambiare a Bologna.		
4. Mi dispiace, ma le cuccette sono tutte prenotate.		
5. Da che binario parte questo treno?		
6. Devo arrivare a Firenze entro le 10.		

2. Scegli l'espressione adatta.

1. Stasera vuoi invitare un amico al cinema. Dici...
   Facciamo il cinema?/Ti piace andare al cinema?/Che ne dici di andare al cinema?
2. Un/Una ragazzo/a che non conosci bene ti invita ad uscire, ma tu rifiuti. Dici...
   Assolutamente no./Mi dispiace ma non posso./D'accordo.
3. Ti hanno invitato a una festa per sabato sera e accetti. Dici...
   Non so, ci penso./Certo, volentieri!/Perché dovrei?
4. Vuoi sapere da dove parte il tuo treno. Dici...
   Da quale luogo parte?/Da che binario parte?/Da che posto parte?
5. Chiedi al controllore se il treno su cui viaggi è in ritardo. Dici...
   Portiamo ritardo?/Facciamo ritardo?/Arriviamo in ritardo?
6. Vuoi comprare un biglietto del treno per Milano. Dici...
   Mi vende un biglietto per Milano?/C'è un biglietto per Milano?/Un biglietto per Milano, per favore.

3. Completa il dialogo con le espressioni della lista. Poi rispondi alle domande.

ti va di venire - d'accordo - non posso - che ne dici

Carla: Anna, mi aiuti a fare la valigia? Tra un'ora parte il mio treno e sono ancora qui.
Anna: Certo Carla. Ma dove vai?
Carla: Vado a Bologna, da mia cugina, per il fine settimana.
Anna: Ah, bene. Bologna è una città molto bella. Ci sono un sacco di cose da vedere.
Carla: Sì, è vero. Senti, ma (1)............................... con me?
Anna: Grazie, ma (2)............................... Devo assolutamente consegnare un lavoro lunedì mattina.
Carla: Ma dai! Devi lavorare anche il fine settimana?
Anna: Eh, purtroppo sì.
Carla: Però potresti lavorare oggi e domani e raggiungerci domenica mattina. (3)...............................?
Anna: Mmh... va bene, (4)............................... Questo forse posso farlo.
Magari ci sentiamo domani, ok? Senti, come vai alla stazione?
Carla: Prendo l'autobus.
Anna: L'autobus? Ma non sai che oggi c'è lo sciopero?
Carla: Oddio è vero! E adesso come faccio?
Anna: Stai tranquilla. Posso accompagnarti io.
Carla: Ti ringrazio, sei un tesoro. Sicura che non è un problema?
Anna: No, nessun problema. Ho la macchina qui sotto casa.

1. Perché Carla chiede aiuto ad Anna?

....

2. Cosa fa Carla il fine settimana?

....

3. Perché Anna deve lavorare il fine settimana?

....

4. Perché Carla non può prendere l'autobus?

....

5. Come va alla stazione Carla?

....

4. Forma le frasi, come nell'esempio.

1. Che ne dici	a. visitiamo la mostra invece di andare a fare spese?
2. Ho ricevuto il tuo invito. Accetto	b. mi dispiace.
3. Non posso venire con voi al cinema,	c. con piacere.
4. Perché non	d. non mi va molto di uscire stasera, sono stanco.
5. Vengo volentieri con voi,	e. a che ora ci vediamo?
6. Ti ringrazio per l'invito, ma → d	f. di andare a fare un giro questo fine settimana?

Vocabolario

5. Accoppia la definizione al mezzo di trasporto, come nell'esempio.

__ 1. Non consuma benzina e la uso quando voglio fare un po' di sport.
__ 2. È il mezzo più veloce ma non arriva nel centro delle città.
a. 3. Le persone molto ricche hanno quello privato.
__ 4. Viaggia per mare e può trasportare moltissime persone.
__ 5. Viaggia sottoterra. È un mezzo di trasporto urbano.

a. elicottero
b. aereo
c. bici
d. metropolitana
e. nave

6. Scegli l'opzione corretta.

1. Per andare al lavoro prendo la metro/vado nella metro/arrivo dalla metro.
2. Se ci sono troppe persone in autobus è meglio andare/scendere/prendere a piedi.
3. È vietato partire dal treno/arrivare dal treno/salire sul treno quando si sta muovendo.
4. Oggi è una bella giornata: vado la bici/scendo dalla bici/prendo la bici e vado a fare un giro.
5. I passeggeri salgono/scendono/partono sull'aereo 30 minuti prima del decollo.
6. Scusi, posso passare? Devo andare dalla/salire sulla/scendere alla prossima fermata.
7. Prima di salire, devi permettere agli altri passeggeri di scendere/arrivare/prendere dalla metro.

7. Individua la parola estranea.

1. mare - strada - treno - ferrovia
2. aeroporto - porto - stazione - autobus
3. orario - prezzo - anticipo - ritardo
4. tratta - percorso - tragitto - via
5. bigliettaio - viaggiatore - controllore - biglietto
6. Intercity - Eurostar - cuccetta - Diretto
7. biglietto - macchina - tram - pullman
8. cuccetta - binario - carrozza - posto a sedere

Grammatica

8. Scegli l'opzione corretta.

1. Viaggio da anni in treno e non ho avuto nessun/nessuno/niente episodio spiacevole.
2. Sei troppo esigente! Non ti va mai bene niente/nessuna/nessuni!
3. Nessuni/Nessuno/Nessun voleva partire con me e quindi sono partito da solo.
4. In nessun/niente/nessuno aereo è possibile fumare.
5. A nessuni/nessune/nessuno fa piacere arrivare in ritardo.
6. Non ho niente/nessun/nessuna intenzione di partire con il treno!

9. Trasforma le frasi con i verbi all'imperfetto.

1. Mi alzo la mattina presto e prendo l'autobus per andare a lavorare.
   ....
2. È una bella giornata: il sole splende e non fa troppo caldo.
   ....
3. Elisa ha un bellissimo gatto che si chiama Felix.
   ....
4. Passate tutta l'estate al mare o fate qualcosa di diverso?
   ....
5. Non capisco bene gli italiani quando parlano velocemente.
   ....
6. Devo studiare molto se voglio superare gli esami.
   ....
7. Francesca crede di cucinare bene, ma in realtà cucina malissimo.
   ....
8. Perché non vai mai alle feste? Non ti piacciono?
   ....

10. Completa le frasi con il passato prossimo o l'imperfetto.

1. Quando Silvano (uscire) ...., fuori (piovere) ....
2. L'idraulico (arrivare) .... mentre i signori Bianchi (cenare) ....
3. Ieri, mentre mia moglie (leggere) .... io (preparare) .... la cena.
4. Quando (io - telefonare) ...., Linda (dormire) ....
5. Da ragazzo (leggere) .... spesso libri d'avventura, da giovane (cominciare) .... a leggere romanzi più impegnati.
6. Quando Franco (avere) .... l'incidente, la strada (essere) .... bagnata.
7. Sabato io e Gabriella (vedere) .... un film che ci (piacere) .... molto.
8. Domenica scorsa (io - svegliarsi) .... alle 10, (fare) .... colazione e (andare) .... a fare un giro fuori. Quando (io - tornare) .... a casa, mia moglie (dormire) .... ancora e visto che a casa da solo mi annoiavo, (io - uscire) .... di nuovo.
9. Quando (essere) .... in Italia, di solito (bere) .... sempre il cappuccino dopo pranzo. Poi però mi (loro - dire) .... che il cappuccino si beve solo a colazione.
10. La festa (finire) .... tardi, dopo mezzanotte.

Per concludere

11. Trova l'errore e correggi le frasi.

1. Subito dopo che arrivavo alla stazione il treno è partito. ....
2. Roberto, che ti dici di andare a fare un giro questo fine settimana? ....
3. Attenzione, treno in arrivo. Andare via dalla linea gialla. ....
4. Quando siamo stati piccoli io e mio fratello giocavamo sempre insieme. ....
5. D'estate andavo sempre in campagna dai nonni e una volta andavamo al mare. ....
6. Ieri volevo studiare, ma poi ho uscito. ....
7. Non mi va uscire stasera, preferisco restare a casa. ....
8. Qualche volta vado a lavoro in autobus, qualche volta in piedi. ....
9. Quando parlava Francesco diciva sempre le stesse cose. ....
10. Oggi è una bella giornata ma ieri facava freddo. ....

12. Forma le frasi.

1. Ero / impegnato / ogni mattina / molto / frequentavo / perché / le lezioni
....
2. Quando / perché / in Italia / il treno / ero / comodo / era / prendevo
....
3. Scusi / parte / per / da che / binario / treno / il prossimo / Firenze?
....
4. Sono / autobus / affollato / dall' /scesa / era / perché / troppo
....
5. Ho / molte / italiane / che / città / conoscevo / visitato / prima non
....

13. Descrivi cosa facevi l'anno scorso relativamente a: abitudini, lavoro, studio, tempo libero (100/150 parole).

....
....
....
....
....
....
....
....
....
....

Pronuncia

14. Ascolta le parole e ripetile.

15. Ascolta di nuovo le parole. Quale suono senti?

	1	2	3	4	5	6	7	8	9	10
piccola	✓									
bici		✓								

11	12	13	14	15	16	17	18	19	20

Parola chiave

16. Completa lo schema con le parole della lista. Puoi aggiungere anche altre parole che conosci.

Ti vesti alla moda?

Esercizi

Funzioni

1. Completa il dialogo tra una cliente e un commesso.

- ....
  (saluti e chiedi il prezzo di due gonne in vetrina)
- Quella blu costa 90 euro, quella bianca 75.
- ....
  (per te sono care e chiedi uno sconto)
- Purtroppo non posso fare nessuno sconto.
- ....
  (chiedi di vedere il maglione rosso in vetrina)
- Sì, lo prendo subito. Ecco, Le piace?
- ....
  (rispondi e chiedi il prezzo)
- Questo viene 55 euro. Ma forse per Lei ci vuole la misura più grande.
- ....
  (rispondi che è un regalo e chiedi se eventualmente lo puoi cambiare)
- Certo, ma deve conservare lo scontrino.

2. Scrivi almeno un'espressione per...

1. Dire la taglia. ....
2. Chiedere un parere. ....
3. Descrivere come è vestita una persona. ....

Vocabolario

3. Collega la parola alla definizione.

a. sciarpa	b. stivali	c. giacca	d. maglione	e. gonna
f. guanti	g. giubbotto	h. cappello	i. maglietta	l. cravatta

1. Lo indossi quando fa freddo, sopra una camicia.
2. Li indossi per coprire le mani.
3. La indossano le donne. Può essere lunga o corta.
4. La indossano gli uomini nelle occasioni più formali.
5. Lo indossi quando esci.
6. La indossi quando fa freddo, per coprire il collo.
7. La indossano generalmente gli uomini con una camicia e una cravatta.
8. La indossi da sola quando fa caldo o sotto una camicia.
9. Scarpe alte che arrivano fino al ginocchio.
10. Lo metti in testa. Può essere sportivo o elegante.

4. Completa il dialogo, tra un cliente e un commesso di un negozio di abbigliamento, con le parole della lista.

vanno - un paio - scontrino - numero - secondo me - vengono
largo di spalle - porta - cambiare - taglia

- Buongiorno, posso esserLe utile?
- Sì, grazie. Vorrei vedere gli stivali neri che sono in vetrina.
- Che (1)............................ ha?
- Io porto il 40.
- Bene, aspetti un momento.... Ecco, provi questi.
- Mh (2)............................ sono un po' stretti. Forse è meglio il 41.
- Un momento... Mi dispiace, ma gli stivali 41 sono soltanto marroni.
- Va bene, li provo lo stesso.
  (*Dopo un po'*)
- Come (3)............................?
- Bene, questi sono perfetti. Li prendo.
- Bene. Desidera altro?
- Sì, vorrei provare quel maglione di lana blu.
- Che (4)............................ porta?
- Sono una 42.
- Ecco, il camerino è lì.
  (*Dopo la prova*)
- Allora, come va?
- Non so... il colore è molto bello... ma veramente mi sembra un po' (5)............................
- No, signora... Se vuole prendo la taglia 40, ma questo modello si porta un po' largo.
- Va bene, allora prendo questo. Senta, poi vorrei (6)............................ di jeans per mio marito. (7)............................ una 52.
- Ecco signora, abbiamo questi. Sono di ottima qualità.
- Va bene, li prendo. Quanto pago in tutto?
- Allora, gli stivali (8)............................ 120 euro, il maglione 65 e i jeans 80... in tutto sono 265 euro.
- Mi fa un piccolo sconto, per favore?
- Guardi, possiamo fare 250. Va bene?
- La ringrazio. Senta, posso (9)............................ i jeans se non vanno bene?
- Certo signora, però deve conservare lo (10)............................

5. Abbina i testi alle immagini.

A. Gianni è un uomo d'affari che considera l'abbigliamento molto importante. Veste sempre in maniera elegante e classica. Generalmente indossa abiti blu e porta sempre la cravatta.

B. Luigi è un ragazzo che veste in maniera sportiva. Porta sempre i jeans a vita bassa e le scarpe da ginnastica. Oggi indossa una camicia di colore bianco sporco a tinta unita.

C. Luisa è una ragazza che veste in maniera ricercata ma non elegante. In genere porta gonne lunghe a fantasia e spesso indossa cappelli estrosi.

D. Monica fa la modella per Dolce e Gabbana. Oggi per la sfilata indossa un abito nero lungo e scarpe con il tacco alto.

1. .... 2. .... 3. .... 4. ....

6. Cancella la parola estranea da ogni gruppo.

1.	camicia	gonna	pantaloni	pelletteria
2.	sciarpa	calze	marrone	maglione
3.	stretto	elegante	sportivo	classico
4.	bracciale	giubbotto	orologio	orecchini
5.	pelle	cotone	taglia	lino
6.	collana	gioielleria	cartoleria	negozio di abbigliamento
7.	lunghi	larghi	pantaloni	stretti
8.	a righe	a quadri	di lana	a fantasia

Grammatica

7. Inserisci le forme corrette di *questo* e *quello* e indica se sono pronomi o aggettivi.

questo - quegli - quei - quelli - quella - quello - quelle - queste - quei

	pronome	aggettivo
1. Posso vedere .... giacca blu?	☐	☐
2. Stefano, ti piace .... vestito o preferisci	☐	☐
.... che abbiamo visto ieri al negozio?	☐	☐
3. Signora, se vuole può dare un'occhiata a .... maglioni nello scaffale in fondo a destra.	☐	☐
4. Quanto vengono .... stivali di pelle?	☐	☐
5. Vorrei provare .... scarpe qui marroni. E anche .... nere dello stesso modello.	☐	☐
6. Carlo, fai vedere .... pantaloni grigi al signore. E porta anche .... marroni.	☐	☐

8. Completa le frasi con l'imperativo informale alla seconda persona singolare.

1. (Lavare) .... i maglioni a ogni cambio di stagione.
2. (Mettere) .... in ordine i vestiti.
3. (Fare) .... attenzione al prezzo di quello che compri.
4. (Scegliere) .... vestiti di buona qualità anche se costano di più.
5. (Dire) .... la tua opinione sulla moda italiana.
6. (Andare) .... a comprare il regolo per Giorgio!
7. (Pulire) .... le scarpe prima di entrare.
8. (Uscire) .... subito dalla mia stanza!
9. Prima di comprare qualcosa di costoso, (pensare) .... se ti serve veramente.

9. Completa con l'imperativo informale alla seconda persona singolare e i pronomi.

1. Prima di comprare il maglione, (provare il maglione) ....
2. Se hai dubbi, (telefonare a me) .... pure.
3. Se non sai cosa regalare a Maria, (regalare a Maria) .... dei fiori.
4. (Vestirsi) .... bene almeno per la cena di stasera!
5. (Mettersi) .... il maglione di lana, oggi fa freddo.

10. Trasforma le frasi con l'imperativo negativo.

1. Dimmi quello che pensi! ....
2. Prendi la mia macchina! ....
3. Regalami un gioiello! ....
4. Mettiti il vestito elegante! ....
5. Va' a fare spese! ....
6. Togliti il giubbotto! ....

Per concludere

11. Forma le frasi.

1. Non / camicia / sporca / perché / quella / mettere / è
....
2. È / falle / regalo / di Elisa / il compleanno / un bel
....
3. Quell' / che ho visto / costa / in gioielleria / orologio / 250 euro
....
4. Non / ha dei / negozio / niente / in quel / altissimi / comprare / prezzi
....
5. Fammi / la cravatta / hai comprato / neri / vedere / e i pantaloni / che
....

12. Trova l'errore e correggi le frasi.

1. Marco oggi si veste una giacca blu. ....
2. Mi piacciono molto quelli pantaloni grigi. ....
3. Mi porto la taglia 42. ....
4. Mi dà uno sconto, per favore? ....
5. Mi di' la verità! ....
6. Anna, decida tu dove andare stasera. ....

13. È importante vestirsi bene o non ha nessuna importanza? Scrivi un testo ed esprimi la tua opinione. (100/150 parole)

....
....
....
....
....
....

Pronuncia

14. Ascolta le parole e ripetile.

15. Ascolta di nuovo le parole. Quale suono senti?

	1	2	3	4	5	6	7	8	9	10	11	12
quanti	✓											
questo		✓										
quindi												

Parola chiave

16. Completa lo schema con le parole della lista. Puoi aggiungere anche altre parole che conosci.

male - in maniera elegante - mettersi - svestirsi - un signore - spogliarsi - in modo sportivo - rosso
togliersi i vestiti - con gusto - bianco - portare - in fretta - lana - festa - lutto - un damerino

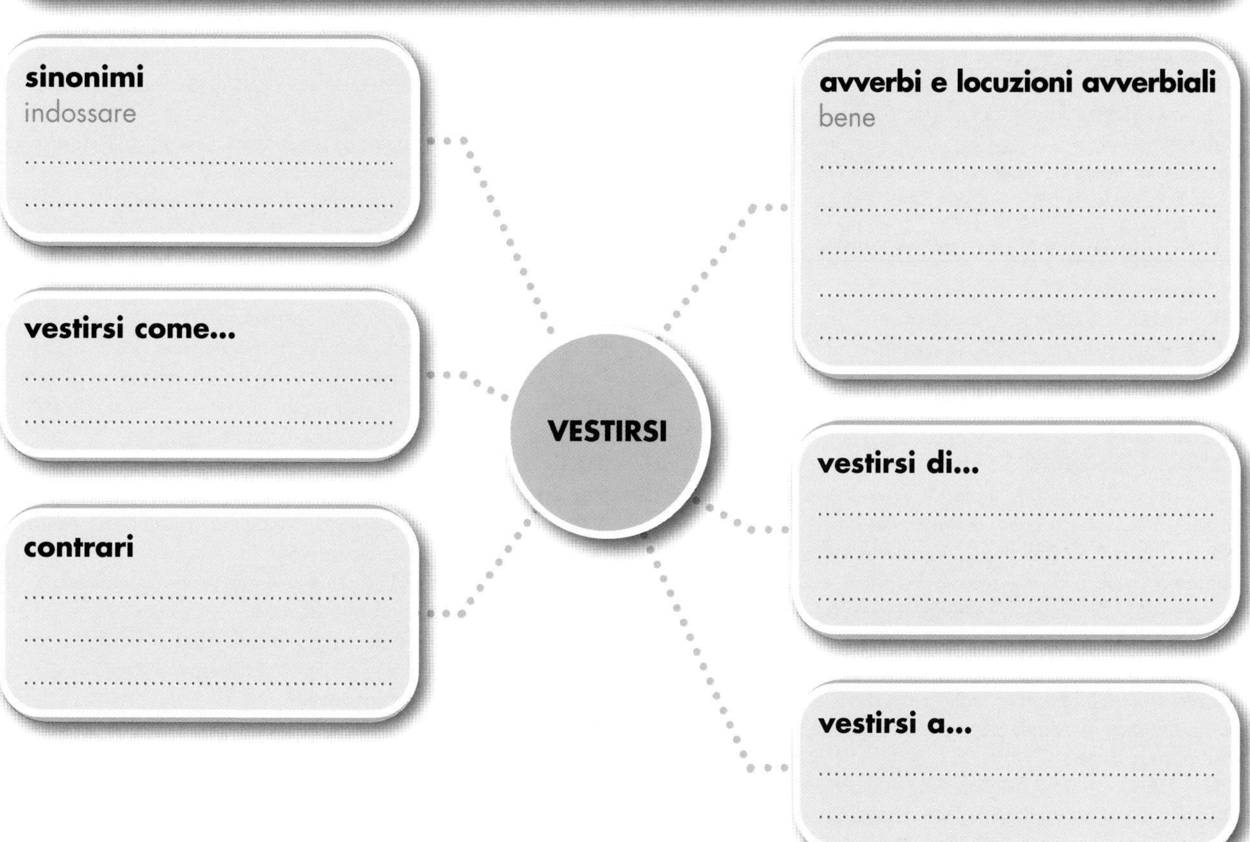

Chiavi

Unità 1

Funzioni

1. 1. Sono americano/inglese/brasiliano ...; 2. Sono di New York/Londra/Rio ...; 3. Il mio indirizzo è ...; 4. Il mio numero di telefono è ...

2. 1. Qual, 2. Dove, 3. Quanti, 4. Di dove, 5. Qual

3. 1. formale/formale, 2. formale/informale, 3. informale/informale, 4. formale/formale

4. 1. ti chiami, 2. dov'è/E tu?, 3. si chiama, 4. Buongiorno, 5. Quanti/ha, 6. dove

5. Risposta libera

Vocabolario

6. *Cuba = cubano*, Messico = messicano, Bolivia = boliviano, Corea = coreano, Brasile = brasiliano, Italia = italiano, *Finlandia = finlandese*, Francia = francese, Canada = canadese, Norvegia = norvegese, Giappone = giapponese, Irlanda = irlandese

7. 1. italiana, 2. inglese, 3. spagnolo, 4. tedesca, 5. canadese, 6. russa, 7. francese, 8. marocchina, 9. argentino

8.

nome: Sandro, Mike, Erica e Lara, Robert, Amelie e Lauran, Robert, Josè, Raul e Sara

cognome: Rossi, Tafuri, Schneider, Murphy, Givon, Pearson, Guerreira, Lopez

nazionalità: italiana, americana, tedesca, inglese, francese, canadese, brasiliana, spagnola

città: Risposta libera

età: Risposta libera

9. Risposta libera

10. 1. avere, 2. essere, 3. avere, 4. essere, 5. avere, 6. essere

11. 1 = uno, 12 = dodici, 5 = cinque, 21 = ventuno, 18 = diciotto, 0 = zero, 77 = settantasette, 80 = ottanta, 13 = tredici, 31 = trentuno, 58 = cinquantotto, 33 = trentatré

Grammatica

12. 1. Sì, sono americano; 2. No, non è in classe; 3. No, non ho 25 anni; 4. Sì, hanno fame; 5. Sì, è stanca; 6. No, non è di Parigi; 7. Sì, sono a casa; 8. Sì, siamo amici

13. 1. Noi siamo italiani; 2. Voi avete ventidue anni; 3. Noi abbiamo un libro di italiano; 4. Veronica e Caterina sono studentesse; 5. Voi avete un cellulare nuovo; 6. Loro sono di New York; 7. Voi siete stranieri

14. *maschile singolare*: tavolo, libro, foglio, amico, orologio; *maschile plurale*: studenti, zaini, ragazzi; *femminile singolare*: porta, finestra; *femminile plurale*: sedie, penne

Per concludere

15. 1. Di dove siete, ragazzi?; 2. George non è inglese; 3. Qual è il tuo numero di telefono?; 4. Mi chiamo Marco e ho 24 anni; 5. Come si scrive il tuo nome?

16. 1. Come *ti* chiami?; 2. Io *ho* venti anni; 3. *Buongiorno,* signora Rossi!; 4. Sono *americano/americana*; 5. Io e Pablo *siamo* amici

17. Risposta libera

Pronuncia

18. Risposta libera

19. chi: 1, 3, 5, 7, 10, 11; ci: 2, 4, 6, 8, 9, 12

20. che: 1, 4, 5, 8, 11, 12; ce: 2, 3, 6, 7, 9, 10

Parola chiave

21.

funzione principale: interrogativo per fare domande

altri interrogativi: Cosa?, Dove?, Chi?, Quale?, Quanto?

domande con come: Come ti chiami?, Come si scrive?, Come stai?, Come si pronuncia?, Come si dice?

domande con altri interrogativi: Chi è Maria?, Qual è il tuo indirizzo?, Qual è il tuo numero di telefono?, Quanti anni hai?

Unità 2

Funzioni

1. d, b, e, c, a

2. Risposte possibili: 1. Ciao Marco. Sto bene, grazie. E tu?; 2. Marco, conosci Michelle, la mia amica francese?; 3. Michelle, lui è Marco, un mio amico. 4. No, frequento un corso di storia dell'arte all'Università

Vocabolario

3. 1. Franco fa il meccanico, 2. Antonio fa il cuoco, 3. Elisa fa l'insegnante, 4. Elena fa la cameriera, 5. Pietro fa l'ingegnere, 6. Francesca fa la commessa

4. 1. anni, 2. a, 3. Frequento, 4. Ho, 5. in, 6. fare, 7. cameriera, 8. ristoranti

5. Risposta libera

Grammatica

6. 1. parla, 2. lavoriamo, 3. leggono, 4. chiudete, 5. dorme, 6. vedi, 7. partono, 8. mangiano, 9. apre, 10. risponde

7. 1. vieni; 2. sta; 3. vengono; 4. bevo; 5. vanno; 6. bevono; 7. sto; 8. facciamo, andiamo; 9. stiamo; 10. faccio, vengo; 11. fate, state, venite; 12. fanno

8. il libro, l'orologio, le amiche, la casa, la materia, la chiave, la banca, lo stadio, gli amici, l'ospedale

9. Possibili combinazioni nomi-aggettivi, ne sono possibili altre: 1. l'albergo caro, 2. i compiti facili, 3. le lezioni difficili, 4. gli alberi alti, 5. lo zaino vuoto, 6. la macchina veloce, 7. lo stadio pieno, 8. il libro interessante, 9. la casa grande

10. 1. a, 2. a, 3. in, 4. in, 5. in, 6. a, 7. a, 8. da

Per concludere

11. 1. Frequento la facoltà di Medicina a Roma; 2. Anna fa l'insegnante in una scuola privata; 3. Ciao Marco, questa è Luisa, la mia ragazza; 4. Lino e Gina vengono a Firenze; 5. Mark è americano, ma abita in Italia

12. 1. *Dove* lavori?/Che *lavoro fai*?; 2. Faccio *l'*insegnante; 3. *La* lezione di italiano è difficile; 4. Gli studenti *fanno* il test; 5. Julie va *in* Italia per le vacanze

Pronuncia

13. Risposta libera

14. gi: 1, 3, 4, 6, 8, 12; ghi: 2, 5, 7, 9, 10, 11

15. ge: 1, 3, 6, 7, 8, 11; ghe: 2, 4, 5, 9, 10, 12

Parola chiave

16.

funzione principale: esprimere movimento

funzione secondaria: chiedere come si sta

posti dove puoi andare: in piazza, in palestra, in pizzeria, a letto, a Roma, a teatro

contrari: tornare, ritornare

espressioni con andare *con significato di movimento*: andare a casa, andare a fare un giro

espressioni con andare *con altri significati*: come va?; va bene

Unità 3

Funzioni

1. 1. f, 2. e, 3. c, 4. a, 5. b, 6. d

2. 1. è possibile, 2. portare, 3. fumare, 4. non può, 5. portare

3. Risposte possibili: 1. Professore, può ripetere, per favore?; 2. Posso chiudere la finestra?; 3. Scusa, puoi parlare a voce alta?/puoi alzare la voce?; 4. Papà, posso prendere la macchina stasera?; 5. Scusi, può aggiungere del ghiaccio nella Coca, per favore?

Vocabolario

4. 1. tavolino, 2. prendere, 3. menu, 4. preferisce, 5. sceglie, 6. con la, 7. chiede, 8. prendono, 9. chiamano, 10. pagano

5. 1. latte, 2. panino, 3. gelato, 4. cornetto, 5. cappuccino, 6. bicchiere, 7. marmellata, 8. tramezzino

6. *cose da mangiare*: carne, pesce, arance, grissini, mele, mozzarella, pane, uva, lattuga, patate; *cose da bere*: vino, acqua, succo di frutta, birra; *contenitori*: scatola, bustina, bottiglia, pacco; *misure e pesi*: etto, grammi, litro, chilo

7. 1. b, 2. d, 3. e, 4. c, 5. a

8. Risposta libera

Grammatica

9. A. Ti piace, mi piace; B. piacciono; C. non piace; D. Non mi piacciono

10. A. usciamo, finisco, preferiscono; B. partite, riesce, partiamo; C. capisco

11. 1. Sono un tipo sportivo e vado in palestra. *Ci* vado almeno 2 volte alla settimana; 2. Gli italiani vanno spesso al bar. *Ci* vanno principalmente a colazione e dopo pranzo; 3. Marta va a Palermo domani. *Ci* resta tutta la settimana; 4. Vado sempre in vacanza in Toscana. *Ci* torno ogni estate; 5. Sara e Elena sono Roma ma vivono a Firenze. *Ci* vivono da tre anni

Per concludere

12. 1. Vai tu al supermercato o ci vado io?; 2. Conosco il bar *Le contrade*, ci faccio colazione ogni mattina; 3. Non mi piacciono i cornetti con la crema; 4. Questa sera Paolo e Miriam mangiano a casa; 5. Mi piace organizzare cene con gli amici

13. 1. Mi *può* portare il conto?; 2. Scusi, posso *pagare* con la carta di credito?; 3. Cameriere, scusi, *posso* fumare in questo locale?; 4. È *possibile* avere un'altra birra, per favore? Questa è calda!; 5. Mi può *dare* un'altra bustina di zucchero?; 6. Cameriere, *può* portare un menu per favore?

14. Risposta libera

Pronuncia

15. Risposta libera

16. cci: 1, 4, 5, 6, 8, 10, 12, 13, 14, 17; ci: 2, 3, 7, 9, 11, 15, 16, 18, 19, 20

Parola chiave

17.
categoria grammaticale: aggettivo
sinonimi (cibi, alimenti): gustoso, saporito, delizioso
contrari (cibi, alimenti): disgustoso, insapore, cattivo
sinonimi (persone): affettuoso, gentile, onesto
contrari (persone): malvagio, cattivo, disonesto
espressioni con buono: buona idea, che buono!
altro: buona musica, buon libro

Unità 4

Funzioni

1. 1. c, 2. g, 3. d, 4. f, 5. b, 6. a

2. A. Sono le dodici/È mezzogiorno; B. Sono le cinque e un quarto/Sono le cinque e quindici; C. Sono le quattordici e quarantacinque/Sono le tre meno un quarto; D. Sono le sette e quaranta/Sono le otto meno venti

Vocabolario

3. 1. l'autobus, 2. a piedi, 3. prima del semaforo, 4. prendi, 5. scendere, 6. dritto, 7. di fronte, 8. lontano dall'

4. La Scuola di italiano per stranieri è aperta dal lunedì al sabato dalle nove alle diciotto e trenta; La Banca Monte dei Paschi è aperta dal lunedì al venerdì, la mattina dalle otto e quarantacinque alle tredici e il pomeriggio dalle quattordici e quarantacinque alle diciassette; L'Ufficio dei Vigili Urbani è aperto il lunedì, mercoledì e venerdì dalle otto e trenta alle dodici e trenta e il martedì e il giovedì dalle quindici alle diciassette e trenta

5. 1. vuoi, 2. devi, 3. Puoi, 4. devi, 5. può, 6. possono, 7. vogliono, 8. Vuoi, 9. devi, 10. puoi

6. 1. al traffico, 2. prendere, 3. parcheggio, 4. i vigili, 5. a piedi, 6. centro

7. Lunedì mattina, 12 e trenta, *Visita museo di arte con Laura*; Martedì dalle 10 alle 12, *Lezione di italiano*; Mercoledì pomeriggio, ore 17, *Lezione di tennis*; Giovedì ore 10, *Scambio di conversazione con Mario*; Venerdì sera, *Aperitivo da* Korè *con i ragazzi*; Sabato, ore otto e un quarto, *Appuntamento in centro per cena fuori*; Domenica, *LIBERA tutto il giorno!!!*

Grammatica

8. 1. un, 2. un, 3. una, 4. una, 5. un, 6. una, 7. uno

9. 1. La, una; 2. una, la; 3. un, il; 4. la, una; 5. la, un; 6. una, La

10. 1. vogliono, 2. vuole, 3. volete, 4. voglio, 5. vuoi, 6. vogliamo

11. 1. devi, 2. deve, 3. devono, 4. dobbiamo, 5. dovete, 6. devo

12. 1. possiamo, 2. può, 3. posso, 4. puoi, 5. possono, 6. potete

13. 1. Tu sai giocare bene a calcio (A); 2. Non sappiamo a che ora sono arrivati a casa i ragazzi (C); 3. Maria adesso sa tutta la verità (C); 4. Mio figlio ha due anni e già sa parlare (A); 5. Gli italiani non sanno parlare le lingue straniere (A)

Per concludere

14. 1. Scusi, sa dove è l'albergo *Jolly*?; 2. Per andare in Piazza di Spagna deve prendere la metropolitana; 3. Scusi, dove posso comprare un biglietto per l'autobus?; 4. Il pullman per Firenze parte alle 18 da Piazza Gramsci; 5. La stazione è aperta dalle 6 a mezzanotte; 6. Senta, scusi, a che ora passa l'autobus per andare allo stadio?

15. 1. È tardissimo, devo *andare* a casa; 2. *È* mezzanotte e Marco è ancora fuori; 3. Scusi, mi *può* dire dov'è la stazione?; 4. *Il prossimo* fine settimana voglio fare un giro fuori città; 5. John è *uno* studente attento e intelligente; 6. La biblioteca è aperta tutti i giorni *dalle* 9 alle 18.30

16. Risposta libera

Pronuncia

17. Risposta libera

18. gli: 1, 3, 5, 7, 9, 10; li: 2, 4, 6, 8, 11, 12

Parola chiave

19.
verbi: fare, comprare, convalidare, vendere
compro un biglietto in...: edicola, biglietteria, tabaccheria
tipi di biglietto: giornaliero, a tempo, settimanale
per mezzi di trasporto: autobus, metropolitana, pullman
per altro: concerto, mostra d'arte, turno in uffici o negozi

Unità 5

Funzioni

1. 1. D, 2. C, 3. B, 4. A

2. Risposta libera

3. 1. e, 2. c, 3. a, 4. d, 5. b

Vocabolario

4. 1. poltrona, 2. posate, 3. specchio, 4. lavatrice, 5. armadio, 6. libreria, 7. comodino, 8. lampada, 9. tappeto, 10. frigorifero, 11. cuscino, 12. lavandino, 13. forno, 14. divano, 15. lavastoviglie

5. Attenzione: in alcuni Paesi ci potrebbero essere consuetudini e disposizioni differenti (per esempio, in Gran Bretagna il lavandino può anche essere in camera da letto), quindi, se la risposta è giustificata, per alcuni oggetti possiamo avere soluzioni differenti.

Stanza da letto: 3, 5, 6, 7; *Cucina*: 2, 10, 13, 15; *Soggiorno*: 1, 3, 6, 8, 9, 11, 14; *Bagno*: 4, 12

6. 1. passo l'aspirapolvere, 2. spolvero, 3. passo, 4. stiro, 5. apparecchiano, 6. lavano, 7. buttano

7. 1. matrimoniale, 2. parcheggio, 3. l'aria condizionata, 4. telefono, 5. doppia, 6. bagno

8. 1. libera, 2. divano, 3. tavolo, 4. prenotare, 5. albergo, 6. veloce, 7. portineria, 8. colazione

Grammatica

9. 1. c'è, 2. ci sono, 3. sono, 4. ci sono, 5. c'è, 6. sono, 7. è, 8. sono, 9. è, 10. c'è, 11. c'è, 12. ci sono

10. 1. a, 2. sul, 3. dei, 4. nell', 5. delle, 6. ai, 7. a, 8. alle

11. 1. Il mio appartamento è *al* quarto piano di un palazzo antico; 2.In tutte le stanze *dell'*albergo c'è l'aria condizionata; 3. Ho uno splendido balcone con vista *sul* mare; 4. Il costo di una casa dipende molto *dalla* zona in cui si trova; 5. I proprietari di alberghi criticano il comportamento *dei* turisti italiani; 6. I prezzi degli affitti sono molto diversi *nelle* varie città italiane; 7. In un albergo di lusso è importante anche la qualità *del* ristorante; 8. In Italia non è comune lasciare grosse mance *ai* camerieri; 9. La camera singola viene 40 euro *al* giorno; 10. L'affitto *degli* appartamenti in centro è molto caro

Per concludere

12. 1. Nella casa ci sono tre stanze grandi e luminose; 2. La periferia è la zona più economica della città; 3. Divido la casa con alcuni amici; 4. L'appartamento di Marco è lontano dal centro; 5. Chiedo sempre il bagno in camera in albergo

13. 1. L'appartamento è al numero 34 *della* strada principale; 2. Nella mia casa *ci sono* ancora pochi mobili; 3. *Tra la* cucina e il soggiorno c'è la mia camera da letto; 4. Arrivo in albergo alle 18 in punto; 5. Scusi, nella stanza *c'è* l'aria condizionata?

14. Risposta libera

Pronuncia

15. Risposta libera

16. sci: 1, 3, 5, 6, 8, 9, 10, 12, 13, 14, 16, 20; sco: 2, 4, 7, 11, 15, 17, 18, 19

Parola chiave

17.

aggettivi della casa: luminosa, accogliente, calda
tipi di casa: appartamento, monolocale, villa
parti della casa: corridoio, soggiorno, salotto
pagare la casa: padrone di casa, affitto, contratto
pulire e riordinare la casa: passare lo straccio, spolverare, lavare i piatti

Unità 6

Funzioni

1. 1. c, 2. f, 3. e, 4. b, 5. d, 6. a

2. Risposta libera

Vocabolario

3. 1. in ritardo, 2. in orario, 3. con calma, 4. immediatamente, 5. giusto in tempo

4. Risposta libera

5. 1. corso, 2. sostenere, 3. questo appello, 4. la facoltà, 5. mensa, 6. segreteria, 7. laurearmi, 8. biblioteca

Grammatica

6. 1. mi incontro, 2. vede, 3. si vedono, 4. prepara, 5. mettiamo, 6. saluta, 7. incontro, 8. lavo

7. 1. si, 2. si, 3. mi, 4. ci, 5. si, 6. ti, 7. vi, 8. si

8. Risposte possibili: 1. Quando ti svegli di solito?; 2. A che ora fai colazione?; 3. In quanto tempo ti prepari la mattina?; 4. Arrivi in tempo all'università?; 5. Cosa fai il pomeriggio dopo le lezioni?; 6. Di solito ceni fuori o ceni a casa?; 7. Quando esci la sera?

9. 1. ...non ci vestiamo in maniera sportiva; 2. ...non si mettono il vestito nero; 3. ...non ci prepariamo in fretta; 4. ...non vi svegliate presto; 5. ...non si riposano il pomeriggio; 6. ...non vi annoiate quando visitate un museo; 7. ...non ci divertiamo quando andiamo in discoteca; 8. ...non vi addormentate tardi

10. 1. Non faccio mai colazione al bar; 2. Marco e Marina non stanno mai insieme; 3. Dopo pranzo, non mi riposo quasi mai; 4. Per andare al lavoro non prendo quasi mai l'autobus; 5. Le lezioni non finiscono mai prima delle 17; 6. Il sabato sera non mangio quasi mai fuori

11. 1. Non mangio mai la carne; 2. Non fumo quasi mai/ fumo raramente; 3. Vado spesso in palestra; 4. Esco raramente; 5. Spesso/Generalmente studio in biblioteca

Per concludere

12. 1. La mattina *non* mi alzo *mai* tardi; 2. Ragazzi, uscite *spesso* la sera?; 3. Di solito *mi incontro* con i miei amici; 4. Perché *non studi* quasi mai il pomeriggio?; 5. *Mangiamo sempre* alla mensa universitaria

13. 1. Giuliana si pettina e si trucca in dieci minuti; 2. Tutte le mattine Francesco si rade e poi si fa la doccia; 3. Spesso la sera ci addormentiamo sul divano; 4. Marco e Francesca si svegliano ogni mattina alle 7.30; 5. Vado in palestra almeno tre volte alla settimana; 6. Paola e Roberta non si prendono una vacanza da un anno; 7. Massimiliano non si diverte con noi e diventa nervoso; 8. Vi mettete un vestito elegante per il matrimonio di Carlo e Francesca?

14. Risposta libera

Pronuncia

15. Risposta libera

16. ni: 1, 3, 4, 5, 7, 9, 12, 13, 15, 19; gno: 2, 6, 8, 10, 11, 14, 16, 17, 18, 20

Parola chiave

17.

sinonimi: regolare, attento, preciso, esatto
contrari: impreciso, ritardatario, inesatto, approssimativo
nomi: aereo, autobus, treno, persona
verbi: partire, essere, arrivare, tornare
altre espressioni: puntuale come un orologio

Unità 7

Funzioni

1. Risposte suggerite: 1. Principalmente al Centro-Sud; 2. Principalmente in Sardegna e a Nord-Ovest; 3. La temperatura è mite, ci sono venti gradi, c'è il sole ma possono esserci temporali; 4. A Cagliari fa freddo, ci sono 11 gradi e piove; 5. Le città più calde sono Firenze e Venezia con 21 gradi; 6. La città più fredda è Cagliari con 11 gradi

Vocabolario

2. 1. estate, 2. autunno, 3. inverno, 4. primavera

3. *nome*: pioggia, neve, vento, nuvola, sole, nebbia; *aggettivo*: piovoso, innevato, ventoso, nuvoloso, soleggiato, nebbioso; *verbo*: piove, nevica, tira vento

4. 1. in mezzo, 2. neve, 3. stagione, 4. stagione, 5. gennaio, 6. regione, 7. laghi, 8. clima

Grammatica

5. 1. Sì, la conosco - No, non la conosco; 2. La passo... (*a*

piacere); 3. Sì, le visito - No, non le visito; 4. Sì, lo posso prendere/posso prenderlo - No, non lo posso prendere/non posso prenderlo; 5. Sì, so dov'è - No, non so dov'è; 6. Sì, le guardo - No, non le guardo; 7. Sì, li raccolgo - No, non li raccolgo; 8. Sì, lo faccio - No, non lo faccio
6. 1. a (li), 2. e (la), 3. g (la), 4. c (Le), 5. f (lo), 6. b (lo), 7. d (lo)
7. 1. Ci, 2. ti, 3. vi (aspettarvi), 4. vi, 5. Mi, 6. ti, 7. ti (lasciarti)
8. 1. Franco mi saluta ogni volta che mi vede; 2. Devo passare a prenderti o ci vediamo in centro?; 3. Bambini, domani vi porto al mare; 4. Laura non ci ringrazia mai quando la aiutiamo
9. 1. c, 2. g, 3. h, 4. b, 5. e, 6. a, 7. d, 8. f
10. 1. sta leggendo, 2. stai ascoltando, 3. sta facendo, 4. sto partendo, 5. stanno dormendo, 6. sta giocando, 7. stanno scrivendo, 8. sta piovendo
11. 1. molte, 2. poco, 3. molto, 4. poche, 5. molte, 6. molto, 7. pochi, 8. molti, 9. poco, 10. poca

Per concludere

12. 1. In Irlanda *piove* spesso; 2. In inverno nella mia città il tempo è molto *piovoso*; 3. Qui all'ombra fa freddo. Andiamo in un posto più *soleggiato*; 4. Non posso venire in viaggio con voi perché ho *pochi* soldi; 5. La temperatura sta *scendendo* sensibilmente; 6. In Sicilia *nevica* poco in inverno; 7. Paolo, *ci accompagni* a casa, per favore?; 8. Massimo e Gianni stanno *mangiando* un gelato; 9. Londra è una città *nebbiosa*; 10. Quando viaggio, visito *molti* musei
13. 1. L'inverno sta finendo e aumenta la temperatura; 2. Che tempo fa in questo periodo nella tua città?; 3. In Italia vengono molti turisti perché c'è un clima mite; 4. Luisa sta andando a Roma/in Francia, invece i miei amici stanno andando in Francia/a Roma; 5. Leggo molti libri specialmente quando sono in vacanza in estate; 6. Molti italiani vanno in vacanza al mare generalmente ad agosto; 7. I cannoli sono dolci tipici siciliani e li mangio sempre quando vado in Sicilia; 8. Possiamo andare al mare perché il tempo è bello e fa caldo
14. Risposta libera

Pronuncia

15. Risposta libera
16. fa: 1, 3, 4, 6, 9, 11, 12, 14, 16; va: 2, 5, 7, 8, 10, 13, 15, 17, 18, 19, 20

Parola chiave

17.
tempo atmosferico
espressioni con fare*:* fa bel tempo, fa brutto tempo, che tempo fa?
espressioni con essere*:* c'è un tempo splendido, com'è il tempo?, il tempo è bello/brutto/nuvoloso/soleggiato, essere in tempo
tempo cronologico
espressioni con significato di trascorrere*:* passare il tempo, il tempo passa
espressioni con significato di entro un limite definito*:* arrivare in tempo
altre espressioni: ammazzare il tempo, il tempo è denaro

Unità 8

Funzioni

1. 1. C, 2. I, 3. A, 4. G, 5. D, 6. H, 7. E, 8. F, 9. B
2. Domande possibili: 1. (Paolo) Cosa hai fatto sabato scorso/lo scorso fine settimana?; 2. Ah, bella Siena... Come ci sei andato?; 3. Sei andato con qualcuno?/Con chi ci sei andato?; 4. Cosa avete visto a Siena?; 5. Dove avete mangiato?; 6. E quando siete ritornati?

Vocabolario

3. 1. c, 2. f, 3. b, 4. e, 5. d, 6. a
4. 1. scorsa, 2. fa, 3. ieri, 4. fa, 5. scorso, 6. stamattina
5. 1. sono andate a una festa, 2. ha fatto una passeggiata, 3. sei andato a teatro, 4. avete visitato una mostra, 5. hanno fatto un po' di sport, 6. ha letto un libro, 7. ha fatto spese, 8. ho guardato
6. 1. si è alzato, 2. delle, 3. degli, 4. a fare, 5. ha visitato, 6. la sua ragazza, 7. hanno trovato, 8. hanno deciso, 9. qualcosa, 10. della

Grammatica

7. 1. è uscita, 2. è andata, 3. sono restate, 4. è partito, 5. sono nate, 6. siete tornati, 7. ci siamo divertiti, 8. si sono alzati, 9. si sono messe, 10. vi siete rilassati
8. 1. sono partita, 2. sono arrivata, 3. ho incontrato, 4. abbiamo fatto, 5. abbiamo bevuto, 6. abbiamo visto, 7. ho mangiato, 8. ho preso, 9. ho visitato, 10. sono tornata, 11. Ho cenato, 12. ho guardato, 13. ho ascoltato, 14. sono andata, 15. è stata, 16. mi sono divertita
9. 1. Ho visto degli amici, 2. Ho bevuto del vino, 3. Ho conosciuto delle ragazze, 4. Ho messo dello zucchero nel caffè, 5. Ho comprato dei libri, 6. Ho preparato della pasta per cena, 7. Ho portato dei dolci, 8. Ho scritto delle e-mail
10. 1. Avete già fatto gli esercizi?; 2. Oddio è tardissimo! E devo fare ancora la doccia!; 3. Avete visitato il Duomo? Io non ho ancora potuto visitarlo; 4. Sono già le 11 ma Matteo non si è ancora alzato; 5. Il dottore è già andato via? Quando lo posso trovare?; 6. Sei già arrivato a casa? Hai fatto presto; 7. Tuo figlio ha 6 anni? Allora ha già cominciato ad andare a scuola; 8. Non ho ancora riordinato la casa, ma voglio farlo questo pomeriggio
11. 1. Sì, l'ho visitata/No, non l'ho visitata; 2. Sì, le ho aperte/No, non le ho aperte; 3. Sì, li ho finiti/No, non li ho finiti; 4. Sì, l'ho letto/No, non l'ho letto; 5. Sì, le ho fatte/No, non le ho fatte; 6. Sì, l'ho mangiata/No, non l'ho mangiata; 7. Sì, le ho portate/No, non le ho portate; 8. Sì, l'ho spento/No, non l'ho spento; 9. Sì, l'ho fatto/No, non l'ho fatto; 10. Sì, li ho cucinati/No, non li ho cucinati

Per concludere

12. 1. La settimana scorsa siamo andati a fare una passeggiata, 2. Ieri sono andata al cinema e ho visto un film interessante, 3. Abito a Roma da un mese ma non ho ancora visto il Vaticano, 4. Anna e Franco hanno frequentato un corso di giapponese un anno fa, 5. Elena ha cucinato degli spaghetti al pesto buonissimi, 6. Yumo è arrivata in Italia due mesi fa e già parla un po' di italiano, 7. Ho comprato i biglietti del concerto e li ho pagati 35 euro, 8. Ieri ho incontrato Simona e Miriam e le ho invitate alla festa
13. 1. Ieri è *stata* una bella giornata; 2. Hai veramente *degli* amici simpatici!; 3. Marina è *uscita* ieri sera con Marcello; 4. Hai portato i libri o li hai *dimenticati* a casa?; 5. Sabato sera non mi *sono* divertita per niente; 6. Lo scorso fine settimana non siamo usciti e siamo *rimasti* a casa; 7. Non ho *ancora* finito di fare gli esercizi; 8. Ho conosciuto Marisa il mese *scorso*
14. Risposta libera

Pronuncia

15. Risposta libera
16. ti: 1, 3, 4, 6, 8, 10, 13, 14, 16, 18; di: 2, 5, 7, 9, 11, 12, 15, 17, 19, 20

Parola chiave

17.
sinonimi: andare fuori, fare un giro
contrari: entrare, stare/restare a casa
con significato di diventare molto nervoso: uscire (fuori) dai gangheri
con significato di apparire, spuntare: uscire fuori
con significato di mostrare le reali intenzioni: uscire allo scoperto

con significato di dire o fare cose diverse rispetto agli altri: uscire (fuori) dal coro
con significato di impazzire, diventare pazzo: uscire (fuori) di testa

Unità 9

Funzioni

1. (g.) B/D (f.), (g.) E/A (f.), (g.) F/C (f.)
2. 1. Congratulazioni!; 2. Che fortuna!; 3. Che sfortuna!; 4. Che bello!; 5. Accidenti!

Vocabolario

3. 1. Sono marito e moglie e sono i genitori di Francesca, 2. Anna è la figlia di Marco e Giorgia e la sorella di Francesca, 3. Alberto è il figlio di Fabio e Maria e il cugino di Francesca, 4. Luigi e Valentina sono i nonni di Francesca, 5. Maria è la zia di Francesca, 6. Marcello è il fratello di Francesca, 7. Francesca è la nipote di Maria, 8. Francesca è la nipote di Luigi e Valentina, 9. Luigi è il padre di Giorgia e il suocero di Marco, 10. Fabio è il cognato di Giorgia
4. 1. b, 2. a, 3. e, 4. f, 5. d, 6. c

Grammatica

5. 1. loro, 2. loro, 3. vostri, 4. nostra, 5. miei, 6. suoi, 7. vostra, 8. sua, 9. tuo, 10. mia
6. 1. la; 3. le; 4. i; 6. la, i; 8. i; 9. il; 10. i
7. 1. andranno; 2. scriverò; 3. ci sposeremo; 4. farai, comprerò; 5. continueranno; 6. incontrerai; 7. finirò; 8. sarete, partirete; 9. amerò; 10. Potrai, dovrai
8. 1. Vuoi continuare a convivere o pensi di sposarti prima o poi?; 2. Non ci siamo ancora sposati, ma ci sposeremo l'anno prossimo; 3. Mio padre è pensionato, mia madre invece lavora ancora; 4. Voglio bene a mio fratello ma litighiamo spesso; 5. Ho litigato con Giorgio perché si è comportato male con me

Per concludere

9. 1. Voglio molto bene *alla* mia famiglia; 2. Giorgio e Laura *si sposano* tra un mese; 3. Devi decidere se vuoi sposare Marco *o* se lo vuoi lasciare; 4. Più tardi Giorgia *andrà* a prendere i suoi figli a scuola; 5. Li conosco da 10 anni ma non conosco ancora i *loro* genitori; 6. Stasera Nino prende *la sua* macchina; 7. *Sono* sposato con Marcella da tre anni; 8. Io e Martina *siamo* fidanzati e stiamo bene insieme
10. 1. Passo le feste con la mia famiglia; 2. I miei genitori sono sposati da venti anni; 3. Quali sono i tuoi progetti per il prossimo anno?; 4. Marcello e Gaia stanno insieme da molti anni ma non vogliono sposarsi; 5. La famiglia italiana attuale è molto diversa dalla famiglia di trenta anni fa; 6. Ci saranno molti invitati al matrimonio o inviterete soltanto gli amici più intimi?
11. 1. marito, 2. genitori, 3. coppie, 4. o, 5. famiglia, 6. Ma, 7. perché, 8. si sposano
12. Risposta libera

Pronuncia

13. Risposta libera
14. si: 1, 4, 5, 8, 9, 10, 12, 14, 15, 17; zi: 2, 3, 6, 7, 11, 13, 16, 18, 19, 20

Parola chiave

15.
sinonimi: parenti, familiari
nomi di familiari: genitori, fratelli, cugini
aggettivi: unita, allargata, reale, distrutta, tradizionale
verbi: mettere su, farsi una, amare, riunire
altre espressioni: affare di famiglia, essere figlio di papà/di famiglia, interessi di famiglia

Unità 10

Funzioni

1. 1. D, 2. H, 3. B, 4. G, 5. C, 6. F, 7. A, 8. E

Vocabolario

2. 1. mossi, 2. calvo, 3. robusto, 4. giovane, 5. anziano, 6. aggressivo, 7. antipatico, 8. maleducato
3. *Maria*: (nazionalità) italiana; (fisico) alta, magra; (occhi) azzurri; (capelli) neri, lisci, lunghi; *Pablo*: (nazionalità) brasiliana; (fisico) alto, un po' grasso; (occhi) neri; (capelli) lunghi, ricci
4. Carattere: interessante, forte, tranquillo, nervoso, brutto, noioso, aperto; Caratteristiche fisiche: carino, robusto, chiaro, forte, muscoloso, brutto, calvo, scuro
5. Maria è italiana e abita a Roma. È una ragazza brutta e fa l'infermiera in un ospedale. Ha 25 anni ed è bassa e grassa. Ha gli occhi neri e i capelli biondi, ricci e corti. Io non la conosco molto bene ma mi sembra maleducata e triste anche in situazioni difficili.
Il fidanzato di Maria si chiama Pablo: ha 32 anni, ed è brasiliano, di Rio. Pablo fa il cameriere a Roma in un ristorante in Via Condotti, vicino a Piazza di Spagna. È sempre antipatico con tutti; è basso e magro; ha la pelle chiara, gli occhi azzurri e i capelli corti e lisci.

Grammatica

6. A. A me sì; B. Neanche a me; C. invece, mi è sembrato; D. mi sembrano; E. Non mi è sembrato
7. 1. Le; 2. mi; 3. vi, Vi; 4. Le (farLe); 5. gli; 6. ti (chiederti), Mi; 7. Ci; 8. gli
8. 1. Nadia è una ragazza molto intelligente e io le voglio bene; 2. Se incontro Maria, le dico che la cerchi; 3. Ho visto Luigi e Franco e gli ho dato l'invito per la mia festa; 4. Sandro non mi ha ancora perdonato. Ogni volta che lo vedo vorrei parlargli/gli vorrei parlare per chiedergli scusa; 5. Da un po' non sento mia madre. Adesso le scrivo un messaggio e più tardi provo a chiamarla al telefono; 6. È uscito l'ultimo film di Brad Pitt e oggi voglio assolutamente vederlo! Ho telefonato anche a Marta e Mario per invitarli al cinema e gli ho detto di avvertire anche Franco

Per concludere

9. 1. Buongiorno Dottore, io sono Marco Rossi. Piacere di *conoscerla*; 2. Non sopporto gli arroganti e *non* mi piacciono neanche gli ipocriti; 3. Giulia è molto carina e simpatica, *ma* sua sorella è un po' antipatica; 4. I tuoi amici mi *sembrano* persone interessanti; 5. Marcello prende le decisioni immediatamente. Insomma è un tipo *istintivo*; 6. Non mi piace molto parlare in chat, e a *te*?; 7. Ecco il numero di Mario, così puoi *telefonargli* e invitarlo alla festa; 8. Valerio non va in discoteca perché non *gli* piace ballare
10. 1. Alberto non mi sembra una persona molto aperta; 2. Ho conosciuto Mary su facebook e oggi la incontro; 3. Come è Vito di carattere?; 4. Caterina è la ragazza con gli occhi chiari; 5. A Nino piace conoscere sempre nuove persone/persone nuove; 6. Anna ha i capelli biondi e la carnagione chiara; 7. Neanche a me piace il carattere di Mario; 8. Elena è un tipo allegro e socievole
11. 1. tipo, 2. gli, 3. mi, 4. corti, 5. scuri, 6. corporatura, 7. a me, 8. sembrano, 9. gentile, 10. timido, 11. gli, 12. anche a me, 13. piacevole, 14. lo (sentirlo), 15. lo (frequentarlo)
12. Risposta libera

Pronuncia

13. Risposta libera
14. sso: 1, 3, 4, 7, 9, 11, 12, 15, 19; so: 2, 5, 6, 8, 10, 13, 14, 16, 17, 18, 20

Parola chiave

15.
sinonimo di persona: ho conosciuto un tipo, ti ha cercato un tipo
sinonimo di genere: un tipo di persona, cose di questo tipo, un

problema di tipo grammaticale, un tipo di lavoro
aggettivi con tipo: interessante, intelligente, noioso
espressioni: sei proprio il mio tipo, sei proprio un bel tipo
nella lingua parlata sinonimo di come *per fare paragoni*: un paese tipo l'Italia, una persona tipo Maria

Unità 11

Funzioni

1. Impiegato: 1, 3, 4; Viaggiatore: 2, 5, 6
2. 1. Che ne dici di andare al cinema?; 2. Mi dispiace ma non posso; 3. Certo, volentieri; 4. Da che binario parte?; 5. Portiamo ritardo?; 6. Un biglietto per Milano, per favore
3. 1. ti va di venire, 2. non posso, 3. Che ne dici, 4. d'accordo
Risposte possibili: 1. Perché è in ritardo e deve ancora fare la valigia, 2. Va a Bologna da sua cugina, 3. Perché deve consegnare un lavoro lunedì mattina, 4. Perchè c'è lo sciopero, 5. L'accompagna Anna con la macchina
4. 1. f, 2. c, 3. b, 4. a, 5. e, 6. d

Vocabolario

5. 1. c, 2. b, 3. a, 4. e, 5. d
6. 1. prendo la metro, 2. andare, 3. salire sul treno, 4. prendo la bici, 5. salgono, 6. scendere alla, 7. scendere
7. 1. mare, 2. autobus, 3. prezzo, 4. via, 5. biglietto, 6. cuccetta, 7. biglietto, 8. binario

Grammatica

8. 1. nessun, 2. niente, 3. Nessuno, 4. nessun, 5. nessuno, 6. nessuna
9. 1. Mi alzavo la mattina presto e prendevo l'autobus per andare a lavorare; 2. Era una bella giornata: il sole splendeva e non faceva troppo caldo; 3. Elisa aveva un bellissimo gatto che si chiamava Felix; 4. Passavate tutta l'estate al mare o facevate qualcosa di diverso?; 5. Non capivo bene gli italiani quando parlavano velocemente; 6. Dovevo studiare molto se volevo superare gli esami; 7. Francesca credeva di cucinare bene, ma in realtà cucinava malissimo; 8. Perché non andavi mai alle feste? Non ti piacevano?
10. 1. è uscito, pioveva; 2. è arrivato, cenavano; 3. leggeva, preparavo; 4. ho telefonato, dormiva; 5. leggevo, ho cominciato; 6. ha avuto, era; 7. abbiamo visto, ci è piaciuto; 8. mi sono svegliato, ho fatto, sono andato, sono tornato, dormiva, sono uscito; 9. ero, bevevo, hanno detto; 10. è finita

Per concludere

11. 1. Subito dopo che *sono arrivato* alla stazione il treno è partito; 2. Roberto, che *ne* dici di andare a fare un giro questo fine settimana?; 3. Attenzione, treno in arrivo. *Allontanarsi* dalla linea gialla; 4. Quando *eravamo* piccoli io e mio fratello giocavamo sempre insieme; 5. D'estate andavo sempre in campagna dai nonni e una volta *siamo andati* al mare; 6. Ieri volevo studiare, ma poi *sono* uscito; 7. Non mi va *di* uscire stasera, preferisco restare a casa; 8. Qualche volta vado a lavoro in autobus, qualche volta *a* piedi; 9. Quando parlava Francesco *diceva* sempre le stesse cose; 10. Oggi è una bella giornata ma ieri *faceva* freddo
12. 1. Ero molto impegnato perché frequentavo le lezioni ogni mattina; 2. Quando ero in Italia prendevo il treno perché era comodo; 3. Scusi, da che binario parte il prossimo treno per Firenze?; 4. Sono scesa dall'autobus perché era troppo affollato; 5. Ho visitato molte città italiane che prima non conoscevo
13. Risposta libera

Pronuncia

14. Risposta libera
15. pi: 1, 4, 6, 8, 9, 13, 14, 15, 17, 20; bi: 2, 3, 5, 7, 10, 11, 12, 16, 18, 19

Parola chiave

16.
avverbi: per niente, perfettamente, molto
sinonimi per accettare: con piacere, volentieri, va bene
verbi con significato di avere la stessa idea: trovarsi d'accordo, essere d'accordo, andare d'accordo
contrari per rifiutare: no, grazie; mi dispiace, non posso
altre espressioni: andare d'amore e d'accordo, restare d'accordo, mettersi d'accordo

Unità 12

Funzioni

1. Risposte possibili: Buongiorno. Senta, quanto vengono le due gonne in vetrina?; Mi potrebbe fare un piccolo sconto?; Senta, posso vedere il maglione rosso in vetrina?; Beh, sì... è molto bello. Quanto costa?; Guardi, non è per me, è un regalo. Se non va bene la misura lo posso cambiare?
2. Soluzioni suggerite: 1. Porto la 40, Porto la media; 2. Che ne pensi?, Secondo te...?; 3. Maria indossa i jeans..., Marco porta una giacca blu...

Vocabolario

3. 1. d, 2. f, 3. e, 4. l, 5. g, 6. a, 7. c, 8. i, 9. b, 10. h
4. 1. numero, 2. Secondo me, 3. vanno, 4. taglia, 5. largo di spalle, 6. un paio, 7. Porta, 8. vengono, 9. cambiare, 10. scontrino
5. 1. D, 2. B, 3. C, 4. A
6. 1. pelletteria, 2. marrone, 3. stretto, 4. giubbotto, 5. taglia, 6. collana, 7. pantaloni, 8. di lana

Grammatica

7. 1. quella (agg.); 2. questo (agg.), quello (pron.); 3. quei (agg.); 4. questi (agg.); 5. queste (agg.), quelle (pron.); 6. quei (agg.), quelli (pron.)
8. 1. Lava, 2. Metti, 3. Fa'/Fai, 4. Scegli, 5. Di', 6. Va'/Vai, 7. Pulisci, 8. Esci, 9. Pensa
9. 1. provalo, 2. telefonami, 3. regalale, 4. Vestiti, 5. Mettiti
10. 1. Non mi dire/dirmi quello che pensi!; 2. Non prendere la mia macchina!; 3. Non mi regalare/regalarmi un gioiello!; 4. Non ti mettere/metterti il vestito elegante!; 5. Non andare a fare spese!; 6. Non ti togliere/toglierti il giubbotto!

Per concludere

11. 1. Non mettere quella camicia perché è sporca; 2. È il compleanno di Elisa, falle un bel regalo; 3. Quell'orologio che ho visto in gioielleria costa 250 euro; 4. Non comprare niente in quel negozio, ha dei prezzi altissimi; 5. Fammi vedere la cravatta e i pantaloni neri che hai comprato
12. 1. Marco oggi *indossa* una giacca blu; 2. Mi piacciono molto *quei* pantaloni grigi; 3. *Porto* la taglia 42; 4. Mi *fa* uno sconto, per favore?; 5. *Dimmi* la verità!; 6. Anna, *decidi* tu dove andare stasera
13. Risposta libera

Pronuncia

14. Risposta libera
15. qua: 1, 5, 6, 9, 11, 12; que: 2, 4, 8; qui: 3, 7, 10

Parola chiave

16.
sinonimi: indossare, mettersi, portare
contrari: svestirsi, spogliarsi, togliersi i vestiti
avverbi e locuzioni avverbiali: bene, male, in maniera elegante, in modo sportivo, con gusto, in fretta
vestirsi come...: un signore, un damerino
vestirsi di...: rosso, bianco, lana
vestirsi a...: festa, lutto

Test 1 (Unità 1-2)

Funzioni

1. 1. Come si chiama?; 2. Quanti anni ha?; 3. Che lavoro fa?; 4. Di dov'è?; 5. Come sta?;

2. 1. Mi chiamo ...; 2. Ho ... anni; 3. No, non sono italiano. Sono ...; 4. No, non parlo il portoghese

Grammatica

3. il libro, l'albero, l'amica, la ragazza, lo zaino, l'agenda

4. 1. è, 2. hanno, 3. siamo, 4. avete, 5. siete

5. 1. mangio; 2. studia; 3. capite; 4. stanno; 5. facciamo; 6. vanno, prendono; 7. andiamo; 8. fa, beve

6. 1. La macchina nuova, 2. I ragazzi simpatici, 3. Le pizze calde, 4. I lavori difficili, 5. Le ragazze eleganti

7. 1. a, 2. in, 3. a, 4. in, 5. a

Vocabolario

8. 1. francese, 2. inglese, 3. irlandese, 4. tedesca, 5. americano

9. 5 = cinque, 7 = sette, 8 = otto, 13 = tredici, 19 = diciannove

Test 2 (Unità 3-4)

Funzioni

1. B, F, H, A, D, C, G, E; C, G, E, A, H, F, I, L, B, D

Grammatica

2. 1. Gli, 2. uno, 3. un, 4. un', 5. la, 6. il, 7. gli, 8. le, 9. le, 10. L', 11. la, 12. una, 13. un, 14. i, 15. il, 16. il

3. 1. voglio, vuole; 2. possiamo, dobbiamo; 3. fanno; 4. sanno; 5. preferisco, preferisce; 6. finiscono; 7. sa

4. 1. piace, piace; 2. piacciono; 3. piace; 4. piace

Vocabolario

5. 1. b, 2. e, 3. _, 4. c, 5. d, 6. a

Test 3 (Unità 5-6)

Funzioni

1. Soluzioni suggerite: (Saluti e prenoti una camera) Buonasera. Vorrei prenotare una camera singola; (Rispondi) Per due notti, lunedì e martedì prossimi; (Chiedi il prezzo della camera) Scusi, quanto viene la camera?; (Chiedi il permesso di portare il gatto) Bene. Senta, posso portare il mio gatto?; (Dici il tuo orario di arrivo in albergo e saluti) Bene. Allora arrivo in albergo alle 12, circa

2. 1. e, 2. b, 3. a, 4. c, 5. d

Grammatica

3. 1. ci sono, 2. è, 3. sono, 4. ci sono, 5. sono

4. 1. c'è, 2. c'è, 3. ci sono, 4. c'è, 5. ci sono

5. 1. alla, dell'; 2. ai; 3. Nelle; 4. dalla

6. 1. mi alzo, si alza; 2. si vestono; 3. ci rilassiamo; 4. vi divertite; 5. mi riposo; 6. ti svegli; 7. mi metto, si mette; 8. si annoiano

Vocabolario

7. 1. cucina, 2. bagno, 3. stanza da letto, 4. studio, 5. soggiorno

8. 1. ufficio, 2. alzarsi, 3. coinquilino, 4. qualche volta, 5. piccola

Test 4 (Unità 7-8)

Funzioni

1. 1. e, 2. c, 3. b, 4. a, 5. d

Grammatica

2. A. Lo, lo, Lo; B. Li, La, la; C. mi, ti; D. Le, Le

3. 1. leggo, 2. sto lavorando, 3. andiamo, 4. sta studiando, 5. frequentate

4. 1. siamo andati, 2. è stata, 3. ci siamo divertiti, 4. è piaciuto, 5. abbiamo mangiato, 6. siamo andati, 7. ho bevuto, 8. hanno bevuto, 9. è stata, 10. siamo tornati

5. 1. molto, 2. molte, 3. molte, 4. molto, 5. molti

Vocabolario

6. 1. nuvoloso, 2. piogge, 3. nuvola, 4. soleggiata, 5. fa caldo

Test 5 (Unità 9-10)

Funzioni

1. A. Io sono sposato; B. litighiamo; C. Siamo fidanzati; D. Favoloso!; E. Che peccato!

Grammatica

2. 1. la mia, 2. le vostre, 3. la tua, 4. tuo, 5. i loro, 6. Il suo, 7. Mia, 8. i suoi

3. 1. finirò; 2. sarai; 3. affitteremo; 4. parlerà; 5. compreremo; 6. andranno; 7. comincerà, avrà

4. 1. ti, 2. vi, 3. gli, 4. Le, 5. mi, 6. le, 7. gli

5. 1. o, 2. perché, 3. All'inizio, 4. ma, 5. Poi

Vocabolario

6. Risposta possibile (per una lista più ricca rivedi l'unità 10). gli occhi: castani, rotondi, piccoli; i capelli: lunghi, neri, corti; il carattere: simpatico, timido, aggressivo

Test 6 (Unità 11-12)

Funzioni

1. 1. E, B, C, F, H, A, D, G

2. Risposte suggerite: A. Mi dispiace ma non posso, devo studiare; B. Mh... non so. A che ora è il film?; C. Va bene, mi hai convinto. Andiamo con la macchina o con l'autobus?; D. Bene. Dove ci vediamo?; E. Ok, allora quando arrivi a casa mia mi fai uno squillo al cellulare e io scendo

Grammatica

3. A. andavo, restavo, sono andato; B. ero; C. hai fatto, sono andato, sono andato; D. frequentavano, pranzavano, studiavano

4. 1. quei, 2. quelle, 3. Quel, 4. Quella, 5. quegli

5. 1. chiudi, 2. sta', 3. rispondi, 4. lasciami, 5. usalo, 6. accendi, 7. ricordati, 8. finiscilo, 9. apri, 10. divertiti

Vocabolario

6. 1. un paio, 2. stretti, 3. maglione, 4. cambiare, 5. scontrino

Indice del cd audio

Libro dello studente

Traccia **1**: Unità 1, Comunichiamo, 1 [0'53"]
Traccia **2**: Unità 1, Comunichiamo, 5 [1'32"]
Traccia **3**: Unità 1, Comunichiamo, 8 [1'31"]
Traccia **4**: Unità 1, Comunichiamo, 20 [0'47"]
Traccia **5**: Unità 1, Comunichiamo, 25 [0'56"]
Traccia **6**: Unità 1, Comunichiamo, 27 [1'30"]
Traccia **7**: Unità 2, Comunichiamo, 1 [1'38"]
Traccia **8**: Unità 2, Comunichiamo, 11 [1'18"]
Traccia **9**: Unità 3, Comunichiamo, 1 [1'35"]
Traccia **10**: Unità 3, Comunichiamo, 15 [0'59"]
Traccia **11**: Unità 3, Comunichiamo, 20 [1'35"]
Traccia **12**: Unità 4, Comunichiamo, 2 [1'21"]
Traccia **13**: Unità 4, Comunichiamo, 16 [1'23"]
Traccia **14**: Unità 5, Comunichiamo, 2 [1'39"]
Traccia **15**: Unità 5, Comunichiamo, 13 [1'38"]
Traccia **16**: Unità 6, Comunichiamo, 9 [1'44"]
Traccia **17**: Unità 6, Comunichiamo, 11 [0'45"]
Traccia **18**: Unità 7, Comunichiamo, 9 [1'47"]
Traccia **19**: Unità 7, Facciamo grammatica, 12 [0'37"]
Traccia **20**: Unità 8, Comunichiamo, 9 [1'21"]
Traccia **21**: Unità 9, Comunichiamo, 2 [1'28"]
Traccia **22**: Unità 10, Comunichiamo, 1 [1'59"]
Traccia **23**: Unità 11, Comunichiamo, 2 [2'09"]
Traccia **24**: Unità 11, Comunichiamo, 12 [0'54"]
Traccia **25**: Unità 11, Comunichiamo, 18 [1'36"]
Traccia **26**: Unità 12, Comunichiamo, 1 [1'37"]
Traccia **27**: Unità 12, Comunichiamo, 13 [1'29"]

Eserciziario

Traccia **28**: Unità 1, Pronuncia, 18 [0'46"]
Traccia **29**: Unità 1, Pronuncia, 20 [0'52"]
Traccia **30**: Unità 2, Pronuncia, 13 [0'54"]
Traccia **31**: Unità 2, Pronuncia, 15 [0'47"]
Traccia **32**: Unità 3, Pronuncia, 15 [1'10"]
Traccia **33**: Unità 4, Pronuncia, 17 [0'48"]
Traccia **34**: Unità 5, Pronuncia, 15 [1'18"]
Traccia **35**: Unità 6, Pronuncia, 15 [1'10"]
Traccia **36**: Unità 7, Pronuncia, 15 [1'08"]
Traccia **37**: Unità 8, Pronuncia, 15 [1'10"]
Traccia **38**: Unità 9, Pronuncia, 13 [1'18"]
Traccia **39**: Unità 10, Pronuncia, 13 [1'03"]
Traccia **40**: Unità 11, Pronuncia, 14 [1'20"]
Traccia **41**: Unità 12, Pronuncia, 14 [0'43"]

L'italiano all'università 1 si può integrare con:

Collana *Primiracconti*, letture semplificate per stranieri.
Mistero in Via dei Tulipani (A1-A2) è una storia coinvolgente, e non senza colpi di scena, che si sviluppa all'interno di un condominio. Tutto inizia con l'omicidio del signor Cassi, l'inquilino del secondo piano: due sedicenni, Giacomo e Simona, decidono di mettersi sulle tracce dell'assassino. Le indagini porteranno i ragazzi a scoprire non solo il colpevole, ma anche l'amore.
Mistero in Via dei Tulipani, disponibile con o senza CD audio, contiene una sezione con stimolanti attività e le rispettive chiavi in appendice.

ISBN 978-960-693-013-3 (Libro)
ISBN 978-960-693-015-7 (Libro+CD audio)

Glossari interattivi
Un modo originale, efficace e divertente per imparare o consolidare il lessico!
Applicazioni gratuite per smartphone e tablet.

UNI

Disponibile su App Store

DISPONIBILE SU Google play

Le lingue disponibili sono tante e lo studente può esercitarsi partendo dalla traduzione o dall'italiano. Seleziona l'unità e comincia a studiare... giocando!

L'applicazione propone le parole in ordine casuale. Lo studente ha due pulsanti a disposizione: con *scopri* vede la traduzione...

...mentre con *aiuto* può scegliere fra 3 alternative la traduzione corretta ricevendo un feedback immediato.

Lo studente può inoltre salvare nei *favoriti* le parole da ripassare, eliminare quelle meno importanti e, soprattutto, *ascoltare la pronuncia* corretta, con la qualità di Google Translate!